ANNA JONES
a modern way to eat

mosaik

ANNA JONES

a modern way to eat

Über 200 vegetarische und vegane Rezepte für jeden Tag

Aus dem Englischen von Susanne Kammerer

mosaik

Für John
Es lässt sich nicht in Worten ausdrücken,
was für ein Glück ich habe.

Penguin Random House Verlagsgruppe FSC® N001967

Dieses Buch ist auch als E-Book erhältlich.

8. Auflage
Deutsche Erstausgabe Oktober 2015
© 2015 Wilhelm Goldmann Verlag, München,
in der Penguin Random House Verlagsgruppe GmbH,
NeumarkterStr. 28, 81673 München
© 2014 der Originalausgabe Anna Jones
Vorwort © 2014 Jamie Oliver
Originaltitel: A modern way to eat
Originalverlag: Fourth Estate, an imprint of HarperCollins Publishers
Fotos: © Brian Ferry; außer Foto auf S. 191: Sandra Zellmer
Umschlaggestaltung: zeichenpool
Umschlagfotos: © Brian Ferry
Redaktion: Katharina Lisson
Layoutadaption: Andrea Mogwitz
Satz: Uhl + Massopust, Aalen
KW · Herstellung: Ina Hochbach
Druck und Bindung: Mohn Media
Printed in Germany
ISBN 978-3-442-39286-5
www.mosaik-verlag.de

Über die Autorin

Anna Jones ist Köchin, Stylistin und Autorin. Eines grauen Arbeitstages, an dem sie zu spät dran war, beschloss sie, ihren Job zu kündigen, nachdem sie einen Zeitungsartikel darüber gelesen hatte, dass man seinen Leidenschaften nachgehen sollte. Ihre ersten Schritte machte sie in der Restaurantküche des *Fifteen* in London unter dem aufmerksamen Blick des jungen Jamie Oliver. Sie blieb der Jamie-Oliver-Familie weitere sieben Jahre treu und arbeitete für ihn als Foodstylistin, Autorin und kulinarische Kreative an Büchern, Fernsehshows und Food-Kampagnen. Sie kochte in Schulküchen im Londoner East End, an Stränden in Sydney, in US-amerikanischen Indianerreservaten, half mit, die schwergewichtigste Stadt der USA in Form zu bringen, sie kochte für gekrönte Häupter und die G20 in der Downing Street und leitete TED-Kochkurse.

Anna arbeitet heute als Stylistin und Food-Journalistin für Zeitungen, Magazine, Köche, *Food Heroes* und zahlreiche Unternehmen aus der Lebensmittelbranche. Sie hat mit einigen der beliebtesten Köche und Küchenchefs unserer Zeit zusammengearbeitet, von Antonio Carluccio über Mary Berry und Stevie Parle zu Yotam Ottolenghi, Sophie Dahl und den Fabulous Baker Brothers. Ebenso hat sie für einige der bedeutendsten britischen Lebensmittel-Marken gearbeitet wie die Getränkemarke innocent, für die sie *Hungry? The Innocent Recipe Book for Filling Your Family with Good Stuff* verfasst hat. Annas Rezepte und ihr Styling erschienen bereits in *Telegraph*, *Observer Food Monthly*, *Guardian* und *Jamie Magazin*. *A modern way to eat* ist ihr erstes eigenes Buch. Sie lebt, schreibt und kocht in Hackney, Ostlondon.

Vorwort von Jamie Oliver

Es ist mir ein großes Vergnügen und erfüllt mich mit Stolz, dieses Vorwort für Anna zu schreiben, eine meiner Auszubildenden aus dem ersten Jahr im *Fifteen London*. Und nun, elf Jahre später, veröffentlicht sie ihr eigenes wunderschönes und gut durchdachtes Kochbuch. Dieses Buch verdient einen Platz in jeder Kochbuchsammlung, denn es zeigt, wie man Gemüse feiert – etwas, das wir alle tun sollten. Es veranschaulicht auf sensible Weise, wie gut es funktioniert, ausgewogen und im Einklang mit den Jahreszeiten zu essen. Es vermittelt Ihnen eine Vorstellung davon, wie Anna köstliche, einfache und für jeden machbare Mahlzeiten zusammenstellt. Sie werden reichlich Gelegenheit haben, einen genaueren Blick auf den Stammbaum eines Nahrungsmittels zu werfen, um zu erfahren, wie man aus einer bescheidenen Zutat zahlreiche Dinge mit völlig unterschiedlichem Ergebnis machen kann. Genau darum geht es beim Kochen: darauf zu reagieren, was gerade verfügbar ist, was Saison hat, wie man sich gerade fühlt und für wen man überhaupt kocht. Dies ist alles leicht gesagt, aber man braucht jemanden, der es richtig erklären kann und der einem vor Augen führt, wie man ein Rezept abwandelt, weiterentwickelt und perfektioniert. Genau wie Anna es so mühelos auf den Seiten dieses Buches getan hat. Gut gemacht, Anna – dies ist ein großartiges Kochbuch, und ich bin wahnsinnig stolz!

a modern way to eat

Das Essen in diesem Buch hält, was ich Ihnen verspreche:
- Es schmeckt köstlich und verwöhnt Ihren Gaumen.
- Es sorgt dafür, dass Sie sich gut fühlen und dass Sie gut aussehen.
- Es macht Sie zufrieden und satt, aber ohne Völlegefühl.
- Es hilft Ihnen dabei, Ihren ökologischen Fußabdruck auf unserem Planeten zu verkleinern.
- Es ist schnell und einfach zubereitet und kostet nicht die Welt.
- Und Sie werden damit Ihre Familie und Freunde beeindrucken.

Unsere Ernährungsweise verändert sich

Wir erwarten heute so viel von unserem Essen, dass das Konzept vom allabendlichen »Fleisch plus zwei Gemüse« prähistorisch erscheint. Unser Essen soll köstlich schmecken, gesund sein und aus der Region stammen, es soll schnell gekocht, preiswert und gut für unseren Planeten sein. In diesem Buch erfahren Sie, wie Sie einfache Mahlzeiten zubereiten, die Ihre Freunde und Ihre Familie beeindrucken und – noch wichtiger – auf schnelle und unkomplizierte Art ernähren.

Heute begegnet man immer mehr Menschen, die sich Gedanken darüber machen, was sie essen und wie es sich auf ihre Gesundheit auswirkt. Sie sind sich dessen bewusst, dass es sowohl für ihre Gesundheit als auch für ihren Geldbeutel von Bedeutung ist, nicht nur hin und wieder selbst zu kochen. Zudem legen wir mittlerweile so viel Wert auf Herkunft, Qualität und Nachhaltigkeit, dass – wenn wir auf das Supermarktangebot von vor zehn Jahren zurückblicken und es mit dem heutigen vergleichen – deutlich wird, wie enorm die Veränderung ist, die stattgefunden hat. Die Regale sind voller interessanter Gemüsesorten und ausgefallener Kräuter, verschiedener und besonderer Getreidearten, Gewürze und Zutaten aus fernen Ländern. Was machen wir nun mit diesem reichhaltigen Angebot?

All meine Freunde, ob Vegetarier oder nicht, möchten sich einfacher und saisonaler ernähren und einen größeren Schwerpunkt auf Gemüse legen. Während in Großbritannien die Anzahl der Vegetarier langsam steigt, explodiert die Anzahl derer geradezu, die ihren Fleischkonsum einschränken möchten. Wir alle wissen, dass es weder für unseren Körper noch für unseren Planeten gut ist, Fleisch im Übermaß zu essen. Mir fällt es leicht, vegetarisch zu leben; Sie empfinden es möglicherweise anders, sodass für Sie ein paar Abendessen pro Woche ohne Fleisch eher infrage kämen. Egal, wofür Sie sich entscheiden: Neue Ideen können wir alle gut gebrauchen.

Wir nehmen eine Art goldenen Mittelweg und schlagen eine Brücke von den schweren käselastigen vegetarischen Restaurantangeboten zu Ernährungsphilosophien, die aus grünen Säften bestehen. Wir wollen das Beste aus beiden Welten, nämlich intensive Geschmackserlebnisse, die uns zudem guttun: ein megadicker Burger, der fantastisch schmeckt und dabei auch noch gesund ist, ein Brownie, der höllisch schokoladig ist und uns gleichzeitig ungeahnte Energie verleiht, ein Frühstückspfannkuchen, der uns wie ein Dessert vorkommt, aber voller wertvoller Zutaten steckt.

Aber ich finde auch, dass Essen eine fröhliche Angelegenheit sein sollte – und sobald Regeln, Druck und starre Ernährungskonzepte ins Spiel kommen, geht der Spaß flöten. Ich ernähre mich fast immer gesund, bin jedoch davon überzeugt, dass Essen ein Teil unseres so wunderbar unperfekten Menschseins ist. Dieser unwiderstehliche Brownie mit Salzkaramell hat daher seine Daseinsberechtigung neben der »korrekten« Schüssel voll Körner und Grünzeug.

Ich mag Essen, das mich zufrieden macht und gleichzeitig dafür sorgt, dass ich mich leicht und gut fühle. Nach zu viel gesundem Essen bin ich irgendwie unzufrieden und nicht so recht satt, wobei ich auch keine Lückenfüller in Form von schweren Kohlenhydraten oder Milchprodukten verwenden möchte. Bei mir kommen Gewürze, unterschiedliche Konsistenzen und gaumenschmeichelndes Getreide zum Einsatz, die glücklich machen, ohne schwer im Magen zu liegen.

Daher habe ich in diesem Buch versucht, Rezepte zu entwickeln, bei denen rein und gesund mit köstlich zusammentrifft, nachhaltig mit bezahlbar, schnell und einfach mit herzhaft. Die Rezepte sind gut für Ihre Gesundheit und unsere Umwelt, sie sind in jeder Hinsicht eine Bereicherung, und Sie müssen dafür nicht stundenlang in der Küche stehen. Es ist eine neue Art des Essens: so, wie ich mich ernähre, wie sich meine Freunde ernähren möchten und, wie ich glaube, wie wir alle in Zukunft am liebsten essen möchten.

Wie sich meine Art zu kochen verändert hat

Meine Art zu kochen hat sich verändert, als ich Vegetarierin wurde – plötzlich betrachtete ich meine Kochweise aus einem völlig anderen Blickwinkel. Die Ernährungsbausteine, mit denen ich aufgewachsen war, und die Regeln, die ich als Köchin gelernt hatte, funktionierten nicht mehr richtig. Die Herausforderung, neue Möglichkeiten zu finden, wie ich meinem Essen Konsistenz und Aroma verleihen und es interessanter gestalten kann, beinhaltete auch die Suche nach einer ganzen Palette neuer Zutaten und einigen neuen Küchentechniken.

Ich lasse mich von den Dingen leiten, die mich von Anfang an am Kochen fasziniert haben. Der feine Nebel aus Zitrusöl, der aufsteigt, wenn ich die Schale einer Orange abreibe. Die intensiv violette Färbung, die sich beim Einschneiden in eine Rote Bete offenbart. Der heimelige Duft von Ingwer und braunem Zucker, der beim Crumble-Backen durch die Küche zieht, die Magie von im Wasserbad schmelzender Schokolade und so viele weitere Momente, bei denen meine Geschmacksknospen zu tanzen beginnen und mein Herz etwas schneller schlägt.

Wenn ich ein Rezept aufschreibe oder etwas fürs Abendessen zusammenbastle, habe ich als Grundlage immer dieselben drei Dinge im Hinterkopf: Wie wird es schmecken? Wie kann ich mit den Konsistenzen spielen, damit etwas Interessantes dabei herauskommt? Und was kann ich tun, damit es auch auf dem Teller unwiderstehlich aussieht?

Geschmack bedeutet für mich, aus den Zutaten das Beste herauszuholen. Manchmal heißt das, einfach nur mit einer Prise Anglesey-Meersalz zu würzen, mehr nicht. Ein anderes Mal heißt es, Kräuter, Gewürze, süß und sauer auszubalancieren, den ursprünglichen Charakter eines wunderbar karamelligen Stücks gerösteten Kürbisses durch die passende Auswahl wärmender Gewürze zu betonen oder eine Tomatensauce mit einem Spritzer Essig aufzupeppen.

Konsistenzen werden beim Kochen oft nicht berücksichtigt, bei mir sind sie jedoch genauso entscheidend für den Erfolg eines Gerichts wie der Geschmack, besonders in der vegetarischen Küche. Ich überlege mir, wie Kinder auf ein Gericht reagieren – wir stellen uns auf Konsistenzen genauso ein wie auf Geschmack. Geröstete Kerne und Saaten in einem Salat, mit Öl beträufeltes knusprig gegrilltes Brot zu einer Schüssel Suppe, das Knacken von pfeffrigen Radieschen in einem weichen Taco. Es ist die Konsistenz – genauso wie der Geschmack –, die den Gaumen kitzelt und dem Gehirn signalisiert, dass dieser Bissen köstlich ist und zum kulinarischen Glück beiträgt.

Die Sache mit der Optik kommt von meinem Job als Foodstylistin. Ich habe die letzten zehn Jahre damit verbracht, Nahrungsmittel so anzurichten, dass sie beim Betrachter den direkten Reflex auslösen, ins Buch greifen und das Abgebildete auf der Stelle verspeisen zu wollen: das schmelzende Innere eines Schokotörtchens, wie es beim Anschneiden dickflüssig-cremig auf den Teller quillt, die Wassertropfen auf einem gewaschenen Blatt des knackigsten Salats, den man sich nur vorstellen kann, den zerlaufenden Käse und die luftigen Knusperschichten von perfektem Blätterteig, wie er die Füllung einer Tarte umschließt. Ich bin mir beim Kochen immer der Tatsache bewusst, dass wir bereits genießen, bevor wir auch nur eine Gabel in der Hand haben – deshalb mache ich mir Gedanken, wie ich einen einfachen Salat dekorativ auf einer Platte anrichte oder ein bescheidenes Pastagericht mit herrlich grünen Kräutern und intensiv roter Chili garniere. Aber auch, wenn ich nur ein schnelles Frühstück oder ein eiliges Mittagessen zubereite, nehme ich mir die paar Sekunden Zeit, aus dem Zubereiteten das Bestmögliche zu machen.

Zum Schluss überlege ich mir gern noch ein kleines i-Tüpfelchen, das das Gericht abrundet. Meistens handelt es sich dabei um ein Löffelchen von diesem oder jenem. Ein Klecks Joghurt auf ein chiliwürziges Dal getupft, ein fix gezaubertes Kräuteröl über ein Chili geträufelt, ein paar geröstete Haselnüsse über eine Suppe gestreut. Für mich sind es diese letzten Überlegungen, die aus einer guten Mahlzeit eine besondere Mahlzeit machen. Die fast immer unaufwendigen Extras sorgen für eine zusätzliche Geschmacksebene, für mehr Farbe und für einen Kontrast von heiß und kalt. Sie lassen ein Gericht durchdachter erscheinen, verleihen ihm einen letzten Aromakick und verhelfen Ihnen zu einem hervorragenden Ruf als Köchin oder Koch, ohne besonders viel dafür getan zu haben.

Eine neue Palette von Zutaten

Nachdem ich angefangen hatte, auf diese leichtere und gesündere Art zu kochen, wurde mir immer mehr bewusst, wie wichtig Abwechslung ist. Ich nahm beim Keksebacken geröstete Nussbutter anstelle von normaler Butter, Kokosöl statt Butter auf meinem Toast und Quinoa und Hirse in meinem Frühstücks-Porridge. Indem ich eine Zutat auswähle, die gut passt und außerdem toll schmeckt (und nicht nur ihrer Nährstoffe wegen ausgesucht wurde), zwinge ich mich dazu, über den Tellerrand zu schauen und mich nicht länger auf die althergebrachten Rezepte zu verlassen.

Wenn ich koche, suche ich gern ausgefallene, aufregende und aromatische Zutaten aus, um meine Küche komplexer und interessanter zu gestalten. Das Dinkelmehl, das ich für meinen Ingwer-Melasse-Kuchen nehme, sorgt für Struktur und einen kräftig malzigen Röstgeschmack, zudem ist es leichter verdaulich. Die Mandelmilch in meinem Morgenkaffee, die ganz

köstlich schmeckt, bringt einen ordentlichen Eiweißkick und liefert die gesunden Fette, die der Körper benötigt. Oder die Kokosbutter, die ich verwende, um die Gewürze für Currygerichte darin zu erhitzen – da sie höher erhitzbar ist als Olivenöl –, wodurch sich die Aromen der Gewürze perfekt entfalten können; dazu kommt, dass die zarte Kokosnote hervorragend mit einem indischen Dal oder einem Dosa (Kartoffelküchlein) harmoniert.

Ganz klar, an erster Stelle steht in meiner Küche der Geschmack. Wenn ich also meine, dass Butter in einem Gericht besser schmeckt, dann sage ich das auch; sollte in einen Kuchenteig etwas Zucker, habe ich damit kein Problem. Im Großen und Ganzen sind meine Rezepte jedoch vollwertig.

Ich habe so oft wie möglich unterschiedliche und interessante Getreidearten verwendet, da ich finde, dass all diese Körner einen festen Platz in unserer Ernährung verdient haben und von unserem Körper häufig besser vertragen werden. Wie bei Obst und Gemüse ist auch hier Abwechslung das Schlüsselwort. Jede Getreideart besitzt ein eigenes Aroma und eine einzigartige Konsistenz und stellt dem Körper eine andere Auswahl an Vitaminen und Nährstoffen zur Verfügung. Neben der ganzen Palette frischer Produkte in meinem Kühlschrank und in der Obstschale beherbergt das unterste Regal in meinem Küchenschrank ein buntes Spektrum verschieden gefüllter Gläser: rote Quinoa, schwarzer Reis, gelbe Hirse, goldener Amaranth und dunkle Perlgraupen. Daneben stehen Gefäße mit guter Pasta und Dinkelbrotmehl – wer weniger Gluten zu sich nehmen möchte, findet in meinen Rezepten Vorschläge und Ideen, wie er es auf köstliche Weise umgehen kann.

Was ich noch sagen wollte …

Kochen ist zwar mein Beruf, aber an den meisten Abenden möchte ich mein Essen in weniger als einer halben Stunde auf dem Tisch stehen haben. Vor allem, wenn ich bereits den ganzen Tag am Herd gestanden bin.
Ich koche also mit denselben Einschränkungen wie die meisten Menschen in meinem Bekanntenkreis. Nach dem Essen habe ich nicht mehr viel Lust auf Aufräumen oder Abwasch, was ich schon beim Kochen im Hinterkopf habe – eine Sache, die ich während meiner Ausbildung bei Jamie Oliver gelernt habe. Sie können sich also darauf verlassen, dass meine Rezepte – mit einigen wenigen Ausnahmen – schnell zubereitet sind und Sie dafür nicht alle Töpfe schmutzig machen müssen, die Sie besitzen.

Ein weiterer erfreulicher Nebeneffekt dieser Rezepte ist, dass sie den Geldbeutel schonen. Gemüse ist erschwinglich, ich will daher auf jeden Fall das Beste haben, das ich mir leisten kann, und kaufe, wann immer möglich, Bioprodukte aus der Region.

Ich kaufe alte Möhrensorten, wenn sie gerade Saison haben, ich liebe ihr Rotbraun, ihr Gelb und ihr intensives Violett; diese Regenbogenfarben bringen auch ein breites Spektrum an Nährstoffen ins Spiel. Ich kaufe roten Grünkohl oder Schwarzkohl, wenn er gerade angeboten wird, und verwende ihn anstelle einer alltäglicheren Gemüsesorte wie Spinat oder Weißkohl. Ich liebe auch die Außenseitergemüse, die selten im Rampenlicht stehen: Aus der Steckrübe mit ihrer hübschen violetten Färbung lassen sich tolle Pommes frites machen. Und eine Packung Tiefkühlerbsen, die mit Minze gekocht und püriert werden, schmeckt prima mit Pasta oder auf einer Scheibe heißem Toast.

Wenn ich mir überlege, wie ich mein Verhältnis zu Nahrungsmitteln auf einen Nenner bringen könnte, komme ich immer wieder auf Michael Pollans stark vereinfachte Gleichung zurück: »Eat food, not too much, mostly plants« (Iss, nicht zu viel, hauptsächlich Pflanzen). Dies ist mein

persönliches Notizbuch über die Entdeckung einer neuen und zeitgemäßen Art zu essen und zu kochen, bei der unserem Körper und unseren Geschmacksknospen gleich viel Bedeutung zukommt. Unglaublich köstliches, fröhliches Essen, neue Möglichkeiten und Aromen, die mich derart begeistern, dass ich mich aus genau den richtigen Gründen aufs Kochen und aufs Essen stürze.

Glutenfreie Ernährung wird immer beliebter als Möglichkeit, etwas für das allgemeine Wohlbefinden zu tun. Viele der hier vorgestellten Rezepte sind von Natur aus glutenfrei oder können leicht dazu gemacht werden. Auch wenn ich selbst ab und zu Brot und Pasta esse, ernähre ich mich ebenfalls gern glutenfrei, weil ich mich dadurch leichter und besser fühle. Ich verwende auch glutenfreie Pasta aus Naturreis- oder Quinoamehl. Ich habe Freunde, die Zöliakie haben, für sie ist es weitaus mehr als eine kulinarische Entscheidung, auf Gluten zu verzichten.

Ich möchte noch darauf hinweisen, dass Sie natürlich nicht dasselbe Ergebnis bekommen, wenn Sie Weizenmehl durch glutenfreies Mehl ersetzen. Die Verwendung von glutenfreiem Mehl beim Backen führt zu einer etwas krümeligeren Konsistenz, aber auch zu einem kräftigeren Aroma im Vergleich zu Weizenmehl. Ich nehme zum Kuchenbacken auch gern gemahlene Nüsse, die Fülle und Struktur bringen.

Anstelle von normalen Haferflocken können Sie auch glutenfreie verwenden (diese waren garantiert nicht mit Weizen in Kontakt). Manche Menschen mit Glutenunverträglichkeit ziehen es vielleicht vor, ganz auf Haferflocken zu verzichten. In diesem Fall sind Quinoaflocken ein guter Ersatz. Einige der hier verwendeten Basiszutaten enthalten möglicherweise verstecktes Gluten. Falls Sie darauf reagieren, sollten Sie vorsichtig sein mit Sojasauce oder Tamari (in Bioläden und großen Supermärkten gibt es glutenfreie Varianten), Misopasten (verwenden Sie die von Natur aus glutenfreie weiße Misopaste), Tofu und Tempeh (lieber natur als geräuchert oder aromatisiert; sorgfältig das Etikett lesen) und Backpulver (auch hier gibt es glutenfreie Produkte). Die in meinen Rezepten verwendete Instantbrühe ist nicht explizit als glutenfrei aufgeführt, diese findet man jedoch ohne Probleme im Supermarkt. Anstelle von Fladenbrot nehme ich auch gern Maistortillas, die unter Verwendung des ganzen Korns hergestellt wurden.

Viele meiner Rezepte sind vegan, da ich oft für meine veganen Geschwister koche. Ich habe in meinen Rezepten jede Menge Ersatzmöglichkeiten für Eier und Milchprodukte angegeben, da sich immer mehr Menschen für die vegane Ernährungsweise entscheiden, um die Belastungen für ihren Körper und unseren Planeten zu reduzieren.

Dort, wo ich Käse, Eier oder Butter verwende, gebe ich nach Möglichkeit Alternativen an. Kokosjoghurt zählt zu meinen Favoriten anstelle von handelsüblichem Naturjoghurt oder griechischem Sahnejoghurt, Mandelmilch ist meine erste Wahl beim Backen, und die meisten Gerichte in diesem Buch können problemlos auch ohne Käse zubereitet werden (dann nach Belieben etwas mehr Salz nehmen).

Auf Seite 356 ff. finden Sie eine Liste mit Rezepten, die entweder vollkommen glutenfrei und vegan sind oder ganz leicht dazu gemacht werden können.

WIE ICH EIN REZEPT ZUSAMMENSTELLE

Das alles geht mir durch den Kopf, wenn ich ein Rezept schreibe. Wenn Sie ähnlich ticken wie ich, halten Sie sich manchmal gern an ein Rezept, und ein anderes Mal improvisieren Sie lieber. Dies ist eine Art Leitfaden für die kreativeren Tage, der Ihnen hilft, Aromen und Konsistenzen so zu kombinieren, dass am Ende etwas Unglaubliches auf den Teller kommt. Ich habe hier drei Blattgemüse als Beispiel ausgewählt, die Methode funktioniert aber für jedes Gemüse.

1	**2**	**3**	**4**
DIE STARZUTAT	**WIE BEREITE ICH SIE ZU?**	**DIE NEBENROLLE?**	**NOCH EIN AKZENT**
↓	↓	↓	↓
GRÜNKOHL	BLANCHIEREN	QUINOA	AVOCADO
/	/	/	/
SCHWARZKOHL	SCHMOREN	EMMER (ZWEIKORN)	FENCHEL
/	/	/	/
GRÜNES BLATTGEMÜSE	PFANNENRÜHREN	GERÖSTETER KÜRBIS	FETA
	/	/	/
	PÜRIEREN	SPINAT	GERÖSTETER MAIS
	/	/	/
	ROH KNABBERN	SÜSSKARTOFFEL	EINGELEGTE ZITRONE

5	**6**	**7**	**8**
NOCH EIN AROMA	**NOCH EIN KRAUT**	**NOCH ETWAS BISS?**	**ABSCHMECKEN**
↓	↓	↓	↓
KNOBLAUCH	BASILIKUM	CROÛTONS	ZITRONE
╱	╱	╱	╱
CHILI	KORIANDERGRÜN	GERÖSTETE KÜRBIS-KERNE	LIMETTE
╱	╱	╱	╱
KOKOSNUSS	PETERSILIE	MANDELN	ORANGE
╱	╱	╱	╱
JOGHURT	MINZE	PISTAZIEN	SALZ
╱	╱		╱
PARMESAN	FENCHELGRÜN		PFEFFER

(M)ein Grund
zum Aufstehen

Ich war noch nie ein begeisterter Frühaufsteher, jahrelang
war ein Frühstück in meiner allmorgendlichen Routine nicht
einmal vorgesehen. Vor ein paar Jahren habe ich jedoch
plötzlich beschlossen, dass ich eigentlich jeden Morgen ein
richtiges Frühstück verdiene. Ob das eine Tasse Kaffee ist,
die ich auf den Treppenstufen hinterm Haus sitzend trinke,
während die ersten Sonnenstrahlen durch den Mimosenbusch
brechen, oder eine eilige Schüssel Knuspermüsli, bevor ich
zur Haustür hinauseile – in gewisser Weise stelle ich mit der
Art meines Frühstücks die Weichen für den Tag. Und da man
unterschiedliche Arten von Frühstück für unterschiedliche
Arten von Tagen braucht, habe ich dieses Kapitel in zwei
Abschnitte aufgeteilt: in schnell (Rezepte bis Seite 33) und
langsam (Rezepte ab Seite 36).

**Geröstete Haferflocken · genau richtig gekochte Eier ·
geschmorte Tomaten · in Scheiben geschnittene, perfekt
reife Avocado · getoastetes Sauerteigbrot · eine gute Kanne
Kaffee · dampfende Schüsseln mit cremigem Porridge ·
fluffig-leichte Pfannkuchen · knusprige Waffeln · Müsliriegel-
Granola · Dessert zum Frühstück**

Blaubeer-Pie-Porridge

Ein prima Start in den Tag, der Ihnen guttun wird, da die Ahornsirup-Blaubeeren aus einem normalen Morgenporridge ein absolutes Verwöhnfrühstück machen.

Ich verwende hier eine Mischung aus Amaranth und Haferflocken (Sie können auch glutenfreie Haferflocken nehmen), da ich das intensiv nussige Aroma von Amaranth liebe. Die Art, wie er seine Form behält und dann im Mund platzt, bietet eine willkommene Abwechslung zur gleichförmigen Konsistenz eines üblichen Porridges. Sie können den Amaranth jedoch auch weglassen und durch mehr Hafer-, Hirse- oder Quinoaflocken ersetzen – denken Sie nur daran, dass diese schneller garen, also beim Kochen nicht aus den Augen lassen.

Ich variiere die Früchte je nach Saison – Äpfel im Winter, Erdbeeren und Kirschen im Frühling und Sommer und Pflaumen im Herbst.

FÜR 2 PERSONEN

2 Handvoll Amaranth
(Alternativen siehe Text oben)
2 Handvoll Haferflocken
500 ml Milch nach Wahl
(ich mag Kokosmilch, siehe S. 43)
200 g Blaubeeren
1 EL Ahornsirup
1 TL Zimt
Saft von ½ Zitrone

• Zuerst für den Porridge den Amaranth und die Haferflocken mit der Hälfte der Milch in einen Topf geben und erhitzen, bis alles sanft köchelt. 20 Minuten köcheln lassen, nach Bedarf die restliche Milch zugießen, danach etwas heißes Wasser unterrühren, falls der Porridge zu fest erscheint.

• Während der Porridge kocht, die Blaubeeren mit Ahornsirup, Zimt und Zitronensaft in einen anderen Topf geben und bei mittlerer Temperatur erwärmen. Einige Blaubeeren mit einem Holzlöffel zerdrücken, damit sich eine dunkelviolette Sauce bildet; ein paar Blaubeeren ganz lassen. Die Blaubeeren sind fertig, wenn ein Großteil des Saftes so eingekocht ist, dass die Zutaten eine konfitürenartige Konsistenz angenommen haben.

• Der Porridge ist fertig, sobald die Amaranthkörnchen weicher geworden sind und sich mit den cremigen Haferflocken verbunden haben, jedoch noch etwas Biss aufweisen.

• Zum Servieren den Porridge in Schüsseln verteilen, dann die Blaubeeren und nach Belieben noch etwas Ahornsirup darübergeben. Ein Dessert zum Frühstück!

Über-Nacht-Bircher-Müesli mit Pfirsich

Frühstück unter der Woche heißt für mich normalerweise: zwei Minuten, die ich noch im Halbschlaf verbringe, bevor ich hinausrenne. Wenn Sie sich Zeit fürs Frühstück nehmen, umso besser. Wenn es sich irgendwie einrichten lässt, tue ich das auch. Wenn nicht, ist dieses superschnelle Müesli eine clevere Alternative, die ich bereits am Vorabend zubereiten kann.

Ich verwende Chiasamen, da sie dem Müesli Fülle und Cremigkeit verleihen – falls Sie sie weglassen, nehmen Sie etwas weniger Milch. Da es nicht zu jeder Jahreszeit gute Pfirsiche gibt, tausche ich sie oft gegen andere Früchte aus, die gerade Saison haben.

Eine kleine Anmerkung zu den Chiasamen: Diese erstaunlichen kleinen Samen lassen den Nährstoffgehalt des Frühstücks um ein Zehnfaches in die Höhe schnellen. Sie sehen ein bisschen aus wie Mohnsamen, und es gibt sie in Schwarz, Weiß und Grau. Ich verwende hier die weißen. Sie finden Sie in Bioläden und großen Supermärkten bei den Nüssen und Saaten. Chiasamen waren bei den Kriegern der Azteken und Maya ein beliebtes Nahrungsmittel. Nur ein einziger Esslöffel davon gab ihnen ausreichend Energie für 24 Stunden. Die Samen liefern reichlich Eiweiß, perfekt zum Frühstück! Ich verwende sie auch für Smoothies und beim Backen.

FÜR 2 PERSONEN

100 g Haferflocken
2 EL weiße Chiasamen
1 EL Kürbiskerne
350 ml Milch nach Wahl
(ich nehme Mandel- oder
Kokosmilch)
1 EL Ahornsirup
1 Spritzer natürlicher
Vanilleextrakt
1 Spritzer Zitronensaft
2 reife Pfirsiche

DAZU
Im Winter: einige Handvoll gehackte getrocknete Pfirsiche oder Birnen
Im Frühling: klein geschnittene Erdbeeren
Im Sommer: Pfirsiche (siehe Rezept)
Im Herbst: klein geschnittene süße reife Birnen

• Am Vorabend die Haferflocken mit den Chiasamen und den Kürbiskernen in eine Schüssel geben, mit der Milch übergießen, dann den Ahornsirup, die Vanille und den Zitronensaft hinzufügen. Gründlich vermischen, abdecken und über Nacht in den Kühlschrank stellen.

• Morgens die Pfirsiche in kleine Stücke schneiden, mit etwas Zitronensaft beträufeln und entweder abwechselnd mit den Haferflocken und den Saaten in ein Glas oder eine Schüssel schichten oder einfach alles in einen Behälter mit Deckel geben und ab damit zur Tür hinaus.

Türkische Spiegeleier

Ein wirklich gutes Frühstück für das Wochenende, das aber schnell genug zubereitet ist, um es auch unter der Woche mal zu genießen. Es ist frisch und macht satt und wach durch den kleinen Chilikick – ein guter Start in den Tag. Ich verwende hier *pul biber*, rote türkische Chiliflocken. Man bekommt sie in türkischen Geschäften. Sollten Sie sie nicht auftreiben können, verwenden Sie stattdessen eine gehackte frische Chilischote oder eine winzige Prise getrocknete Chiliflocken.

Pul biber oder Aleppo-Pfeffer hat sich mittlerweile einen festen Platz in meiner Küche erobert. Ich liebe seine sanfte Schärfe und Süße, die sich wohl am ehesten mit Ancho-Chili vergleichen lässt: ein süß-fruchtiger Charakter, duftet wie richtig gute sonnengetrocknete Tomaten und hat dennoch eine schöne Chilischärfe. Ich verwende diese Chilisorte gern anstelle der feurig scharfen Chiliflocken, wie sie häufig angeboten werden.

....

- Den Joghurt und das Salz in einer Schüssel verrühren und beiseitestellen.

- Die Butter bei mittlerer Temperatur in einer großen antihaftbeschichteten Pfanne erhitzen, bis sie braun zu werden beginnt. Dann die Eier aufschlagen und hineingeben, die Temperatur senken und die Eier immer wieder mit der braunen Butter beträufeln, bis sie genau den gewünschten Gargrad erreicht haben. Ich mag es am liebsten, wenn die Spiegeleier gerade eben gestockt sind, mit komplett flüssigem Inneren und gerade knusprig gewordenen Rändern. Wenn Sie es schwierig finden, den Gargrad perfekt hinzubekommen, kann es hilfreich sein, den Deckel aufzulegen, damit die Eier von oben und unten mit der gleichen Temperatur garen.

- Sobald die Eier fertig sind, die Pita- oder Fladenbrote fix rösten und auf Teller legen. Mit einem großzügigen Löffel Joghurt bestreichen und die Spiegeleier daraufgeben. Mit den Chiliflocken, dem Sumach und den Kräutern bestreuen und nach Belieben mit etwas Salz würzen.

- Probieren Sie die Eier einmal mit dem türkischen Kaffee auf Seite 334.

FÜR 2 PERSONEN

4 EL griechischer Sahnejoghurt
1 kräftige Prise Meersalz
1 walnussgroßes Stück Butter
4 Bio- oder Freilandeier
2 Vollkorn-Pitabrote oder Fladenbrote
1 TL *pul biber* (türkische Chiliflocken)
1 kräftige Prise Sumach
einige Stängel Minze, Petersilie und Dill, Blätter abgezupft und gehackt

FRÜHSTÜCKS-SMOOTHIES –
EIN PAAR IDEEN

Ein Glas von einem dieser Smoothies, und Sie haben alles, was Sie für einen gelungenen Start in den Tag brauchen. Ich bin morgens immer in Eile und finde es schwierig, Zeit zum Essen einzuplanen: Ein 2-Minuten-Smoothie sorgt dafür, dass ich vor 9 Uhr morgens mit einem gesunden Gefühl und einem superhohen Eiweiß- und Nährstoffspiegel aus dem Haus gehen kann. Diese Smoothies sind auch toll direkt nach dem Sport.

Smoothies sind eine feine Sache, da sie so vielseitig sind – sie können einfach aus saisonalen Früchten und Milch oder Saft zubereitet werden, und im Winter können Sie noch eine Handvoll gefrorener Beeren aus dem Tiefkühler dazunehmen. Damit ein Smoothie eine wirklich ebenbürtige Alternative zu knusprigem Honigtoast oder leckeren Rühreiern ist, ist aber etwas Überlegung nötig. Die Aromen sollten harmonisch ausbalanciert sein, es muss etwas Eiweiß und reichlich Nährstoffe enthalten sein, um den Tag perfekt zu beginnen.

Ich stelle hier auch einige Smoothies mit Grünzeug vor. Grüne Smoothies spalten die Gemüter – *love it or hate it* –, ich hoffe jedoch, dass diese Kombinationen auch die Skeptiker unter Ihnen überzeugen werden. Gramm für Gramm zählt grünes Blattgemüse zu den Nahrungsmitteln mit der höchsten Nährstoffdichte, und durch das Pürieren kann der Körper die guten Inhaltsstoffe sehr viel leichter aufnehmen.

Sie finden hier auch ein paar Anmerkungen zu einigen Zutaten, die ich gerne in meine Smoothies gebe, um ihnen einen zusätzlichen Nährstoffkick zu verleihen, sie schmecken jedoch auch ohne köstlich.

LUCUMA Diese Superfrucht stammt aus Peru, wo sie als »Gold der Inkas« bekannt ist. Es handelt sich um eine köstliche Frucht mit weichem goldgelbem Fruchtfleisch, die hier in Pulverform erhältlich ist. Lucuma besitzt ein süßes, frisches, karamellartiges Aroma und ist daher eine gute Option für Süßschnäbel, die ihren Zuckerkonsum reduzieren möchten. Mit ihrem hohen Anteil an Antioxidanzien, Mineralien und Beta-Karotin ist gemahlene Lucuma die perfekte Ergänzung für Ihren morgendlichen Porridge oder Smoothie. Sie bekommen es im Bioladen.

Jedes dieser vier Rezepte ergibt eine Riesenportion Smoothie, nach deren Genuss ich bis zum Mittagessen satt bin. Falls Sie nicht ohne Müsli oder Toast auskommen, genießen Sie für einen kleinen morgendlichen Extrakick einfach die Hälfte davon.

Geben Sie alle Smoothie-Zutaten außer den Eiswürfeln, aber inklusive der zusätzlichen Pulver, die Sie hinzufügen möchten, in den Mixer. Auf niedriger Stufe beginnen, dann etwa 1 Minute auf hoher Stufe pürieren. Nach Bedarf den Deckel abnehmen und Zutaten, die sich an den Seitenwänden abgesetzt haben, mit einem Löffel abstreifen, damit alles gleichmäßig zerkleinert werden kann. Pürieren, bis sich alle Zutaten zu einem homogenen grünen Smoothie verbunden haben.

Einige Eiswürfel zugeben und erneut glatt pürieren. Falls Sie eine größere Menge Pulver hinzugefügt haben, müssen Sie den Smoothie möglicherweise mit etwas kaltem Wasser verdünnen.

EXTRA EIWEISS AUF DIE EINFACHE ART
Eine total simple und köstliche Möglichkeit, den Eiweißgehalt in Ihren Smoothies zu erhöhen: einen Esslöffel Nuss- oder Saatenbutter unterrühren. Meine Favoriten sind Mandelbutter und Tahini, die dem Smoothie außerdem Aroma, Fülle und Cremigkeit verleihen.

Haferflocken sind eine erstaunlich gute Eiweiß- und Ballaststoffquelle – die Zugabe von einigen Esslöffeln macht den Smoothie üppig und cremig. Dazu weiche ich die Haferflocken vorher einige Minuten in Milch ein.

Je nach gewünschter Süße nehmen Sie zwischen einem Teelöffel und einem Esslöffel pro Smoothie.

MACA Eine weitere erstaunliche Knolle aus Peru, die aus derselben Familie wie Kohl und Brokkoli stammt. Sie wird pulverisiert verwendet und schmeckt süß mit leicht malziger Note. Maca soll beruhigend auf das Nervensystem und ausgleichend auf den Hormonhaushalt wirken und unseren Körper bei der Stressbewältigung unterstützen. Achten Sie darauf, dass Sie 100-prozentiges Macapulver kaufen. Beginnen Sie mit einem Teelöffel Macapulver und arbeiten Sie sich nach Belieben bis zu einem Esslöffel vor.

HANF Hanf gibt es als Samen oder in gemahlener Form, beides eignet sich zur Verwendung in Smoothies. Hanf zählt zu den ganz wenigen vollwertigen pflanzlichen Eiweißquellen und ist daher besonders wertvoll für Vegetarier und Veganer. Er besitzt ebenfalls einen hohen Anteil an Omega-3- und Omega-6-Fettsäuren und Ballaststoffen, außerdem eine ordentliche Portion an Vitaminen, Mineralien und dem intensiv grünen Chlorophyll. Ein Esslöffel pro Tag in Smoothie, Joghurt oder Müsli ist perfekt.

BLÜTENPOLLEN Gemeint ist nicht das Zeug, das im Sommer überall in der Luft herumfliegt und uns zum Niesen bringt. Vielmehr handelt es sich um die Pollen, die Bienen von Blumen sammeln und in ihren Stöcken lagern. Sie fliegen von Blüte zu Blüte, sammeln den Blütenstaub und nehmen ihn als kleine goldene Körnchen mit sich. Es mag merkwürdig erscheinen, dass man so etwas verspeisen möchte, die Pollen sind jedoch ein vollwertiges Nahrungsmittel im allerbesten Sinn, da sie unseren Körper mit nahezu jedem Nährstoff, Vitamin und Mineralstoff versorgen, den er braucht. Zudem besitzen sie einen äußerst hohen Anteil an Eiweiß und verdauungsfördernden Enzymen. Sie können rohe Blütenpollen als Granulat (nicht zu Blöcken gepresst) im Bioladen kaufen. Falls Sie aus der Region stammende Blütenpollen bekommen, unterstützen diese Sie außerdem im Kampf gegen Allergien und Heuschnupfen. Blütenpollen sind hochwirksam, daher rate ich Ihnen, als Erwachsene mit einem Teelöffel pro Tag zu beginnen und sich auf einen Esslöffel hochzuarbeiten; für Kinder empfehle ich, mit einigen Körnchen anzufangen und auf einen halben Teelöffel aufzustocken.

SPIRULINA UND CHLORELLA Spirulina und Chlorella sind zwei Algenarten mit sehr hohem Nährstoff- und Eiweißgehalt. Eine davon in meinem Morgen-Smoothie, und ich kann regelrecht die Energie fühlen, die sie spenden. Wie natürliches grünes Koffein. Sie haben beide einen ziemlich kräftigen Eigengeschmack, daher empfehle ich, es erst einmal mit einem halben Teelöffel zu versuchen und die Menge später auf einige Teelöffel zu erhöhen.

ALLES GRÜN
•
1 kleine Banane, geschält
2 Äpfel, Kerngehäuse entfernt, Fruchtfleisch klein geschnitten
2 große Handvoll grünes Blattgemüse (Spinat oder Grünkohl)
Saft von ½ Zitrone
1 EL Hanfsamen
1 kräftige Prise Zimt
250 ml Milch nach Wahl (ich nehme Mandelmilch)

AVOCADO-KOKOS
•
½ Avocado
1 Banane, geschält
Saft von ½ Zitrone oder Limette
1 EL Chiasamen
375 ml Kokoswasser oder -milch
1 EL Kokosraspel, geröstet
2 Datteln
einige Eiswürfel

SESAM-DATTEL
•
1 Banane
2 Kakis oder ½ Mango
1 EL Tahini
300 ml Milch nach Wahl (ich nehme Mandelmilch)
1 kleine Handvoll Haferflocken
etwas Honig
Saft von ½ Orange
2 Datteln

BEERE-BASILIKUM
•
1 große Handvoll Beeren (Blaubeeren, Brombeeren oder Erdbeeren)
1 große Handvoll grünes Blattgemüse
1 Banane
5 Basilikumblätter
1 EL Mandelbutter
2 EL Hanfsamen
200 ml Milch nach Wahl (ich nehme Mandelmilch)
einige Eiswürfel

Granola mit Zitrone und Ahornsirup

Die meisten meiner Freunde, die sich etwas gesünder ernähren möchten, essen zum Frühstück gekauftes Granola (geröstetes gesüßtes Müsli). Dies wird zwar als gesund beworben, die meisten Granolas enthalten jedoch Unmengen von Zucker. Deshalb bereite ich sonntagabends immer mein eigenes Granola zu. Nach 10 Minuten Arbeit habe ich für die ganze Woche eine Dose mit dem wunderbarsten Frühstück. Ich nehme eine Mischung aus Quinoa- und Haferflocken, die eine ausgeglichene Grundlage bilden, da ich nur Haferflocken auf leeren Magen etwas schwer finde. Sie können aber auch 300 g von einer Sorte verwenden (falls Sie nur Quinoa nehmen, ist das Ganze auch noch glutenfrei). Wählen Sie die Trockenfrüchte ganz nach Geschmack aus. Ich habe mich für eine einfache Variante entschieden, manchmal ergänze ich das Granola auch um getrocknete Pfirsiche, Birnen oder Pflaumen. Ich finde es sehr praktisch, alles von Hand abzumessen, habe aber das Gewicht angegeben, falls Sie es genau wissen wollen.

Quinoaflocken können überall verwendet werden, wo man Haferflocken nimmt. Quinoa gilt als eins der besten vollwertigen natürlichen Nahrungsmittel, da es aus einer brillanten Kombination aus Aminosäuren, Enzymen, Vitaminen und Mineralien, Ballaststoffen und Antioxidanzien besteht. Aber am wichtigsten ist ihre Bedeutung als vollwertige Eiweißquelle, besonders für diejenigen, die den Konsum anderer Eiweißquellen reduzieren oder einstellen möchten.

FÜR ETWA 700 G (EIN GROSSES GLAS)

8 EL flüssiger Honig oder Ahornsirup

2 große Handvoll (150 g) Haferflocken

2 große Handvoll (150 g) Quinoaflocken

2 Handvoll (80 g) Saaten (ich nehme Sonnenblumen- und Kürbiskerne)

2 Handvoll (150 g) Nüsse, gehackt (ich nehme ungehäutete Mandeln und Pekannüsse)

1 Handvoll (30 g) ungesüßte Kokosraspel

abgeriebene Schale von 2 unbehandelten Zitronen

1 Handvoll (100 g) Rosinen

2 Handvoll (100 g) Trockenfrüchte, grob gehackt (ich nehme Datteln und getrocknete Aprikosen)

MIT JOGHURT UND FRÜCHTEN SERVIEREN

Im Frühling: mit mit Vanille blanchiertem Rhabarber und Sojajoghurt

Im Sommer: mit gebackenen Erdbeeren und Kokosmilchjoghurt

Im Herbst: mit blanchierten Birnen und Ahornsirup

Im Winter: mit in Blutorangensaft blanchierten Datteln

• Den Backofen auf 190 °C (170 °C Umluft/Gas Stufe 5) vorheizen. Den Honig in einem Topf leicht erwärmen (bei Ahornsirup nicht nötig). Die Hafer- und Quinoaflocken mit den Saaten, den gehackten Nüssen, den Kokosraspeln und der Zitronenschale in einer großen Schüssel vermischen, dann auf zwei großen, leicht mit Öl eingefetteten Backblechen verteilen.

• Mit dem Ahornsirup oder dem Honig beträufeln und von Hand sorgfältig vermischen, sodass alles damit überzogen ist. Im Ofen 20 Minuten backen. Etwa alle 5 Minuten gründlich vermischen.

• Nach 20 Minuten die Trockenfrüchte hinzufügen und das Ganze weitere 10 Minuten rösten, damit die Früchte diese klebrig-saftige karamellisierte Konsistenz annehmen. Danach aus dem Ofen nehmen und abkühlen lassen. Das Granola ist luftdicht gelagert 1 Monat lang haltbar.

Zehn Ideen für Avocado auf Toast

Für mich bedeutet Avocado auf Toast Sonnenscheinküche pur – perfekt an einem Sommertag und ebenso bei schlechtem Wetter. Eine feine Sache, wenn wenig Zeit ist und der Vorrat nicht viel hergibt. Bei mir oft ein schnelles Frühstück, ganz simpel mit einem Spritzer Limettensaft, Salz und Pfeffer. Aber mittlerweile auch in anderen Varianten.

Als Hauptdarstellerin sollte die Avocado weich, auf Fingerdruck nachgiebig, reif, einfach perfekt sein. Avocados strotzen nur so vor guten Fetten und Omega-3-Fettsäuren, ähnlich wie Olivenöl, und einer ganzen Artillerie an Vitaminen und Mineralien. Ohne sie würde meiner Ernährung etwas Wichtiges fehlen.

FÜR JE 2 SCHEIBEN TOAST

- Eine Avocado mit Zitronensaft, Salz und Pfeffer zerdrücken. Auf ein Stück getoastetes Sauerteigbrot streichen, darauf Tomatenscheiben, etwas Balsamico, ein wenig Basilikum und etwas Olivenöl anrichten.
- Eine Avocado mit Zitronensaft zerdrücken, auf Roggenbrot streichen und mit etwas Honig beträufeln.
- Eine Avocado mit etwas Zitronensaft, Salz und Pfeffer zerdrücken. Auf getoastetes Brot streichen und großzügig mit gehackter frischer roter Chili bestreuen.
- Eine Avocado mit wenig Zitronensaft zerdrücken. Auf heißes gebuttertes Toastbrot streichen, ein Spiegelei daraufsetzen und mit Chilisauce beträufeln.
- Eine Avocado mit etwas Zitronensaft zerdrücken. Einen gerösteten Bagel mit Frischkäse bestreichen, die Avocado darauf verteilen, großzügig mit fein abgeriebener unbehandelter Zitronenschale bestreuen und mit schwarzem Pfeffer übermahlen.
- Eine Avocado mit wenig Limettensaft, Salz und Pfeffer zerdrücken und mit einer klein geschnittenen Frühlingszwiebel, einem Teelöffel gerösteten Senfsamen und etwas gehacktem Koriandergrün vermischen. Auf heißem Toast genießen.
- Eine Avocado mit sehr wenig Zitronensaft zerdrücken. Den heißen Toast erst mit etwas Kokosöl, dann mit der zerdrückten Avocado bestreichen und mit einigen gerösteten Mandelblättchen bestreuen.
- Eine Avocado mit etwas Zitronensaft zerdrücken, auf Toast streichen, mit ein paar dünnen Bananenscheiben belegen und mit etwas Zimt bestreuen.
- Eine reife Avocado mit wenig Zitronensaft zerdrücken, auf Toast streichen, gehackte Pistazien und einige geröstete Sesamsamen darauf verteilen, mit etwas Honig beträufeln und mit Zimt bestreuen.
- Etwas Basilikum mit wenig Olivenöl pürieren. Eine Avocado mit etwas Olivenöl zerdrücken, auf heißes Toastbrot streichen, etwas Feta darüberkrümeln und mit dem Basilikumöl beträufeln.

Kräuter-Rührei auf Pariser Art

Manchmal muss ich erst wieder daran erinnert werden, wie gut etwas Einfaches und Klassisches sein kann. In meiner Traumwelt, in der ich meine Zeit mit Stöbern auf Pariser Flohmärkten verbringen würde, wäre das mein Frühstück. Klassisch wird Kerbel verwendet, aber da er nicht immer so leicht aufzutreiben ist, habe ich ihn weggelassen. Falls Sie ihn bekommen sollten, nehmen Sie ihn – er besitzt ein durchdringendes, aber zartes Aroma und macht sich auch gut in einem grünen Salat. Basilikum und Minze eignen sich ebenfalls bestens.

Ein Hinweis zur Aufbewahrung von nicht verholzenden Kräutern: Ich verwende jede Menge Kräuter – ihr Aroma lässt sich mit nichts vergleichen, und jedes Kraut besitzt einen einmaligen Geschmack. Ohne sie könnte ich nicht kochen. Ich genieße das Gefühl von Extravaganz, das sich bei mir einstellt, wenn ich eine große Menge Kräuter für ein kleines Frühstücksrezept kaufe. Auf diese Weise kann ich ihr ganzes Potenzial ausschöpfen. Etwa einmal pro Woche, wenn sie mir beim Gemüsehändler besonders gut gefallen, kaufe ich eine Riesenportion Kräuter, die ich dann wie Schnittblumen in mit etwas kaltem Wasser gefüllte Gläser ins Flaschenfach in die Kühlschranktür stelle. So bleiben sie etwa eine Woche frisch. Jedesmal, wenn ich den Kühlschrank öffne, begrüßt mich eine intensiv duftende Kräuterwand und erinnert mich daran, sie oft und reichlich beim Kochen einzusetzen.

. . . .

Jeder bereitet Eier auf seine eigene Art und Weise zu. So mache ich meine Rühreier:

• Etwas Öl oder Butter bei mittlerer bis niedriger Temperatur in einer Pfanne erhitzen. Die Eier in einer Schüssel aufschlagen, mit einer Gabel verquirlen, großzügig salzen und pfeffern, dann in die heiße Pfanne gießen und mit einem Holzlöffel oder -spatel das bereits gestockte Ei vom äußeren Pfannenrand so nach innen schieben, dass die goldgelbe Eimasse Falten bildet. Damit so lange fortfahren, bis der gewünschte Gargrad erreicht ist. Ich mag meine Rühreier gerade eben, aber noch nicht vollständig gestockt.

• Die Pfanne vom Herd nehmen, das Rührei probieren, bei Bedarf mit Salz und Pfeffer nachwürzen, dann die Kräuter unterziehen. Auf dem gebutterten heißen Toast verteilen.

FÜR 2 PERSONEN

etwas Olivenöl oder Butter
4 gute Bio- oder Freilandeier
Meersalz und frisch gemahlener schwarzer Pfeffer
je einige Stängel Petersilie, Estragon und Dill, Blättchen abgezupft und grob gehackt
2 Scheiben Toastbrot (ich mag Sauerteigbrot), mit Butter bestrichen

MEIN FRÜHSTÜCKSOBST

FRÜHLING

ÄPFEL · BIRNEN · RHABARBER ·
HIMBEEREN · FRÜHE ERDBEEREN

•
•
•

SCHNELLES RHABARBERKOMPOTT

Für 1 Person

4 Stangen Rhabarber klein schneiden und
mit 4 Esslöffeln hochwertigem Honig,
etwas Vanille (falls vorhanden) und dem Saft
von ½ Orange in einen Topf geben.
15 Minuten simmern lassen, bis der
Rhabarber weich geworden ist.

•
•
•

FRÜHLINGSOBSTSALAT

Für 1 Person

Je 1 Apfel und Birne klein schneiden, mit dem Saft
von ½ Limette beträufeln, 1 Handvoll Himbeeren
mit 1 Teelöffel Honig zerdrücken und
alles vermischen.

SOMMER

ERDBEEREN · KIRSCHEN · HIMBEEREN ·
PFIRSICHE · APRIKOSEN ·
BLAUBEEREN · JOHANNISBEEREN

•
•
•

ROTE-FRÜCHTE-SALAT

Für 2 Personen

Je 10 Erdbeeren und Kirschen klein schneiden.
1 Handvoll Himbeeren und 1 Handvoll halbierte
rote Trauben zugeben. Mit dem Saft von ½ Zitrone
und, falls gewünscht, etwas Honig beträufeln.
Nach Belieben mit zerstoßenen Koriandersamen
bestreuen.

•
•
•

SCHNELLES APRIKOSENKOMPOTT

Für 1 kleines Glas

250 g entsteinte Aprikosen mit 2 Esslöffeln
flüssigem Honig und dem Saft von ½ Orange
in einen Topf geben. Bei mittlerer Temperatur
10 Minuten leise köcheln lassen, bis sie weich
geworden sind.

Für mich gibt es keinen besseren Start in den Tag als mit einer Schüssel saisonalem Obst. Hier finden Sie meine Obstvorschläge in jahreszeitlich wechselnden Varianten. Manche können in größerer Menge im Voraus zubereitet werden und eignen sich daher für ein schnelles Frühstück unter der Woche, andere lassen sich in wenigen Minuten zusammenstellen – probieren Sie es einmal in Kombination mit dem Granola von Seite 30.

HERBST
ÄPFEL · BIRNEN · PFIRSICHE · NEKTARINEN · PFLAUMEN · BROMBEEREN

·
·
·

OBSTSALAT »QUER DURCH DIE HECKE«
Für 2 Personen

1 klein geschnittener Apfel, 1 klein geschnittene Birne und 2 klein geschnittene Pflaumen mit 1 Handvoll Brombeeren in eine Schüssel geben, etwas zerzupfte Minze hinzufügen und gut vermischen.

·
·
·

PFIRSICHE MIT ROSENWASSER
Für 1 Person

Den Backofen auf 180°C (160°C Umluft/ Gas Stufe 6) vorheizen. 4 Pfirsichhälften auf ein Backblech legen, mit Honig beträufeln, mit Vanille und ein paar Pistazien bestreuen, dann mit 1 Esslöffel Rosenwasser beträufeln. Im Ofen 30 Minuten backen, bis die Pfirsichhälften weich sind. Mit Naturjoghurt oder Ziegenkäse und geröstetem Brot servieren.

WINTER
ÄPFEL · BIRNEN · WINTERLICHE ZITRUSFRÜCHTE · CLEMENTINEN · CRANBERRYS

·
·
·

OBSTSALAT »OBSTGARTEN«
Für 2 Personen

3 reife Birnen klein schneiden, die ausgelösten Kerne von ½ Granatapfel und 4 klein geschnittene Datteln zugeben. Mit dem Saft von 1 Limette beträufeln und servieren.

·
·

SCHNELLE GEWÜRZCLEMENTINEN
Für 2 Personen

4 Clementinen in Scheiben schneiden und auf einem Teller verteilen, mit ½ Teelöffel Zimt bestreuen und mit Honig beträufeln.

Eggs Benedict einmal anders

Ich glaube, ich kenne niemanden, der Eggs Benedict in all ihrer reichhaltigen Hollandaise-Herrlichkeit nicht mag. Hier stelle ich meine Variante vor. Die Muffinbrötchen ersetze ich durch geröstete Süßkartoffelscheiben, und aus Avocados und Cashewkernen zaubere ich zusammen mit etwas frischem Estragon in Sekundenschnelle eine superleichte Hollandaise, cremig, aber nicht zu mächtig. Die gebratenen Zwiebeln und der Spinat sorgen für den nötigen Zusammenhalt.

Ich mache meine Hollandaise gern auf diese Art, da ich die butterlastige Sauce für den Start in den Tag als zu schwer empfinde (auch wenn sie köstlich schmeckt).

Damit die Sauce schön cremig wird, weiche ich die Cashewkerne über Nacht in Wasser ein. Falls Sie das vergessen haben sollten, reicht eine halbe Stunde Einweichzeit jedoch aus. Auf Seite 344 finden Sie weitere Informationen zum Einweichen von Nüssen.

Für dieses Rezept benötigen Sie große Süßkartoffeln, die Scheiben müssen so groß sein, dass ein pochiertes Ei darauf Platz findet.

....

- Den Backofen auf 220 °C (200 °C Umluft/Gas Stufe 7) vorheizen.

- Die Süßkartoffelscheiben auf Backblechen verteilen, mit Salz und Pfeffer würzen, mit wenig Olivenöl beträufeln und 20 Minuten im Ofen rösten, bis sie durch und durch weich und an den Rändern knusprig geworden sind.

- Danach die Zwiebeln anbraten. Dazu eine Pfanne bei mittlerer Temperatur auf den Herd stellen, etwas Öl zugeben, dann die Zwiebeln und eine Prise Salz hineingeben. 10 Minuten unter gelegentlichem Rühren anbraten, bis die Zwiebeln weich sind und zu bräunen beginnen. In eine Schüssel umfüllen und abkühlen lassen, die Pfanne zur späteren Verwendung bereithalten.

- Für die Hollandaise die abgetropften Cashewkerne im Mixbehälter der Küchenmaschine zu einer krümeligen Paste zerkleinern. Die Avocado und den Großteil des Estragons oder des Dills mit dem Limettensaft, einer kräftigen Prise Salz und Pfeffer hinzufügen und erneut pürieren. Falls nötig, die Sauce mit etwas Wasser verdünnen, sodass sie zwar dickflüssig, aber gießfähig ist.

- Die benutzte Pfanne bei mittlerer Temperatur wieder erhitzen. Den Spinat mit einem Tropfen Olivenöl hineingeben und einige Minuten anbraten, bis der Spinat zusammenzufallen beginnt, jedoch seine intensiv grüne Farbe noch besitzt.

FÜR 4 PERSONEN

2 große Süßkartoffeln, abgeschrubbt und in 1 cm dicke Scheiben geschnitten

Meersalz und frisch gemahlener schwarzer Pfeffer

Oliven- oder Rapsöl

2 mittelgroße rote Zwiebeln, geschält und in dünne Scheiben geschnitten

6 Handvoll Blattspinat, gewaschen und dickere Stängel entfernt

4 Bio- oder Freilandeier

FÜR DIE HOLLANDAISE

1 kleine Handvoll Cashewkerne, in Wasser eingeweicht (siehe oben)

½ Avocado

1 kleines Bund Estragon oder Dill, Blättchen abgezupft

Saft von ½ Limette

• Als Nächstes die Eier pochieren. Dazu einen Topf mit Wasser zum Kochen bringen – ich verwende eine Bratpfanne, Sie können dafür jeden beliebigen Topf nehmen, der Ihnen zum Pochieren geeignet erscheint. Die Temperatur so weit senken, dass das Wasser kaum noch köchelt, dann die Eier aufschlagen, hineingeben und 3 bis 4 Minuten garziehen lassen. Mithilfe eines Sieblöffels herausheben und auf Küchenpapier abtropfen lassen.

• Zum Servieren einige Süßkartoffelscheiben in der Tellermitte aufeinanderstapeln. Mit den gebratenen Zwiebeln und dem Spinat bedecken, dann ein Ei obenaufsetzen und mit der Hollandaise übergießen. Mit dem restlichen Estragon oder Dill bestreuen, mit Salz und Pfeffer würzen und genießen.

Noch mehr Ideen für die schnelle Avocado-Hollandaise:
· über gegrillten Spargel geträufelt
· als i-Tüpfelchen auf einem grünen Frühlingsrisotto
· als Garnitur auf kleinen Toasts mit Erbsenpüree
· zu einem einfachen pochierten Ei auf Toast
· auf Sandwiches anstelle von Mayonnaise

Huevos rancheros

Dieses Gericht gibt es bei mir ganz oft. Ich bin auch noch nicht enttäuscht worden, wenn ich es außer Haus zum Frühstück bestellt habe. Das Trio aus Eiern, Tomaten und Avocado lässt mich niemals im Stich. Gewöhnlich taucht es an einem Samstagvormittag bei uns auf, nach meinem Spaziergang zum Zeitungsladen.

Ich habe mich hier für eine supereinfache Variante entschieden, die perfekt ist, wenn man in wenigen Minuten etwas Feines zusammenrühren möchte, ohne dafür nochmal zum Einkaufen gehen zu müssen. Ich nehme Frühlingszwiebeln, da sie schnell gar sind und einen milderen Geschmack haben, der besser zu einem morgendlichen Genuss passt. Sie können jedoch gegen dünn geschnittene rote Zwiebeln eingetauscht werden. Im Sommer nehme ich frische Tomaten, für den Rest des Jahres bieten sich gute Dosentomaten an.

Der Schlüssel zum Erfolg ist die perfekte Zubereitung der Eier. Ich habe verschiedene Methoden ausprobiert, bei denen das Eiweiß gerade eben gestockt ist und das Eigelb flüssig bleibt. Der Trick, der für mich am besten funktioniert, ist dieser: Eine Bratpfanne mit Deckel verwenden und die Temperatur so niedrig halten, dass die Eier gleichzeitig pochiert und gedämpft werden. Ich bereite auch gern eine Version davon mit gerösteter Paprika oder geräucherten Tofuscheiben anstelle der Eier zu.

Es lohnt sich wirklich, beim Eierkauf auf die Qualität zu achten. Ich kaufe immer Bio-Eier aus Freilandhaltung. Eier sind perfekt verpackte Nährstoffbomben. Das Eigelb enthält alle Vitamine und Mineralien, und dadurch, dass es flüssig bleibt, bleiben auch die Nähstoffe erhalten, die beim vollständigen Durchgaren durch die Hitze zerstört würden.

**FÜR 2 PERSONEN
ALS HERZHAFTER BRUNCH**

Olivenöl

4 Frühlingszwiebeln, geputzt und klein geschnitten

1 Knoblauchzehe, geschält und in dünne Scheiben geschnitten

Meersalz und frisch gemahlener schwarzer Pfeffer

1 EL mildes geräuchertes Paprikapulver (Pimentón de la Vera dulce)

1 Dose geschälte Tomaten (400 g) oder 400 g Kirschtomaten, halbiert

1 reife Avocado

Saft von 1 Limette

1 kleines Bund Koriandergrün, Blätter abgezupft und klein gehackt

4 Bio- oder Freilandeier

2 Tortillas aus Vollkorn- oder Maismehl

- Einen Spritzer Olivenöl in einer mittelgroßen Pfanne (zu der ein passender Deckel existiert) erhitzen. Die Frühlingszwiebeln und den Knoblauch hineingeben und 5 Minuten anbraten, bis sie weich und mild geworden sind. Eine kräftige Prise Salz und Pfeffer und das Paprikapulver hinzufügen und nochmals einige Minuten anbraten.

- Als Nächstes die Tomaten hinzufügen und weitere 5 Minuten simmern lassen, bis sie zerfallen und die Sauce eingedickt ist.

- Inzwischen die Avocado mit dem Limettensaft zerdrücken (ich verwende dafür einen Kartoffelstampfer), das gehackte Koriandergrün unterziehen, mit Salz und Pfeffer würzen und beiseitestellen.

- Wenn die Tomaten zerfallen sind und die Sauce angedickt ist, den Herd auf niedrige bis mittlere Temperatur einstellen. Mithilfe eines Holzkochlöffelstiels vier Mulden in die Sauce drücken. In jede Mulde ein Ei gleiten lassen, mit etwas Salz und Pfeffer bestreuen, dann den Deckel auflegen und das Ganze exakt 5 Minuten erhitzen.

- Nach 5 Minuten sollte das Eiweiß gerade eben gestockt und nur noch leicht wabbelig sein und das Eigelb im Kern noch flüssig. Denken Sie daran, dass die Eier bis zum Servieren noch nachgaren.

- Während die Eier garen, die Tortillas aufwärmen – ich halte sie dazu mit einer Küchenzange wenige Sekunden pro Seite über die offene Flamme meines Gasherds, sodass sie Grillspuren erhalten. Genauso gut können Sie die Tortillas 20 bis 30 Sekunden pro Seite in einer warmen antihaftbeschichteten Pfanne aufbacken.

- Sobald sie fertig sind, die Eier mit einer anständigen Portion würziger Tomaten und etwas Avocadopüree auf Teller verteilen, die heißen Tortillas zum Auflöffeln verwenden.

Luftige Zitronen-Ricotta-Pancakes

Wenn ich frühstücken gehe, bestelle ich immer Pancakes. Das ist meine Version der Pfannkuchen, die ich bei Gjelina in Los Angeles gegessen habe – die besten, die ich jemals genießen durfte.

Ich verwende Kastanienmehl, das in den meisten Bioläden erhältlich ist. Es verleiht dem Aroma Tiefe und ist von Natur aus glutenfrei. Die Pancakes gelingen jedoch genauso gut mit normalem Weizenmehl. Übriges Kastanienmehl lässt sich wunderbar in Kuchen und anderen Backwerken verwenden (ich nehme eine 50:50-Mischung aus Kastanien- und Weizenmehl). Es funktioniert ausgezeichnet als Ersatz für gemahlene Mandeln und verleiht dem Gebackenen einen intensiveren, fast karamelligen Geschmack. Probieren Sie es einmal im Schokoladenkuchen auf Seite 288; weitere Informationen finden Sie auf Seite 294.

FÜR 4 PERSONEN (8 BIS 10 PANCAKES)

250 g Ricotta

75 g Weizenmehl oder helles Dinkelmehl (Type 630)

50 g Kastanienmehl

1 EL Backpulver

1 kräftige Prise Salz

2 Bio- oder Freilandeier, getrennt

2 EL extrafeiner brauner Zucker

200 ml Milch (ich nehme Mandelmilch, aber Kuhmilch funktioniert ebenso gut)

abgeriebene Schale von 2 unbehandelten Zitronen

abgeriebene Schale von ½ unbehandelten Orange

Butter oder Kokosöl zum Anbraten

Zitronensaft (nach Belieben)

MIT SAISONALEN FRÜCHTEN SERVIEREN

Im Frühling: schnelles Rhabarberkompott

Im Sommer: mit Zitronensaft zerdrückte Himbeeren

Im Herbst: mit etwas Ahornsirup zerdrückte Blaubeeren

Im Winter: mit kurz in Honig angebratenen Äpfeln

• Den Ricotta in ein Sieb geben und 10 Minuten über einer Schüssel abtropfen lassen.

• Inzwischen in einer großen Schüssel die beiden Mehlsorten mit Backpulver und Salz vermischen. In einer zweiten Schüssel die Eiweiße schaumig aufschlagen, dann den Zucker einrieseln lassen und erneut aufschlagen, bis sich steife Spitzen bilden. In einem Krug die Eigelbe mit der Milch verquirlen. Nach und nach zur Mehlmischung gießen und glatt rühren, dann die Zitronen- und Orangenschale zugeben.

• Mithilfe eines Teigschabers die Hälfte des Eischnees behutsam unter die Mehl-Ei-Mischung heben. Danach den Ricotta und anschließend den restlichen Eischnee unterheben. Als Ergebnis sollten Sie einen luftig leichten Pfannkuchenteig erhalten.

• Eine große antihaftbeschichtete Pfanne bei niedriger Temperatur erhitzen, eine winzige Menge Butter oder Öl hineingeben. Den Teig portionsweise – pro Pancake etwa eine halbe Schöpfkelle – in der Pfanne backen, bis sich die Unterseite goldgelb gefärbt hat und der Teig an den Rändern gestockt ist. Wenn Bläschen an die Oberseite steigen, die Pancakes wenden und 1 Minute auf der anderen Seite backen, anschließend warm halten, bis die restlichen Pancakes gebacken sind. Die Pancakes auf einem Teller stapeln, mit Früchten der Saison garnieren und nach Belieben mit einem Spritzer Zitronensaft beträufeln.

Bananen-Pancakes mit Blaubeeren und Pecannüssen

Die Geschichte, wie ich zur Expertin für Bananen-Pancakes geworden bin, ist zwar nicht sonderlich aufregend, dafür hat sie das ultimative Happy End. Während einer besonders enthusiastischen Surfstunde am ersten Tag meines Baliurlaubs bekam ich so viel Sonne ab, dass ich sie für den restlichen Urlaub meiden musste und meine Zeit damit verbrachte, in Sarongs gehüllt die Kunst des Bananen-Pancake-Backens zu perfektionieren.

Hier präsentiere ich Ihnen das Ergebnis, auch wenn es etwas von den honigtriefenden indonesischen Pancakes, wie wir sie im Urlaub gegessen haben, abweicht. Diese hier haben eine Art Bananenkuchen-Charakter, sie sind vegan und glutenfrei dank der Verwendung von Pecannüssen und Haferflocken anstelle von Mehl und zerdrückten Bananen anstelle von Butter.

Eine Anmerkung zur Kokosmilch: In den meisten Supermärkten wird trinkfertige Kokosmilch im Karton angeboten, sie ist gewöhnlich im Regal bei Soja- und Reismilch zu finden. Diese Kokosmilch eignet sich bei den meisten Rezepten als Milchersatz, von der Konsistenz her lässt sie sich zwischen der dickflüssigen Kokosmilch aus der Dose und dem milchigen Kokoswasser einordnen. Ich verwende sie für mein morgendliches Müsli und im Tee. Diese Kokosmilch verwende ich auch am häufigsten beim Kochen, da sie weniger Fett und Kalorien enthält als die reichhaltigere Version aus der Dose. Falls Sie sie nicht bekommen, verdünnen Sie einfach Kokosmilch aus der Dose mit derselben Menge Wasser (50:50) oder nehmen Sie Kuhmilch.

....

- Zuerst den Backofen auf 120 °C (100 °C Umluft/Gas Stufe ½) vorheizen, um später die Pancakes warm zu halten.

- Die Haferflocken im Mixer zu einem groben Hafermehl zerkleinern. Zusammen mit den Pecannüssen in eine Schüssel geben, dann Backpulver und Salz hinzufügen.

- Die zerdrückte Banane mit der Milch vermischen (nach Belieben im Mixbehälter der Küchenmaschine pürieren). Etwas mehr Milch zugeben, falls die Mischung sehr dickflüssig ist. Dann die Bananenmilch unter die Mehlmischung rühren, und die Masse einige Minuten quellen lassen.

- Eine antihaftbeschichtete Pfanne bei mittlerer Temperatur erhitzen und die Bananenscheiben von beiden Seiten ohne Fett anbraten, bis sie gebräunt und karamellisiert sind. Im Ofen warm halten.

FÜR 8 KLEINE PFANNKUCHEN

FÜR DEN TEIG
100 g Haferflocken
1 gute Handvoll (etwa 50 g) Pecannüsse, grob gehackt
1 TL Backpulver
1 Prise Meersalz
1 reife Banane, geschält und zerdrückt
150 ml Kokos- oder Mandelmilch (siehe Text oben)
200 g Blaubeeren

ZUM SERVIEREN
2 Bananen, geschält und in dünne Scheiben geschnitten
etwas Kokosöl oder Butter
einige Pecannüsse, in Stücke gebrochen
Limettenspalten
Honig oder Agavendicksaft

- Die Pfanne bei mittlerer Temperatur erneut auf den Herd stellen und etwas Kokosöl oder Butter hineingeben. Pro Pancake einen großzügigen Esslöffel Teig in die Pfanne geben. Sobald der Teig an den Rändern gebacken ist und Bläschen an die Oberseite steigen, eine Handvoll Blaubeeren darauf verteilen und die Pancakes wenden. Nochmals wenige Minuten auf dieser Seite backen. Die Pancakes bleiben wegen der Bananen leicht feucht in der Mitte – keine Sorge. Während die anderen Pancakes zubereitet werden, die bereits gebackenen im Ofen warm stellen.

- Zum Servieren die Pancakes abwechselnd mit den Bananenscheiben aufeinanderschichten. Mit den Pecannüssen bestreuen und mit etwas Limettensaft beträufeln. Nach Belieben mit etwas Honig, Agavendicksaft oder Ahornsirup übergießen.

- Mit einer Kugel Bananen-Kokos-Eiscreme wird aus dem Frühstück ein tolles Wohlfühl-Dessert (siehe Seite 281).

Mohnwaffeln mit Kirschen

So wie Kaffee-»Flatrate«, tiefe Ahornsiruppfützen auf dem Teller und Bedienungen mit Namensschildchen sind auch Waffeln uramerikanische Erfindungen für mich. Ich habe letztes Jahr damit begonnen, Waffeln zu backen – ich habe für 20 Pfund ein Waffeleisen erstanden, und danach gab es kein Halten mehr – diese knusprige Waffeloberfläche ist einfach zu gut. Waffeln sind schnell und einfach zuzubereiten und sättigender als Pancakes, außerdem bleibt das Waffeleisen blitzsauber, also entfällt der Abwasch. Hier stelle ich Ihnen meine mohngepunktete Variante vor. Ich bereite diese Waffeln aus Haferflocken oder Quinoa zu, die ich im Mixbehälter der Küchenmaschine zu einer Art Mehlstaub verarbeite. Reines Vollkornmehl funktioniert jedoch auch gut.

Kirschen sind meine absoluten Lieblingsfrüchte. Sobald die ersten regionalen Kirschen in meinem Einkaufskorb landen, gibt es zum Frühstück nur noch Kirschen, bis die Saison wieder vorbei ist. Sie besitzen einen hohen Eisenanteil und eignen sich daher besonders auch für alle, die den Verzehr von eisenreichem Fleisch reduzieren möchten. Ich habe immer entsteinte Kirschen im Tiefkühler, damit ich sie rund ums Jahr genießen kann, in den meisten Supermärkten gibt es tiefgekühlte Kirschen von guter Qualität. Die Waffeln schmecken statt mit Kirschen genauso gut mit Himbeeren, die mit etwas Rosenwasser zerdrückt werden.

Anstelle von Eiern kann man die Waffeln auch mithilfe der natürlichen bindenden Eigenschaften von Chiasamen zubereiten. Was mir an den Chiasamen am besten gefällt, ist die Art, wie sie beim Backen und in süßen Rezepten funktionieren. Sie können sie für fast alle Backwaren als Eiersatz verwenden, indem Sie je 1 Esslöffel Chiasamen mit 3 Esslöffeln Wasser pro Ei vermischen und einige Minuten quellen lassen, bis sich eine klebrige Mischung gebildet hat. Ich mag in Kuchen das Knusprige der Chiasamen, falls Sie es nicht mögen, können Sie sie im Mixbehälter der Küchenmaschine zu einem feinen Pulver zermahlen, bevor Sie sie mit dem Wasser verrühren. Diese Mischung funktioniert bei allen Backrezepten in diesem Buch – versuchen Sie nur nicht, sie als Rührei-Ersatz anzubraten!

FÜR 8 WAFFELN

FÜR DIE KIRSCHEN
500 g entsteinte frische oder tiefgekühlte Kirschen
2 EL Honig

FÜR DEN TEIG
200 g Haferflocken
4 EL heller Rohrzucker oder Kokosblütenzucker (siehe Seite 279)
1 EL Backpulver
1 Prise Meersalz
2 EL Mohnsamen plus Mohn zum Servieren
200 ml Naturjoghurt oder Kokosjoghurt
150 ml Milch nach Wahl
3 Bio- oder Freilandeier (oder Chia-Samen, siehe Text oben)
abgeriebene Schale von 1 unbehandelten Zitrone
Butter oder Kokosöl zum Backen

ZUM SERVIEREN
Honig

• Die Kirschen mit dem Honig in einen Topf geben und erhitzen, bis sie leise köcheln, dann 10 Minuten weiterköcheln lassen, bis sie gerade eben weich, leicht klebrig und tiefrot geworden sind.

• Das Waffeleisen bei sehr niedriger Temperatur aufheizen. Ich besitze einen Gasherd, mit dessen Hilfe das Waffeleisen ziemlich schnell heiß wird, möglicherweise dauert dies bei Ihnen etwas länger, falls Sie einen Elektro- oder Induktionsherd besitzen. Sie können auch ein elektrisches Waffeleisen verwenden; dieses auf mittlerer Stufe vorheizen.

• Die Haferflocken im Mixbehälter der Küchenmaschine zu einem feinen Pulver verarbeiten. Mit dem Zucker, dem Backpulver, dem Salz und den Mohnsamen in eine Schüssel geben. In einem Krug den Joghurt mit der Milch, den Eiern und der Zitronenschale verrühren. Die flüssigen zu den trockenen Zutaten gießen und alles zu einem geschmeidigen dickflüssigen Teig aufschlagen. Den Teig in den Krug umfüllen, das erleichtert die Befüllung des Waffeleisens.

• Nun das Waffeleisen etwas stärker erhitzen. Ein kleines Stück Butter oder etwas Kokosöl auf das Waffeleisen geben und mit einem Backpinsel sorgfältig und gleichmäßig in allen Ecken verteilen. Das Waffeleisen umdrehen und das Innere auf dieselbe Weise einfetten.

• Einen Löffel Teig auf eine Seite des heißen Waffeleisens geben und den Deckel zuklappen. 2 Minuten knusprig backen, dann wenden und nochmals 3 Minuten backen. Die Waffeln sind fertig, wenn sie eine gleichmäßig goldbraune Farbe angenommen haben und sich am Rand leicht vom Waffeleisen lösen lassen.

• Mit den warmen Kirschen servieren, mit Mohn bestreuen, mit einem Löffel Joghurt garnieren und mit etwas Honig beträufeln.

Kartoffelküchlein mit Dosa-Gewürz und schnellen Gurken-Pickles

Das beste Frühstück, das ich je gegessen habe, war ein *masala dosa* (dünner Pfannkuchen mit würziger Kartoffelfüllung) in Fort Cochin, Kerala. Dies ist meine Methode, die intensiven, duftenden südindischen Aromen in meinen Alltag zu integrieren. Das Gericht schmeckt rund um die Uhr mit seinen Aromabomben in Gestalt von Curryblättern und schwarzen Senfsamen, die der Kartoffel diesen warmen subtilen Kick geben, wie er so typisch für die Ausgewogenheit der südindischen Küche ist. Auf diese Weise verarbeite ich so gut wie alle meine Kartoffelpüreereste. Im Grunde eignet sich hier jedes Wurzelgemüsepüree, ich finde jedoch, dass Kartoffeln die Aromen am besten annehmen.

Avocados mit diesen Gewürzen zu vermischen ist eine Offenbarung – mindestens einmal pro Woche esse ich diese Kombi auf Toast.

Falls Sie keine Curryblätter finden, lassen Sie sie weg. Curryblätter sind jedoch ganz wunderbar – falls Sie sie noch nicht probiert haben, versuchen Sie unbedingt, welche zu bekommen. Sie haben einen ganz eigenen, köstlichen Geschmack und verleihen einem Gericht auf eine Weise Komplexität, die schwer zu beschreiben ist, ähnlich einer Trüffel. Ich kaufe immer einige Päckchen, wenn ich sie gerade irgendwo sehe – mittlerweile gibt es Curryblätter in manchen großen Supermärkten. Sie können sie in einem wiederverschließbaren Plastikbeutel im Tiefkühler aufbewahren und bei Bedarf einfach einige Blätter herausschütteln. Sie machen süchtig und sind auch noch sehr gesund. Mit Limettensaft und einer Prise Zucker in heißem Wasser vermischt, wirken sie verdauungsfördernd.

FÜR 4 PERSONEN

FÜR DIE KARTOFFELKÜCHLEIN
Oliven- oder Kokosöl

1 Zwiebel, geschält und fein gehackt

1 EL schwarze Senfsamen

½ TL gemahlene Kurkuma

10 Curryblätter

4 große Kartoffeln, gekocht, geschält, abgetropft und grob gestampft, oder 4 große Löffel Kartoffelpüreereste

Meersalz und frisch gemahlener schwarzer Pfeffer

FÜR DIE AVOCADO
2 reife Avocados, halbiert und Stein entfernt

Saft von ½ Zitrone

FÜR DIE GURKEN-PICKLES
½ Salatgurke, quer halbiert und in dünne Scheiben geschnitten

1 TL Koriandersamen, im Mörser zerstoßen

1 Prise Zucker oder 1 Spritzer Agavendicksaft

abgeriebene Schale und Saft von ½ unbehandelten Zitrone

1 EL Weißweinessig

• Einen Spritzer Öl bei mittlerer Temperatur in einer Pfanne erhitzen und die Zwiebel etwa 5 Minuten darin anbraten, bis sie weich und süß geworden ist. Die Senfsamen hinzufügen und einen Schritt zurücktreten, da die Senfsamen beim Erhitzen in der Pfanne springen. Einen gehäuften Esslöffel der Zwiebelmischung aus der Pfanne kratzen und zum Abkühlen beiseitestellen.

• Die Pfanne auf dem Herd stehen lassen, Kurkuma und Curryblätter zugeben und etwa 1 Minute anbraten, dann alles in eine Schüssel geben und leicht abkühlen lassen.

• Die zerdrückten Kartoffeln zu den Zwiebeln geben, kräftig mit Salz und Pfeffer würzen und gründlich vermischen. Die Masse in vier Portionen teilen und jede Portion zu einem Küchlein formen. Zum Kühlen in den Kühlschrank stellen.

• In einer Schüssel die Avocados mit dem Zitronensaft zerdrücken (dafür eignet sich ein Kartoffelstampfer) und den zurückbehaltenen Esslöffel Zwiebelmischung unterrühren. Kräftig mit Salz und Pfeffer würzen.

• Für die Gurken-Pickles die Gurkenscheiben in eine Schüssel geben und die restlichen Pickles-Zutaten hinzufügen. Die Gurkenscheiben von Hand mit den anderen Zutaten verkneten, damit sich die Aromen gut verbinden.

• Nun die Pfanne zurück auf den Herd stellen. Die Kartoffelküchlein aus dem Kühlschrank nehmen und 2 bis 3 Minuten pro Seite sanft und behutsam in etwas Öl anbraten, bis sie durch und durch erwärmt und außen knusprig gebräunt sind.

• Die Dosa-Küchlein mit der Mischung aus Senfsamen, Zwiebel und zerdrückter Avocado garnieren und mit einem ordentlichen Löffel Gurken-Pickles anrichten.

Noch mehr Ideen für Gurken-Pickles:

· als Extra auf einem Veggie-Burger
· zu einer Schüssel Dal und Reis
· auf einem Bagel mit Frischkäse und abgeriebener Zitronenschale
· auf einem Käsesandwich
· zu einem Currygericht
· als Belag für das beste Gurkensandwich der Welt

Ein vollwertiger Sonntagsbrunch

Manchmal braucht man einfach ein herzhaftes Frühstück, das einen so richtig satt macht. Ich konnte schwerem, fettigem Essen als Start in den Tag jedoch noch nie etwas abgewinnen. Ich lege mit meinem Frühstück quasi schon die Richtung fest, die ich an diesem Tag einschlagen möchte. Dieses Frühstück genieße ich gern nach einer langen Nacht oder bevor ich mich abends ins Getümmel stürze – man könnte sagen, es ist meine Version des *full English breakfast* (traditionelles englisches Frühstück, unter anderem mit gebratenen Eiern, Speck, Würstchen, Grilltomate, Champignons, weißen Bohnen in Tomatensauce und Toast). Im Herbst und Winter, wenn die Tomaten kein Aroma haben, verwenden Sie lieber getrocknete Tomaten, die Sie am Ende zugeben.

Das Frühstück lässt sich in der Zeit zubereiten, die man sonst dafür bräuchte, zum Zeitungsladen zu gehen und eine schöne Tasse Kaffee zu kochen. Ich empfehle Ihnen, es zum Frühstück anstelle von Toast einmal mit Körnern zu probieren. Ich empfinde sie im Vergleich zu Brot als deutlich sättigender, und sie passen hier perfekt dazu. Wenn Sie lieber Brot dazu essen möchten, nehmen Sie statt des Emmers eine Scheibe gutes Brot. Für einen herzhaften Sattmacherbrunch brate ich manchmal auch noch ein paar Maronenwürstchen (siehe Seite 205) oder einige Scheiben Tofu in der Pfanne und lasse die Eier weg.

Salbei mag Ihnen als Würzkraut zum Frühstück vielleicht ungewöhnlich vorkommen, aber es funktioniert hier ganz wunderbar. Ich liebe *sage* – Salbei – das Wort, den Geschmack, das Aroma, das die anderen Aromen trägt. Salbei hat so etwas Urtümliches an sich, das ich sehr schätze. Er gehört zur Minze-Familie, was man durchaus schmecken kann. Ich mag es sehr, Salbeiblätter in heißem Öl zu frittieren, bis sie perfekt knusprig sind, und sie dann über gebratene Eier oder gerösteten Kürbis zu streuen.

FÜR 2 PERSONEN, PROBLEMLOS ZU EINEM GROSSEN BRUNCHBÜFETT ERWEITERBAR

¼ Butternuss- oder ein ähnlicher Kürbis, Kerne entfernt und in 1 cm dicke Scheiben geschnitten

2 Riesenchampignons

Meersalz und frisch gemahlener schwarzer Pfeffer

Oliven- oder Rapsöl

100 g Emmer (Zweikorn) oder Quinoa

2 große Rispen Kirschtomaten

1 kleine Handvoll Mandeln

einige Zweige Salbei (etwa 20 Blätter)

1 Zitrone

2 Bio- oder Freilandeier zum Pochieren (mehr bei großem Hunger)

- Den Backofen auf 220 °C (200 °C Umluft/Gas Stufe 7) vorheizen.

- Den Kürbis und die Pilze auf einem Backblech verteilen, mit Salz und Pfeffer würzen und mit wenig Öl beträufeln. Im Ofen 5 bis 10 Minuten rösten.

- Als Nächstes die Körner zubereiten. Dazu den Emmer oder die Quinoa unter fließendem kaltem Wasser abspülen, dann in einen Topf mit kochendem Salzwasser geben und kochen, bis sie gar sind. Der Emmer benötigt 20 bis 25 Minuten, die Quinoa 10 Minuten. Bei Bedarf etwas Wasser nachfüllen.

• Den Kürbis nach 5 bis 10 Minuten Garzeit aus dem Ofen nehmen und die Tomaten dazugeben. Mit Salz und Pfeffer bestreuen, mit Öl beträufeln und weitere 20 Minuten in den Ofen schieben.

• Für das Salbei-Mandel-Pesto die Mandeln ohne Fett in einer Pfanne rösten, bis sie zu duften und gerade eben zu bräunen beginnen, dann vom Herd nehmen. Den Salbei mit einer Prise Salz im Mörser zerstoßen. Die Mandeln hinzufügen und zu einer körnigen Paste zerstoßen, dann 4 Esslöffel Öl und den Saft von ¼ Zitrone zugeben und erneut zerstoßen, bis sich alles zu einer einigermaßen homogenen Masse verbunden hat. Mit Salz und Pfeffer würzen, probieren und nach Geschmack nachwürzen. Das Pesto kann auch mithilfe der Küchenmaschine hergestellt werden.

• Zum Schluss einen Topf mit Wasser für die Zubereitung der pochierten Eier zum Kochen bringen (ich verwende dafür eine Bratpfanne). Die Temperatur so weit senken, dass das Wasser kaum noch blubbert, dann die Eier aufschlagen, hineingleiten lassen und 3 bis 4 Minuten pochieren. Mit einem Sieblöffel herausheben und zum Abtropfen kurz auf Küchenpapier legen.

• Das Getreide auf Teller verteilen, darauf das weiche Röstgemüse legen, ein pochiertes Ei daraufsetzen, großzügig mit Pesto beträufeln und in aller Ruhe genießen.

Für zwischendurch

Wenn schon snacken, dann bitte richtig – und zwar in jeder Hinsicht. Wenn ich die Zeit zwischen den Hauptmahlzeiten mit etwas überbrücken kann, das köstlich schmeckt, durchdacht und gesund ist, lasse ich dafür gern die Schokokekse links liegen. Das kann eine mit etwas Mandelbutter bestrichene Reiswaffel sein oder ein paar Grünkohl-Chips oder ein bisschen Karamell-Popcorn – ein bewusst gewählter Snack macht mich glücklich, zufrieden und gibt mir reichlich Energie. Die folgenden Rezepte eignen sich ebenfalls zur Versorgung größerer Gruppen – einfach das Rezept vervielfachen, je nach Größe der hungrigen Horde.

Süßkartoffel-Quesadillas aus der Pfanne · süßsalzige knusprige Grünkohl-Chips · das beste Eiersandwich, das Sie jemals essen werden · super rauchige Salsa · Hummus mit Miso-Kick · juwelenfarbiger Dip aus dem Nahen Osten · superdicke Sandwiches · würziges Salz-Karamell-Popcorn · California-Wraps mit Ahornsirup und Erdnussdressing

Schnelle Süßkartoffel-Quesadillas

Quesadillas schmecken immer. Sie sind in 5 Minuten zubereitet und jeder liebt sie. Ob als Snack auf einer Party, als schnelles Abendessen nach einem langen Arbeitstag und sogar als leckeres Frühstück mit einem Ei gefüllt.

Diese Quesadillas sind ein bisschen anders – die normale, reichlich mit Käse gefüllte Weißmehl-Version ist nicht mein Ding. Stattdessen fülle ich die Fladen mit einem superschnellen Püree aus Süßkartoffeln und weißen Bohnen. Sie werden sehen: kein Vergleich!

Hier tauchen zwei Sorten Chilis auf – aber keine Sorge, sie sind nicht besonders scharf, ich mag dieses heftige Brennen von Chilischärfe überhaupt nicht. In meinen Augen kann etwas nicht gut sein, wenn es den Körper in Panik versetzt oder aus dem Gleichgewicht bringt. Aber generell mag ich Chilis sehr, und die Kombination aus dem intensiven Raucharoma des Chipotle-Chili und der süßen rohen Schärfe des frischen Chili ergibt einen durchaus harmonischen Chili-Kick.

Mittlerweile werden Chipotle-Produkte von einigen auf Chiliprodukte spezialisierten Händlern im Internet angeboten, mit viel Glück auch in manchen Supermärkten – die Suche nach dem süßen rauchigen Geschmackserlebnis lohnt sich auf jeden Fall. Falls Sie keine Chipotle-Chili bekommen, tut es auch ½ Teelöffel scharfes geräuchertes Paprikapulver *(Pimentón de la Vera picante)* als Ersatz.

Es ist durchaus erwähnenswert, mit welchen inneren Werten Chilis punkten. Sie besitzen einen äußerst hohen Gehalt an Antioxidanzien und Vitaminen und kurbeln das Immunsystem und den Stoffwechsel an.

FÜR 2 PERSONEN
ALS ABENDESSEN
ODER FÜR 4 ALS SNACK

Olivenöl
1 Süßkartoffel, geschält und geraspelt
1 EL Ahornsirup
Meersalz und frisch gemahlener schwarzer Pfeffer
1 TL Chipotle-Paste
1 rote Chili, fein gehackt
1 Dose weiße Bohnen (400 g), abgetropft
1 Avocado
½ Limette
einige Stängel Minze oder Koriandergrün, Blätter abgezupft und gehackt
4 Maismehltortillas (siehe Anmerkung auf Seite 17)

• Einen Spritzer Olivenöl in einem Topf erhitzen, die Süßkartoffelraspel und den Ahornsirup hineingeben und mit Salz und Pfeffer würzen. Die Chipotle-Paste und die gehackte Chili hineingeben und einige Minuten anbraten, bis die Süßkartoffel weicher geworden und nicht mehr roh ist.

• In eine Schüssel umfüllen, die Bohnen zugeben, dann alles mit einem Kartoffelstampfer etwas zerdrücken – es werden noch einige Süßkartoffelstückchen zu sehen sein. Nach Bedarf nachwürzen.

• Die Avocado mit etwas Limettensaft zerdrücken und die Kräuter unterrühren. Auch hierfür verwende ich den Kartoffelstampfer.

- Nun eine Bratpfanne erwärmen, die groß genug ist für die Tortillas. Eine Tortilla in die Pfanne legen, die Hälfte der Oberfläche mit einem Viertel der Süßkartoffel-Bohnen-Mischung bestreichen, dann die unbestrichene Hälfte über die Füllung klappen. Wenn Platz ist, eine zweite Tortilla dazulegen, bestreichen und umklappen. Ohne Fett erhitzen, bis Bläschen sichtbar werden und die Unterseite sich goldbraun färbt, dann wenden und die andere Seite genauso erhitzen. Die fertigen Tortillas warm stellen, während die restlichen zwei Tortillas in der Pfanne zubereitet werden.

- Frisch aus der Pfanne mit dem Avocadopüree servieren.

Als Teil einer größeren Mahlzeit
- mit einigen Handvoll Blattsalat mit zitronigem Dressing servieren
- mit einer knackigen Salatmischung aus Radieschen, Blattsalaten, fein gehobeltem Fenchel und Koriandergrün und einer schnellen Tomatensalsa servieren

Grünkohl-Chips aus dem Ofen

Die Entdeckung der Grünkohl-Chips haben wir unseren gesundheitsbewussten Freunden in Amerika zu verdanken. Die Chips schmecken köstlich, salzig, süßlich, knusprig, einfach nur gut – eine supergesunde Alternative zu einer Tüte Kartoffelchips. Der einzige Haken ist der Preis: Ich habe schon mal ein halbes Vermögen ausgegeben für eine Portion, die meine Familie in einer halben Stunde verputzt hat.

Einige meiner Freunde, die Rohköstler sind, bereiten die Chips in ihrem Dörrgerät zu, mit dessen Hilfe das Nahrungsmittel langsam getrocknet und haltbar gemacht wird. Aber keine Sorge, ich sage jetzt nicht, dass Sie Ihr Sparschwein schlachten und unbedingt eins dieser Geräte anschaffen müssen.

Meine Lösung: ein paar Blätter Grünkohl und ein zuverlässiger Backofen. Durch das Rösten im Ofen besitzen die Chips zwar nicht mehr das Recht auf die Bezeichnung »roh« wie ihre langsam getrockneten Kollegen, aber ich mag Kompromisse – und dies ist ein wirklich gelungener: im Ofen gerösteter Grünkohl statt frittierte Kartoffel aus der Tüte.

Ich konnte mich nicht entscheiden, welche Geschmacksrichtung nun besser schmeckt, also finden Sie hier beide Varianten. Die Miso-Sesam-Version besitzt die süßlich-herzhafte Bandbreite von perfektem Sushi. Die Estragon-Senf-Chips sind süß und aromatisch. Probieren Sie einfach beide und danach eine neue, eigene Variante – halten Sie sich an die Formel salzig/sauer/süß, dann kann nichts schiefgehen.

Diese Chips eignen sich übrigens auch dazu, Grünzeughasser umzustimmen. Als kleine knusprige Aromabomben getarnt, könnten sie jeden zum Grünkohl-Fan machen.

ZUM KNABBERN FÜR EINE KLEINE RUNDE ODER FÜR 1 PERSON ALS SNACK FÜR EIN PAAR TAGE

200 g Grünkohl, gewaschen und trocken geschleudert (ich nehme eine Mischung aus verschiedenen Sorten)

FÜR DAS ESTRAGON-SENF-DRESSING

1 EL körniger Senf

1 EL Olivenöl

1 EL Honig oder Agavendicksaft

½ Bund Estragon, Blätter abgezupft und gehackt

Saft von 1 Zitrone

1 kräftige Prise Meersalz

FÜR DAS SESAM-MISO-DRESSING

1 TL Misopaste

1 EL Sojasauce oder Tamari

1 EL Olivenöl

1 EL Ahornsirup

Saft von 1 Limette

3 EL Sesamsamen

• Den Backofen auf 120 °C (100 °C Umluft/Gas Stufe ½) vorheizen und zwei Backbleche mit Backpapier belegen.

• Den Grünkohl in chipsgroßen Stücken von der Mittelrippe reißen (denken Sie daran, dass die Stücke beim Rösten leicht schrumpfen). Kleinere Stängel brauchen nicht entfernt zu werden, größere schon. Die Stücke mit ausreichend Abstand auf den Backblechen verteilen.

• Eins der beiden Dressings zubereiten: Dazu die entsprechenden Zutaten in einem Krug vermischen.

• Das Dressing gleichmäßig über die Grünkohlstücke träufeln und alles von Hand gründlich vermischen, bis der Grünkohl rundherum mit Dressing überzogen ist.

• Den Grünkohl 30 Minuten im Ofen rösten. Dann beide Backbleche aus dem Ofen nehmen und die Grünkohlstücke mit einem Pfannenwender vom Backpapier lösen. Die Bleche zurück in den Ofen schieben, den Ofen ausschalten und die Bleche drinnen lassen, bis die Grünkohlstücke durch und durch knusprig geworden sind, was nochmals etwa 30 Minuten dauert.

• Die Grünkohl-Chips vom Backblech nehmen und in einem Glas oder einem luftdichten Behälter aufbewahren. Theoretisch sind sie eine Woche lang haltbar, praktisch sind sie bis dahin längst aufgegessen.

Rauchiges Walnuss-Kreuzkümmel-Muhammara

Falls Sie jemanden kennen, der vegetarische Küche für langweilig hält, drücken Sie der Person einfach eine Schüssel hiervon in die Hand, zusammen mit einem Stück gegrilltem Fladenbrot zum Dippen, und geben Sie ihr fünf Minuten. Das Muhammara ist das reinste Aromenfeuerwerk: die moschusartige Süße der Paprika, die erdige Würze des Kreuzkümmels und die buttrige Fülle der Walnüsse. Und so vielseitig einsetzbar. Ich habe immer gern ein Glas davon im Kühlschrank, um die verschiedensten Gerichte damit aufzupeppen.

Granatapfelsirup wird hier traditionell zum süß-pikanten Abrunden verwendet. Die meisten größeren Supermärkte und Geschäfte mit orientalischen Lebensmitteln führen Granatapfelsirup im Sortiment, falls Sie ihn nicht finden können, ersetzen Sie ihn durch einen Esslöffel Balsamico-Essig und einen Esslöffel Dattelsirup, dunklen Honig oder Agavendicksaft.

....

FÜR 1 GUT GEFÜLLTES GLAS, GENUG ZUM DIPPEN FÜR EINE GRÖSSERE RUNDE

75 g Walnusskerne

1 TL Kreuzkümmelsamen

1 Glas geröstete rote Paprika (200 g) oder 3 frisch geröstete Paprika, geschält, Samen und Trennwände entfernt, klein geschnitten

2 Scheiben gutes dunkles Weizenbrot, zerbröselt

2 EL Tomatenmark von guter Qualität

2 EL Granatapfelsirup (Alternativen siehe Text oben)

1 TL *pul biber* (türkische Chiliflocken; siehe Seite 26) oder 1 Prise normale Chiliflocken

Saft von ½ Zitrone

Meersalz und frisch gemahlener schwarzer Pfeffer

4 EL natives Olivenöl extra

- Den Backofen auf 220 °C (200 °C Umluft/Gas Stufe 7) vorheizen.

- Die Nüsse und die Kreuzkümmelsamen auf einem Backblech ausbreiten und 6 Minuten rösten, bis sich die Nüsse gerade eben goldgelb zu färben beginnen und der Kreuzkümmel seinen wunderbaren Duft und seine Öle freisetzt. Mit den roten Paprikas in den Mixbehälter der Küchenmaschine füllen. Zu einer Paste pürieren, dann Brotbrösel, Tomatenmark, Granatapfelsirup, Chiliflocken, Zitronensaft und je 1 kräftige Prise Salz und Pfeffer hinzufügen. Zu einer glatten Masse pürieren.

- Bei laufender Küchenmaschine langsam das Öl zugießen und pürieren, bis eine homogene Masse entstanden ist. Probieren, bei Bedarf nachwürzen und erneut pürieren. Nochmals abschmecken, bis die Balance stimmt – möglicherweise noch etwas Zitronensaft, Granatapfelsirup, Salz und Pfeffer hinzufügen, bis es schmeckt, wie Sie es mögen. Im Kühlschrank ist das Muhammara mindestens eine Woche lang haltbar.

Weitere Ideen

- zum Frühstück auf Toastbrot streichen und ein pochiertes Ei daraufsetzen
- als Marinade für Tofu oder Gemüse zum Grillen verwenden
- mit etwas Öl verdünnen und als Dressing für geröstetes Wurzelgemüse, Rote Beten und Kürbis verwenden
- zu einem Linsengericht als Klecks am Tellerrand mit etwas Naturjoghurt und frischen Kräutern servieren

California-Wrap mit Ahornsirup und Erdnussdressing

Vor ein paar Jahren hat mich dieser Wrap – zusammen mit Musik – während eines einwöchigen Aufenthalts in der Wüste am Leben erhalten. Er besteht aus genau der richtigen Mischung aus erfrischendem Grünzeug, vitaminreicher Karotte und guter Eiweißpower aus Tempeh und Saaten.

Die Krönung ist jedoch die Sauce – es handelt sich um eine dieser Saucen, die auf jeder Geschmacksebene glücklich machen und von denen man einfach nicht genug bekommen kann. Sie passt auch ausgezeichnet zu Salat. Ich muss gestehen, dass ich dafür bekannt bin, zwei von diesen Wraps nacheinander zu verschlingen, so gut sind sie! Die Wraps sind superschnell fertig und eignen sich daher als fixes Mittagessen für unter der Woche – im Sommer kommen sie auch oft zum Abendessen auf den Tisch, dann mit Süßkartoffel-Wedges aus dem Ofen.

Tempeh besteht aus gepressten Sojabohnen. Es ist eine großartige Eiweißquelle, die in den meisten Rezepten gut als Tofuersatz verwendet werden kann. Tempeh ist ein fermentiertes Nahrungsmittel und als solches deutlich leichter verdaulich als andere Sojaprodukte. Er benötigt eine kleine Sonderbehandlung wie diese Marinade, da er eher neutral schmeckt. Fester Tofu eignet sich hier als Tempeh-Ersatz.

FÜR 4 WRAPS

4 Vollkorn-Tortillas
2 Karotten, geraspelt
4 EL gemischte Saaten, geröstet
4 Handvoll grüne Blattsalate

FÜR DAS TEMPEH

1 EL Ahornsirup
1 EL Sojasauce
1 EL Olivenöl
1 EL Balsamico
200 g Tempeh, in 1 cm dicke Scheiben geschnitten

FÜR DAS ERDNUSSDRESSING

2 EL Erdnussmus
2 TL Misopaste
2 TL Sojasauce
2 EL Ahornsirup
2 EL Tahini
Saft von 1 Zitrone

• Den Ahornsirup mit der Sojasauce, dem Olivenöl und dem Essig in einer Schüssel vermischen. Den Tempeh hineinlegen und darin wenden, sodass er rundherum damit überzogen ist. Beiseitestellen.

• Dann für das Dressing alle Zutaten verrühren. Falls es zu dickflüssig sein sollte, mit einem Esslöffel Wasser verdünnen. Probieren, abschmecken und beiseitestellen.

• Eine Pfanne ohne Fett erhitzen und den Tempeh darin einige Minuten pro Seite anbraten, bis er sich braun färbt und zu karamellisieren beginnt.

• Die Tortillas aufwärmen – ich halte sie dazu mithilfe einer Küchenzange einige Minuten über die offene Flamme meines Gasherds, aber der Backofen oder fettfreies Erwärmen in einer antihaftbeschichteten Pfanne funktionieren genauso. Nun die Wraps fertigstellen. Dazu auf jede Tortilla etwas Tempeh legen, mit einem Viertel der geraspelten Karotten, der Saaten und der Blattsalate belegen und mit einem Viertel des Erdnussdressings beträufeln. Die restlichen Tortillas genauso fertigstellen.

HUMMUS

... MIT DATTELN UND SCHWARZEM SESAM

•

1 Dose Cannellinibohnen (400 g), abgetropft
1 EL Olivenöl
4 Datteln der Sorte Medjool, grob gehackt
Saft von ½ Zitrone
½ EL Misopaste
Meersalz
2 EL Dattelsirup
2 EL schwarze Sesamsamen, geröstet

Anstelle von Dattelsirup eignet sich auch dunkler Honig oder dunkler Agavendicksaft. Kräftig gerösteter weißer Sesam funktioniert hier ebenfalls, falls Sie keinen schwarzen bekommen.

Die Bohnen mit Olivenöl, Datteln, Zitronensaft, Misopaste und einer Prise Salz in den Mixbehälter der Küchenmaschine geben und bis zur gewünschten Konsistenz pürieren. Probieren und bei Bedarf mit Salz abschmecken. Falls die Mischung zu dickflüssig ist, etwas Wasser oder Öl unterrühren. Ich püriere den Hummus etwas länger, da ich ihn gern locker und luftig mag, während andere eine stückigere Konsistenz bevorzugen – Sie haben die Wahl.

Sobald die gewünschte Konsistenz erreicht ist, den Hummus in eine Schüssel umfüllen, mit dem Dattelsirup beträufeln und mit den Sesamsamen bestreuen.

... MIT SCHWARZEN BOHNEN UND KÜRBISKERNEN

•

1 Dose schwarze Bohnen (400 g), abgetropft
1 grüner Chili, Stiel entfernt, grob gehackt, plus gehackter grüner Chili zum Garnieren
1 kleines Bund Koriandergrün, grob gehackt, plus gehacktes Koriandergrün zum Garnieren
abgeriebene Schale und Saft von 1 unbehandelten Limette
1 EL Ahornsirup
1 großzügige Handvoll Kürbiskerne
Meersalz und frisch gemahlener schwarzer Pfeffer
1 großzügiger Spritzer Olivenöl

Eine klassische Kombination aus der mexikanischen Küche. Dieser Hummus macht süchtig und schmeckt köstlich zu selbst gemachten Tortilla-Chips.

Alles außer der Extraportion Chili und Koriandergrün in den Mixbehälter der Küchenmaschine geben und bis zur gewünschten Konsistenz pürieren. Probieren und nach Bedarf mit Salz und Pfeffer nachwürzen und mit mehr Öl oder etwas Wasser verdünnen, falls der Hummus zu dick geraten ist.

In eine Schüssel umfüllen. Die Extraportionen Chili und Koriandergrün mit etwas Olivenöl mischen und den Hummus damit garnieren.

Wenn es bei Ihnen nur annähernd so zugeht wie bei mir oder meinen Freunden, dann wandern auch bei Ihnen diverse Töpfchen Hummus in den Kühlschrank und auf den Esstisch. Normalerweise bereite ich Hummus selbst zu, da ich ihn dann so machen kann, dass er zu Anlass, Jahreszeit, Stimmung und Kühlschrankinhalt passt. Das Kichererbsen-Tahini-Konzept kann auf Dauer etwas eintönig werden, daher stelle ich Ihnen hier einige ausgefallenere Varianten vor, die Sie so nicht kaufen können. Das Konzept lässt sich im Grunde auf alles übertragen, solange Sie sich grob an die unten angegebenen Mengenverhältnisse von Bohnen/Zitrus/Würze halten.

Diese Rezepte eignen sich hervorragend zur Verwertung von übrig gebliebenen Bohnen.

Alle Hummusvarianten sind im Kühlschrank 5 Tage lang haltbar. Die Rezepte ergeben je ein mittelgroßes Glas Hummus.

... MIT LIMABOHNEN, MANDELN UND ROSMARIN

•

1 Dose Limabohnen (400 g), abgetropft
abgeriebene Schale und Saft von 1 unbehandelten Zitrone
1 Handvoll Mandeln
2 Zweige Rosmarin, Nadeln abgezupft
2–3 TL Mandelmilch oder Wasser
Meersalz und frisch gemahlener schwarzer Pfeffer
1 großzügiger Spritzer Olivenöl
einige Mandeln, geröstet und gehackt, zum Garnieren

Hier verbinden sich Rosmarin und Mandeln auf italienische Art. Ein guter Einstieg in eine Mahlzeit, dazu gibt's gegrilltes und mit Olivenöl beträufeltes Röstbrot. Ich bereite diesen Hummus mit ungerösteten Mandeln zu, wobei geröstete Nüsse eine rauchige Note beisteuern – am besten, Sie probieren beides aus.

Alle Zutaten außer den gerösteten Mandeln in den Mixbehälter der Küchenmaschine geben und so grob oder fein pürieren, wie Sie möchten. Falls nötig, etwas Wasser zugeben, bis der Hummus eine angenehme Konsistenz hat.

Mit den gehackten Mandeln bestreuen und mit etwas Olivenöl beträufeln.

... MIT ERBSEN UND GRÜNEN KRÄUTERN

•

300 g tiefgekühlte Erbsen
1 kleines Bund Minze
1 kleines Bund Basilikum
2 EL gutes natives Olivenöl extra
abgeriebene Schale und Saft von 1 unbehandelten Zitrone
Meersalz und frisch gemahlener schwarzer Pfeffer

Wer sagt eigentlich, dass man Hummus nicht auch aus Erbsen machen kann? Ich jedenfalls nicht. Streichen Sie es auf Bruschetta oder setzen Sie einen Klecks als i-Tüpfelchen auf ein einfaches Risotto; Reste können Sie mit Pasta vermischen. Kinder lieben diese Kombi. Ab und zu mische ich auch eine Avocado unter den Hummus, was ihn besonders cremig macht. Dicke Bohnen funktionieren hier sehr gut als Ersatz für Erbsen. Im Frühling verwende ich frische Erbsen – das restliche Jahr über greife ich zu tiefgekühlten.

Die Erbsen in eine Schüssel geben und mit kochend heißem Wasser übergießen. 1 Minute auftauen lassen, dann abgießen. Mit allen anderen Zutaten in den Mixbehälter der Küchenmaschine füllen und zu einer leuchtend grünen Paste pürieren (klappt auch gut mit einem Pürierstab). Probieren und, falls nötig, mit noch etwas Salz, Pfeffer und Zitrone abschmecken.

Selbst gemachte Tortilla-Chips mit Grillgemüse-Salsa

Immer, wenn ich diese Tortilla-Chips mache, ernte ich wahre Begeisterungsstürme. Die Leute sind derart hingerissen, dass ich sie inzwischen schon routinemäßig mache, wenn jemand vorbeikommt – kaum sehe ich die Nasenspitze eines potenziellen Besuchers, sind die Dinger auch schon im Ofen, und ich rühre eine Salsa zusammen. Ich mag die Komplimente sehr, die ich dafür bekomme. Wobei ich auch mit einem leicht schlechten Gewissen kämpfe, weil so viele Menschen diese Kombi bewundern, wo sie doch so einfach zu machen ist, dass es schon ein Fünfjähriger locker fertigbringt. Weshalb die Leute sie aber nur noch mehr lieben.

Die Chips lassen sich ganz leicht aus Tortillas, Wraps, runden Pitabroten, übrigen Chapati – was Sie eben gerade zur Hand haben – zubereiten. Ich verwende am liebsten Maismehl-Tortillas. Mein Aromafavorit zum Würzen steht im Rezept, im Grunde eignen sich jedoch die meisten Gewürze sehr gut: Kreuzkümmel und Koriander schmecken wunderbar, ebenso die Kombination aus etwas Zitronenschale und gehacktem Thymian oder Rosmarin.

Die Tortilla-Chips können Sie zu allem genießen, was auf den Namen Dip hört. Bei uns ist dies meistens diese rauchige Salsa, aber Avocadopüree, Hummus und ein mit Gewürzen aufgepeppter Naturjoghurt schmecken ebenfalls wunderbar dazu. Probieren Sie doch mal das indische Avocadopüree von Seite 49) mit aus Chapati zubereiteten Chips, die Sie mit Koriander und etwas Zitronenschale würzen – auch eine geniale Kombination.

FÜR 1 GROSSE SCHÜSSEL

8 Tortillas, Wraps, Fladenbrote oder Chapati
Olivenöl
1 TL geräuchertes Paprikapulver *(Pimentón de la Vera)*
Meersalz

FÜR DIE SALSA

4 Frühlingszwiebeln
1 roter Chili, mehrmals mit einem spitzen Messer eingestochen
20 Kirschtomaten oder 8 große Tomaten
1 kleines Bund Koriandergrün
Olivenöl
Saft von 1 Limette
Meersalz und frisch gemahlener schwarzer Pfeffer

• Den Backofen auf 200 °C (180 °C Umluft/Gas Stufe 6) vorheizen.

• Eine gerillte Grillpfanne bei sehr hoher Temperatur auf dem Herd erhitzen. Sobald sie so heiß ist, dass sie zu rauchen beginnt, die Frühlingszwiebeln, den Chili und die Tomaten hineingeben und scharf anbraten, sodass sie rundherum deutliche Grillspuren annehmen. Sobald sie sich dunkel gefärbt haben, die Frühlingszwiebeln aus der Pfanne nehmen, danach den Chili und am Ende die Tomaten. Dies dauert etwa 5 Minuten. Zum Abkühlen in eine Schüssel legen.

• Sobald das Gemüse so weit abgekühlt ist, dass man es anfassen kann, alles auf ein Brett kippen. Mit einem großen Messer zerkleinern, bis eine stückige Salsa entstanden ist, dabei den Stielansatz des Chili entfernen. Wenn die Salsa so gut wie fertig ist, das Koriandergrün hinzufügen und unter die Mischung hacken.

- Die Mischung in eine Schüssel geben und mit einem großzügigen Spritzer Olivenöl, dem Limettensaft und einer kräftigen Prise Salz und Pfeffer verrühren. Probieren und nach Bedarf mit noch etwas Limette, Salz oder Öl abschmecken.

- Die Tortillas, Wraps, Fladenbrote oder Chapati in acht Tortenstücke schneiden und auf mehreren Backblechen verteilen. Nicht zu voll machen, sonst werden die Chips nicht knusprig.

- Die Chips mit Öl beträufeln und mit dem geräucherten Paprikapulver und einer großzügigen Prise Meersalz bestreuen.

- Im Ofen 10 Minuten backen, bis sie schön knusprig sind. Zum Servieren in Schüsseln verteilen und mit der Salsa anrichten.

Noch mehr Ideen für die Salsa
- als Klecks auf Quesadillas genießen (siehe Seite 56)
- als Aromakick in einem gegrillten Käsesandwich
- auf einer gebackenen Süßkartoffel
- als Dip für Kartoffel-Wedges
- zu einem pochierten oder gebratenen Frühstücksei
- auf mit Avocadopüree bestrichenem Toast

Würziges Salz-Karamell-Popcorn

Salzig-süßes, mit Karamell überzogenes Popcorn – für ein authentisches Leinwanderlebnis servieren Sie es am besten in großen Schüsseln oder Papiertüten. Und bloß nicht zu wenig machen, es verschwindet sehr schnell...

Ich liebe Zimt, für mich ein richtiges Wohlfühlgewürz. Ein halber Teelöffel in Tee oder heißes Wasser gerührt, kann bei Verdauungsproblemen helfen. Achten Sie darauf, dass Sie den Echten oder Ceylon-Zimt und nicht Cassia kaufen. Cassia ist die dunkle äußere Rinde der Zimtkassie (nicht zu verwechseln mit dem Echten oder Ceylon-Zimtbaum) – sie ist dunkler und wird als kleine zusammengerollte Stange angeboten. Sie hat ein durchdringend medizinisches Aroma. Echter Zimt ist milder und wirkt beruhigender – die Stangen sind heller und lassen sich sehr leicht zerkrümeln.
In einem guten Bio- oder Gewürzladen bekommen Sie in der Regel das Richtige.

FÜR 10 PERSONEN

1 Spritzer Pflanzenöl
400 g Popcorn-Mais
200 g heller Rohrzucker
1 EL Zimt
1 Prise Meersalz
½ Muskatnuss, frisch gerieben
abgeriebene Schale von 1 unbehandelten Orange

• Zuerst den Popcorn-Mais zubereiten. Dazu eine sehr große Pfanne (zu der ein Deckel existiert) bei mittlerer Temperatur erhitzen und einen Spritzer Öl hineingeben. Falls Sie keine sehr große Pfanne besitzen, nehmen Sie zwei kleinere. Sobald die Pfanne heiß ist, den Popcorn-Mais hineingeben, den Deckel auflegen und die Herdplatte auf niedrige Temperatur einstellen. Alle 30 Sekunden kräftig an der Pfanne rütteln, damit sich die Maiskörner gleichmäßig verteilen und nicht anbrennen. Es dauert einen Moment, bis der Mais zu poppen beginnt. Aber wenn es losgeht, dann gewaltig – also bitte nicht im falschen Moment den Deckel anheben.

• Inzwischen den Karamell zubereiten. Dazu den Zucker mit 100 ml Wasser in einen Topf geben und bei mittlerer Temperatur erhitzen, bis alles sanft köchelt; Hautkontakt unbedingt vermeiden. Köcheln lassen, bis das Wasser stark eingekocht und ein kräftig gefärbter Karamell entstanden ist. Nicht umrühren, sonst kristallisiert der Karamell aus.

• Sobald der Popcorn-Mais vollständig gepoppt ist, die Pfanne vom Herd nehmen und das Popcorn auf ein tiefes Backblech schütten. Sehr vorsichtig mit dem Karamell übergießen und mithilfe eines Metalllöffels untermischen – dabei das Popcorn nicht anfassen, da der Karamell sehr heiß ist. Mit Zimt und Salz bestreuen, die Muskatnuss und die Orangenschale darüberreiben, alle Zutaten mit einem Löffel vermischen. Den Karamell vor dem Verzehr vollständig abkühlen lassen.

Sandwich mit Kapern, Kräutern und weich gekochtem Ei

Ich war noch nie ein Fan von Eiersandwiches – bestenfalls habe ich sie ignoriert. Mein Freund John liebt sie jedoch, also habe ich eines Tages beschlossen, für ihn das beste Eiersandwich zu zaubern, das er je gegessen hat. Ein unerwarteter Bonus: Mir schmeckt es auch. Weiches, gerade eben gestocktes Eigelb, reichlich Aroma durch ein fast Sauce-tartare-artiges Dressing und ein Frischekick, für den einige gehackte Kräuter sorgen. Frisch zubereitet direkt auf den Teller, das ist für mich die einzige Art, ein Eiersandwich zu genießen.

Ich finde Joghurt in der Küche überaus nützlich – er lässt sich sogar in Kuchen- und anderen Teigen und in Brot verarbeiten. Ich nehme guten griechischen Bio-Sahnejoghurt anstelle von Mayonnaise und für üppigere Desserts und Naturjoghurt zum Frühstück und für Garnierungen. Mir ist eine abwechslungsreiche Ernährung wichtig, weil ich mich dadurch nicht zu sehr von einem Lebensmittel abhängig mache. Darum habe ich immer Kokosmilchjoghurt im Kühlschrank für die Tage, an denen ich Lust auf Abwechslung habe.

FÜR 4 SANDWICHES

6 Bio- oder Freilandeier

6 Cornichons oder 2 große Gewürzgurken, klein geschnitten

2 EL kleine Kapern in Lake oder große Kapern, klein gehackt

2 EL griechischer Sahnejoghurt

1 EL guter Dijonsenf

abgeriebene Schale und Saft von ½ unbehandelten Zitrone

einige Stängel Dill, gehackt

einige Stängel Petersilie, gehackt

1 Stange Staudensellerie (nach Belieben)

Meersalz und frisch gemahlener schwarzer Pfeffer

8 Scheiben gutes Brot (ich mag Körnerbrot)

• Zuerst die Eier in einen Topf legen, mit kaltem Wasser bedecken und zum Kochen bringen. Sobald das Wasser kocht, die Küchenuhr auf 6 Minuten einstellen (für große Eier möglicherweise etwas länger).

• Die Eier abgießen und unter fließendem kaltem Wasser abschrecken, bis sie etwas abgekühlt sind. Dann in eine Schüssel mit kaltem Wasser legen, bis sie so weit abgekühlt sind, dass sie sich schälen lassen.

• Die restlichen Zutaten außer dem Brot in eine Schüssel geben und vermischen. Die Eier schälen, grob hacken und ebenfalls in die Schüssel geben. Probieren und nach Bedarf mit Salz, Pfeffer oder Zitrone abschmecken. Falls das Brot frisch ist, braucht es nicht getoastet zu werden, falls es schon etwas trocken ist, sollte es im Toaster aufgebacken werden. Die Eiermischung auf vier Brotscheiben verteilen und mit den übrigen vier Brotscheiben belegen.

• Ab und zu gebe ich auch etwas saisonales Grünzeug dazu: Erbsensprossen, Brunnenkresse und Rucola passen hier gut.

Super-Clubsandwich
mit Räuchertofu

John findet, dass dieses Sandwich möglicherweise das Beste ist, was ich jemals zubereitet habe. Im Grunde geht es dabei lediglich darum, ein paar feine Dinge zwischen zwei Scheiben Brot zu packen – ein Sandwich eben.

FÜR 2 ORDENTLICHE SANDWICHES

100 g Räuchertofu, in 6 Scheiben geschnitten

1 EL Chipotle-Paste

1 EL Mayonnaise oder vegane Mayonnaise

Saft von ½ Limette

Meersalz und frisch gemahlener schwarzer Pfeffer

4 Scheiben gutes Brot (ich nehme Sauerteig- oder Körnerbrot)

½ Avocado, grob zerdrückt

1 Romanasalatherz, in Streifen geschnitten

8 halbgetrocknete Tomaten

• Eine antihaftbeschichtete Pfanne bei mittlerer Temperatur erhitzen, dann die Tofuscheiben hineinlegen und auf beiden Seiten erwärmen.

• Die Chipotle-Paste mit der Mayonnaise und dem Limettensaft in eine Schüssel geben, bei Bedarf mit wenig Salz und Pfeffer würzen und gründlich vermischen.

• Das Brot toasten und alles Nötige bereitstellen, damit das Sandwich zusammengebaut werden kann.

• Zwei Scheiben Brot mit der Chipotle-Paste und die anderen zwei Scheiben mit dem Avocadopüree bestreichen. Die Avocadobrote mit dem Tofu, dem Salat und den Tomaten belegen. Die Brotscheiben mit der Chipotle-Paste darauflegen, die Sandwiches durchschneiden und sofort genießen.

IDEEN FÜR SCHNELLE SANDWICHES

Sandwiches zählen zu meinen Lieblingsgerichten.
Etwas Großartiges geschieht, wenn sich zwischen zwei
Brotscheiben genau die richtige Kombination aus feinen
Zutaten trifft. Hier handelt es sich um moderne, mit
Gemüse vollgepackte Sandwiches. Ich nehme gutes
Brot – Sauerteig-, Roggen-, Körner- oder auch Hirsebrot.

HUMMUS

TOMATENSCHEIBEN

GETROCKNETE TOMATEN

HUMMUS

SCHWARZE OLIVEN

HARISSA

GERÖSTETE SAATEN

FALAFEL

FALAFEL

KAPERNÄPFEL

TOMATEN

HUMMUS

EINGELEGTE ROTE BETE

BLATTSPINAT

ZITRONENSAFT

GEMÜSEGARTEN

SPROSSEN

GERASPELTE KAROTTE

BLATTSPINAT

ZERDRÜCKTE AVOCADO

KIRSCHTOMATEN

PESTO

SAN FRAN

PESTO

MANDELN

PECORINO

RUCOLA

HONIG

ZITRONENSAFT

VEGGIE-CLUBSANDWICH

RÄUCHERTOFU

CHEDDAR IN SCHEIBEN

GEWÜRZGURKEN

GRÜNER BLATTSALAT

KIRSCHTOMATEN

SENF

MAYONNAISE

AVOCADO

ZERDRÜCKTE AVOCADO

FETA

KORIANDERGRÜN

LIMETTE

KIRSCHTOMATEN

GRÜNER BLATTSALAT

CHILI/CHIPOTLE-CHILI

SPARGEL

BLANCHIERTER SPARGEL

PARMESAN

AVOCADO

KÜRBISKERNE

RUCOLA

ZITRONENSAFT

ROTE BETE

GEKOCHTE ROTE BETE

ZIEGENKÄSE

KÜRBISKERNE

RUCOLA

ABGERIEBENE ZITRONEN-
SCHALE

Eine Schüssel Brühe, Suppe oder Eintopf

Gerichte aus einem Topf vermitteln mir das befriedigende Gefühl, perfekt versorgt zu sein. Die guten Eigenschaften jeder einzelnen Zutat entfalten sich in der dampfenden Suppenflüssigkeit. Die meisten der hier vorgestellten Suppen und Eintöpfe sind in weniger als 30 Minuten fertig und erfordern lediglich im Vorfeld etwas Schnippelei. Während der kühleren Monate bereite ich Montagabend gern einen Topf Suppe zu, gewöhnlich die doppelte Menge in meinem größten gusseisernen Topf. Die lassen wir uns dann im Laufe der Woche zu diversen Mittag- und Abendessen schmecken, wobei wir die Garnitur variieren, damit es nicht langweilig wird. Am Anfang lasse ich die Konsistenz der Suppe bewusst stückig; nachdem wir ein paar Schüsseln davon genossen haben, püriere ich sie, und schon ist es eine ganz andere Suppe.

Wärmendes Winterwurzelgemüse · pikante Tomatenbrühe · reinigende Misosuppe · toskanische Deftigkeit · kernige Udon-Nudeln · reinigende Kokosnuss · duftendes Zitronengras · rauchige Chiliwürze · geröstete Nüsse · knusprig frittierter Salbei · knusprige Tortilla-Chips

Kichererbsen-Eintopf mit eingelegter Zitrone

Das war das Ergebnis einer spontanen abendlichen Kochaktion. Einer dieser Momente, in denen die Sterne günstig stehen – und auch wenn man nicht einkaufen war, hüpfen einem einige Zutaten aus dem Kühlschrank geradezu bereitwillig entgegen und verbinden sich im Topf wie von selbst zu etwas ganz Besonderem.

Ich bereite diesen Eintopf zu, wenn ich mich nach einer warmen Suppe sehne, aber etwas Deftigeres brauche. Die Intensität des Aromas, die Zimt, eingelegte Zitrone und Tomate mitbringen, erweckt den Eindruck, der Eintopf hätte stundenlang auf dem Herd vor sich hingeschmurgelt. Tatsache ist jedoch, dass es sich um ein schnell gezaubertes Gericht handelt. Und die wärmenden arabischen Gewürze sind genau das Richtige an einem frostigen Abend.

Ich verwende hier israelischen Couscous (je nach Land auch Riesen-Couscous, Ptitim, Mograbiah oder Fregola genannt), da er größer, herzhafter und sättigender als der feinkörnigere Couscous ist und auch in einem Eintopf nicht untergeht. Er ist in Feinkostgeschäften und manchen Supermärkten erhältlich, kann jedoch auch durch türkischen Perl-Couscous, Bulgur oder – falls Sie Gluten vermeiden möchten – Quinoa ersetzt werden.

Eine Anmerkung zu den eingelegten Zitronen: Der einzigartige salzig-aromatische Kick, für den die eingelegte Zitrone sorgt, verleiht dem Eintopf eine kraftvolle Note. Probieren Sie sie auch einmal im Salat, in einem Reis-Pilaw, in würzigen Suppen und zum Aufpeppen von Körner- und Bohnengerichten. Am besten gibt man sie gegen Ende der Kochzeit dazu. Ich bereite sie übrigens nach einer supersimplen Version des Klassikers von Claudia Roden zu: 4 unbehandelte Zitronen so in Viertel schneiden, dass sie am unteren Ende noch zusammenhängen, dann reichlich Meersalz in die Einschnitte geben. Die mit Salz gefüllten Zitronen in ein Einmachglas hineindrücken, verschließen und einige Tage ruhen lassen, damit sie mithilfe des Salzes Saft ziehen. Dann mit dem ausgepressten Saft von weiteren 4 Zitronen auffüllen, sodass alles vollständig mit Zitronensaft bedeckt ist. Anschließend einen Monat an einem kühlen Ort ruhen lassen, dann sind sie einsatzbereit.

FÜR 4 PERSONEN

Olivenöl

1 rote Zwiebel, geschält und in dünne Scheiben geschnitten

2 Karotten, geschält und klein gehackt

1 Knoblauchzehe, geschält und in Scheiben geschnitten

Meersalz und frisch gemahlener schwarzer Pfeffer

1 Dose stückige Tomaten (400 g)

1 Dose Kichererbsen (400 g), abgetropft

½ Gemüsebrühwürfel oder 1 TL Instant-Gemüsebrühe

1 Zimtstange

1 eingelegte Zitrone, halbiert, Kerne entfernt

1 Handvoll Rosinen

100 g israelischer Couscous (Ptitim/Mograbiah)

1 kleines Bund Petersilie, Blätter abgezupft und gehackt

ZUM SERVIEREN

1 kräftige Prise Safranfäden

4 EL Naturjoghurt nach Wahl

½ Knoblauchzehe, geschält und winzig klein gehackt

4 Handvoll Rucola

1 kleine Handvoll geröstete Pinienkerne

· Etwas Olivenöl bei mittlerer Temperatur in einem Topf erhitzen. Die Zwiebel, die Karotten, den Knoblauch und eine kräftige Prise Meersalz hineingeben und 10 Minuten anbraten, bis die Zwiebel weich und mild geworden ist.

• Als Nächstes die Tomaten und die Kichererbsen hinzufügen. Beide Dosen mit Wasser füllen und dazugießen. Brühwürfel, Zimtstange, eingelegte Zitronenhälften und Rosinen hineingeben. Mit Salz und Pfeffer würzen und 15 bis 20 Minuten bei mittlerer Temperatur simmern lassen, bis die Tomatenbrühe leicht eingedickt ist und wunderbar kräftig und aromatisch schmeckt.

• Den Couscous hinzufügen und weitere 10 Minuten köcheln lassen, falls nötig, noch etwas Wasser zugießen. Ich mag es lieber suppen- als eintopfartig, daher gieße ich normalerweise noch eine weitere Dose voll Wasser zu.

• Inzwischen den Safran mit etwas kochendem Wasser in eine Schüssel geben und 5 Minuten einweichen. Dann den Joghurt, den Knoblauch und eine Prise Salz hinzufügen und gut vermischen.

• Nach 10 Minuten sollte der Couscous gar, aber noch leicht bissfest sein. Bei Bedarf mit Salz und Pfeffer nachwürzen, dann die Petersilie unterrühren. Das Innere aus den Zitronenhälften auslösen und unterrühren und den Eintopf in Suppenschüsseln schöpfen. Mit Rucola garnieren, darauf einen großzügigen Löffel Safranjoghurt setzen und zum Schluss mit gerösteten Pinienkernen bestreuen.

Ofentomaten-Suppe mit Körnerbrot

Vor einigen Jahren verbrachte ich herrliche sechs Monate im grünen Herzen der Toskana, wo ich inmitten von Chiantireben lebte und arbeitete. Zum nächsten Bus musste ich eine Stunde laufen, und das Einzige, was es zu tun gab, war Kochen. Wir verarbeiteten alles, was zur Verfügung stand – und das war wunderbar! Diesen toskanischen Klassiker, *pappa pomodoro*, bereiteten wir mindestens zweimal die Woche als Mitarbeiteressen zu – Comfort Food in Reinkultur.

Das flammende Rot der Tomaten verwandelt sich beim langsamen Rösten in ein intensives Pink, das Brot wird weich und nimmt den Saft der Tomaten auf. Das Körnerbrot entspricht ganz meiner Art zu kochen: Ich liebe die knusprigen Körnchen, die für Abwechslung in der Konsistenz der Suppe sorgen. Auch im Winter mache ich diese Suppe gerne, dann mit vier Dosen Kirschtomaten bester Qualität und Rosmarin oder Thymian – dann ist es zwar eine andere Suppe, aber genauso köstlich.

....

- Den Backofen auf 220 °C (200 °C Umluft/Gas Stufe 7) vorheizen.

- Die Rispentomaten mit dem Knoblauch, der Hälfte des Basilikums und einer guten Prise Salz und Pfeffer in einen ofenfesten Bräter mit hohem Rand legen und mit Olivenöl beträufeln. 20 Minuten im Ofen rösten, so intensiviert sich das Aroma. Wenn die Tomaten geröstet sind, den Bräter aus dem Ofen nehmen und auf den Herd stellen.

FÜR 4 PERSONEN

500 g reife Rispentomaten, halbiert

2 Knoblauchzehen, geschält und fein gehackt

1 großes Bund Basilikum, Blätter abgezupft

Meersalz und frisch gemahlener schwarzer Pfeffer

Olivenöl

2 Dosen gute Flaschentomaten (à 400 g)

4 Scheiben gutes Körnerbrot

- Die Dosentomaten und eine Dose voll Wasser hinzufügen, dann die Tomaten mit der Rückseite eines Holzkochlöffels etwas zerdrücken. Zum Simmern bringen und 20 Minuten garen.

- Sobald die Suppe dickflüssig geworden ist und eine süßliche Note angenommen hat, die Brotscheiben in Stücke reißen und mit einem Großteil des restlichen Basilikums hineingeben, den Deckel auflegen und 10 Minuten quellen lassen. Danach umrühren, damit sich alles verbindet. In Schüsseln schöpfen, großzügig mit sehr gutem Olivenöl beträufeln, mit dem übrigen Basilikum bestreuen und mit Begeisterung und einem guten Chianti genießen.

EINE SUPPE – 1000 VARIATIONEN

1	**2**	**3**
DIE BASIS	**WELCHES KRAUT?**	**WELCHES GEWÜRZ?**
↓	↓	↓
1 ZWIEBEL ODER 1 STANGE LAUCH, FEIN GEHACKT	THYMIAN, EINIGE ZWEIGE	KREUZKÜMMELSAMEN
+	/	/
2 STANGEN STAUDEN-SELLERIE, GEPUTZT UND FEIN GEHACKT	ROSMARIN, EIN PAAR ZWEIGE	KORIANDERSAMEN
+	/	/
2 KAROTTEN, GROB GEHACKT	SALBEI, 10 BLÄTTER	KARDAMOMKAPSELN (3 STÜCK)
	/	/
	LORBEER, 3 BLÄTTER	ZIMTSTANGE (½)
	/	/
	OREGANO, EINIGE ZWEIGE	SENFSAMEN
	/	/
	BASILIKUMSTÄNGEL	GERÄUCHERTES PAPRIKAPULVER
	/	/
	KORIANDERGRÜN-STÄNGEL	SCHWARZER PFEFFER
		/
		GETROCKNETE CHILIFLOCKEN

Die drei Basiszutaten klein schneiden und bei mittlerer Temperatur mit etwas Olivenöl anbraten, bis sie weich sind und eine süße Note angenommen haben.

→

Die Kräuter hinzufügen und einige Minuten mit anbraten, um ihr Aroma freizusetzen.

→

1 EL oder die oben vorgeschlagenen Mengen zugeben und 1 bis 2 Minuten mit anbraten.

→

4

DIE HAUPTROLLE

↓

BUTTERNUSSKÜRBIS

╱

SÜSSKARTOFFEL

╱

ERBSEN

╱

KNOLLENSELLERIE

╱

PASTINAKEN

╱

TOMATEN

╱

KAROTTEN

╱

BROKKOLI

╱

BLUMENKOHL

Pro Person eine Handvoll
(bei Bedarf geschältes
und zerkleinertes)
Gemüse und so viel
Brühe hinzufügen,
dass alles bedeckt ist.
40 Minuten simmern
lassen.

→

5

DIE NEBENROLLE

↓

BLATTSPINAT
(AM ENDE ZUGEBEN)

╱

BROKKOLI

╱

ERBSEN

╱

DICKE BOHNEN

╱

ARTISCHOCKEN

╱

SPARGEL

Einige Handvoll
gewaschenes gepaltes
oder zerkleinertes
Gemüse zugeben und
weitere 5 Minuten
simmern lassen.

→

6

SATTMACHER GEFÄLLIG?

↓

QUINOA
(GEKOCHT)

╱

ABGETROPFTE BOHNEN
(AUS DER DOSE)

╱

AMARANTH
(GEKOCHT)

╱

IN STÜCKE GERISSENES
BROT

╱

SUPPENNUDELN ODER
KLEIN GEBROCHENE
NUDELN

╱

NATURREIS
(GEKOCHT)

╱

KLEIN GEBROCHENE
ASIATISCHE NUDELN

Diese Sattmacher sind
optional. Falls verwen-
det, kurz vor Ende der
Garzeit ein paar Hand-
voll zugeben, erwärmen.
Nach Belieben pürieren.

→

7

DAS I-TÜPFELCHEN

↓

GERÖSTETE SAATEN

╱

JOGHURT

╱

TAHINI

╱

GERÖSTETE NÜSSE

╱

SCHNELLE CROÛTONS

╱

GEHACKTE KRÄUTER
(MIT WEICHEN STÄN-
GELN)

╱

KRÄUTERÖL

Mit ein bis zwei Zutaten
garnieren und mit etwas
Olivenöl beträufeln.

Walnuss-Misobrühe mit Udon-Nudeln

Das ist eins meiner Lieblingsgerichte, wenn ich zum Essen ausgehe – ich genieße es, alleine an der Nudelbar des *Koya* im Londoner Stadtteil Soho zu sitzen. Die Udon-Nudeln dort sind göttlich, sie haben genau die richtige leicht kernige Konsistenz. Die Krönung ist jedoch die Walnuss-Miso-Paste, die separat dazu in einem kleinen Schüsselchen serviert wird. Ich bin überzeugt, dass diese Paste weitaus raffinierter zubereitet wird, aber ich habe bislang nie nachgefragt. Hier ist meine Version.

Diese Brühe ist einfach perfekt. Sie hat einen intensiven *umami*-Geschmack und eine reinigende Schärfe kombiniert mit einer köstlichen Auswahl an frischem Gemüse. Sowohl Udon- als auch Soba-Nudeln passen hier. Die Brühe ist einfach und klar, Sie müssen lediglich die Walnuss-Miso-Paste unterrühren, damit sich das besondere Aroma entfaltet. Im *Koya* wird dazu eines dieser erstaunlichen japanischen Eier serviert, die in der Schale pochiert werden. Manchmal reiche ich ebenfalls ein pochiertes Ei dazu, aber an dieser Zutat scheiden sich die Geister, daher habe ich es hier weggelassen.

Mit der Walnuss verbindet mich eine besondere Beziehung. Nachdem ich ein Jahr in einem schicken Restaurant im Londoner Stadtteil Knightsbridge gearbeitet hatte, wo ich Walnüsse so schälen musste, dass sie nicht zerbrechen, indem ich den unregelmäßig gewundenen Nusskern sehr behutsam aus der Schale herausfriemelte, war meine Liebe zu ihnen schließlich erloschen. Als ich aufhörte zu schälen, kam die Liebe zurück. Walnüsse sind eine köstliche vegetarische Quelle für Omega-3-Fettsäuren, der Schlüssel zu einem gesunden Gehirn – schon eine Handvoll versorgt Sie fast mit der täglich benötigten Menge. Worauf warten Sie also noch, naschen Sie ein paar Walnüsse!

Die meisten Gemüsesorten eignen sich gut für diese Brühe – Mangold, Spargel, Zuckerschoten, Blattspinat. Sie brauchen sich keinesfalls sklavisch an meine Vorschläge zu halten.

FÜR 2 PERSONEN

FÜR DIE WALNUSS-MISO-PASTE
100 g Walnüsse
2 EL dunkle Misopaste (ich nehme Misopaste aus Genmai-Vollreis)
2 EL Honig oder Agavendicksaft
1 EL süße Sojasauce oder Tamari
1 Spritzer Weißweinessig

FÜR DIE BRÜHE
2 Frühlingszwiebeln, geputzt und in dünne Ringe geschnitten
1 daumengroßes Stück Ingwer, geschält und in streichholzgroße Stifte geschnitten
1 Gemüsebrühwürfel oder 1 EL Instant-Gemüsebrühe
1 Frühkohl, Mittelrippen entfernt, Blätter in Streifen geschnitten
1 Handvoll (etwa 150 g) Buchen-pilze
1 Handvoll (etwa 150 g) Enoki-Pilze
250 g getrocknete Udon-Nudeln

- Den Backofen auf 220 °C (200 °C Umluft/Gas Stufe 7) vorheizen.

- Die Walnüsse auf einem Backblech verteilen und 5 bis 10 Minuten in den Backofen schieben, bis sie leicht gebräunt sind und wunderbar zu duften beginnen. Herausnehmen und zum Abkühlen beiseitestellen.

- Nun die Brühe zubereiten. Dazu die Frühlingszwiebeln mit dem Ingwer, dem Gemüsebrühwürfel oder der Instant-Gemüsebrühe und 2 l Wasser in einen Topf geben, auf den Herd stellen und zum Kochen bringen.

- Die Temperatur senken und die Brühe 10 Minuten simmern lassen, dann das grüne Blattgemüse und die Pilze hinzufügen und den Herd ausschalten.

- Inzwischen einen zweiten Topf mit Wasser zum Kochen bringen. Die Nudeln hineingeben und 6 bis 8 Minuten kochen (oder nach Packungsanweisung).

- Die gerösteten Walnüsse im Mixbehälter der Küchenmaschine zerkleinern, bis sie sehr groben Semmelbröseln ähneln. Mit den restlichen Zutaten für die Walnuss-Miso-Paste vermischen.

- Sobald sie gar sind, die Nudeln abgießen und auf zwei Schüsseln verteilen. Die heiße Brühe darüberschöpfen (pro Schüssel etwa 2 Schöpfkellen), dann einen großzügigen Löffel Walnuss-Miso-Paste in die Mitte geben und unterrühren.

Stärkende Kokosbrühe

Es gibt Abende, an denen ich mich fühle, als hätte ich den gesamten Stress des Tages aufgesogen. Als ob mich all die hektische Betriebsamkeit überflutet und aufgeweicht hätte. Wenn ich so aus dem Gleichgewicht geraten bin und mich nach etwas Beruhigendem sehne, ist diese Suppe das perfekte Abendessen für mich. Die helle Brühe ist wie eine wärmende Decke in einer kalten Nacht und vertreibt den Trubel des Tages. Die Kokosmilch beruhigt und besänftigt, der Chili gibt Power und weckt Lebensgeister, die Limettenblätter und das Zitronengras spenden ihr reinigendes Aroma, und das Gemüse sorgt für Kraft und Frische.

Ich nehme bei jeder Gelegenheit Zitronengrasbündel und Limettenblätter mit. Falls Sie sie bisher noch nicht verwendet haben, werden Sie überrascht über die intensive Zitrusnote sein, die sie innerhalb weniger Minuten freisetzen. Bei regelmäßiger Verwendung können Sie sie im Kühlschrank aufbewahren, wo sie etwa einen Monat lang haltbar sind. Falls Sie sie voraussichtlich nicht in dieser Zeit aufbrauchen werden, geben Sie sie einfach in den Tiefkühler. Sie lassen sich prima einfrieren und direkt aus dem Tiefkühler verwenden.

FÜR 4 PERSONEN

2 Dosen Kokosmilch (à 400 g)

1 Gemüsebrühwürfel oder 1 EL Instant-Gemüsebrühe

4 Stängel Zitronengras

4 Kaffir-Limettenblätter (nach Belieben)

1 Schalotte, geschält und in dünne Ringe geschnitten

2 Knoblauchzehen, geschält und halbiert

1 roter Chili, grob gehackt

2 EL Kokosblütenzucker (siehe Seite 279) oder feiner hellbrauner Rohrzucker

1 Bund Koriandergrün

4 große Handvoll (etwa 250 g) grünes Blattgemüse, in Streifen geschnitten (Frühkohl, Pak Choi, Schwarzkohl)

2 Handvoll (etwa 120 g) Pilze (Enoki-, Shiitake-, Austernpilze oder Egerlinge), größere Pilze klein geschnitten

2 EL Sojasauce oder Tamari

Saft von 2 Limetten

• Die Kokosmilch in einen großen Topf gießen, eine Dose mit Wasser füllen und dazugießen und den Brühwürfel oder die Instantbrühe hinzufügen. Das Zitronengras mit einem Rollholz flach klopfen, damit es sein Aroma besser abgeben kann. Zusammen mit Limettenblättern (falls verwendet), Schalotte, Knoblauch, Chili und Zucker zugeben. Vom Koriandergrün die Wurzeln abschneiden und ebenfalls hinzufügen.

• Alle Aromaten in die Flüssigkeit drücken, sodass sie damit bedeckt sind, dann den Herd anschalten. Zum Simmern bringen, dann 15 Minuten leise köcheln lassen, bis eine intensiv aromatische Kokosbrühe entstanden ist.

• Den Topf vom Herd nehmen und die Brühe in eine Schüssel abseihen, die Aromaten wegwerfen (sie haben ihre Aufgabe erfüllt). Die Brühe zurück in den Topf gießen. Das in Streifen geschnittene Blattgemüse und die Pilze hinzufügen und 2 bis 3 Minuten erhitzen. Vom Herd nehmen, dann Sojasauce und Limettensaft unterrühren.

• Die Suppe in Schüsseln schöpfen und mit dem grob gehackten Koriandergrün bestreuen. Ich liebe die Klarheit dieser einfachen Suppe. Falls Sie etwas Sättigenderes brauchen, geben Sie einige gegarte Soba-Nudeln dazu.

Süße Tomatensuppe mit schwarzen Bohnen und Tortillas

Ich liebe die mexikanische Küche, weil sie ihr besonderes Augenmerk auf die unterschiedlichen Konsistenzen und die Vielschichtigkeit von Aromen, Biss, Weichheit, Cremigkeit, Zitruskick und Chilischärfe richtet – genau das, was ich auch an dieser Suppe mag.

Dieser suppenartige Eintopf schmeckt schon solo köstlich, wenn Sie ihn jedoch mit vor aromatischem Saft berstenden gerösteten Tomaten, buttriger Avocado und auch noch mit einem perfekt pochierten Ei krönen, wird daraus die reinste Aromenexplosion. Lassen Sie sich nicht vom Rezepttitel irreführen: Das ist keineswegs eine dieser lieblos zusammengewürfelten Suppen auf der Grundlage von gebackenen Tortillas, wie sie in manchen fragwürdigen mexikanischen Restaurants angeboten werden.

Geräuchertes Paprikapulver ist in meiner Küche ein geliebter Stammgast – ich bin um keine Ausrede verlegen, wenn es darum geht, das süße rauchige Zeug über mein Essen streuen zu können. Letztes Jahr konnte ich meinen persönlichen heiligen Gral – die Gewürzpaprikafelder von La Vera in Spanien – persönlich in Augenschein nehmen. Im Laufe der Jahre hatte ich das Vergnügen, mehrere handwerklich arbeitende Betriebe und Produzenten kennenzulernen, La Vera ist jedoch mein absoluter Favorit – Felder über Felder voll knallroter Paprikaschoten, die von Hand geerntet und zu den riesigen Röstöfen einer wunderschönen alten Räucherei gekarrt werden. Dort werden unter Gitterrosten, auf denen Tausende von Paprikas ausgebreitet waren, Feuer entzündet, um die Paprikas zu räuchern und ihnen so ihren wunderbaren Geschmack zu verleihen.

FÜR 4 PERSONEN

1 mittelgroße Süßkartoffel, gewaschen und in kleine Stücke geschnitten

20 Kirschtomaten, halbiert

Meersalz und frisch gemahlener schwarzer Pfeffer

Oliven- oder Rapsöl

1 Bund Frühlingszwiebeln, geputzt und in dünne Ringe geschnitten

2 Knoblauchzehen, geschält und in dünne Scheiben geschnitten

1 TL mildes geräuchertes Paprikapulver (Pimentón de la Vera dulce)

1 TL gemahlener Koriander

1 TL gemahlener Kreuzkümmel

1 TL Zimt

1 Dose stückige Tomaten (400 g)

750 ml Gemüsebrühe, erhitzt

1 Dose schwarze Bohnen (400 g), abgetropft

6 Maismehl-Tortillas (siehe Seite 17)

ein paar Bio- oder Freilandeier zum Pochieren (nach Belieben)

1 Avocado, geschält und in Stücke geschnitten (nach Belieben)

1 kleines Bund Koriandergrün, Blätter abgezupft

- Den Backofen auf 200 °C (180 °C Umluft/Gas Stufe 6) vorheizen.

- Die Süßkartoffelwürfel auf eine Hälfte eines Backblechs geben, die halbierten Kirschtomaten auf die andere Hälfte, dann alles großzügig mit Salz und Pfeffer bestreuen, mit etwas Öl beträufeln und 20 bis 25 Minuten im Ofen rösten.

- In einem großen Topf etwas Öl bei mittlerer Temperatur erhitzen. Die Frühlingszwiebeln und den Knoblauch hineingeben und einige Minuten anbraten, bis der Knoblauch gerade eben zu bräunen beginnt. Alle Gewürze hinzufügen und einige Male umrühren. Die stückigen Tomaten zugießen und 5 Minuten simmern lassen, bis sich die Aromen miteinander verbunden haben.

- Die Brühe zugeben und zum Kochen bringen, nochmals 5 Minuten leise köcheln lassen.

• An diesem Punkt püriere ich die Brühe gern – wenn Sie jedoch eine stückigere Konsistenz bevorzugen, können Sie diesen Schritt weglassen. Nach dem Köcheln die Bohnen zugeben.

• Jetzt sollten die Kirschtomaten und die Süßkartoffeln fertig geröstet sein. Das Backblech aus dem Ofen nehmen, die Süßkartoffeln in die Brühe geben und bei niedriger Temperatur weiter köcheln lassen. Die gerösteten Tomaten beiseitestellen, sie werden später hinzugefügt.

• Die Tortillas in ½ cm breite Streifen schneiden und auf ein weiteres Backblech legen. Mit wenig Salz bestreuen, mit etwas Öl beträufeln, alles miteinander vermischen und 4 bis 5 Minuten im Ofen backen, bis die Tortillastreifen knusprig und hell goldbraun sind.

• Ich serviere gern ein pochiertes Ei in meiner Suppe – wenn Sie das ebenfalls mögen, pochieren Sie pro Person 1 Ei (nach der Methode auf Seite 38).

• Sobald die Tortillastreifen eine hell goldbraune Färbung angenommen haben, aus dem Ofen nehmen. Die Suppe in Schüsseln schöpfen, die gerösteten Kirschtomaten und die knusprigen Tortillastreifen darauf verteilen, ein pochiertes Ei obenauf setzen und nach Belieben ein paar Avocadostücke. Zum Schluss alles mit Koriandergrün bestreuen.

Röstpaprika-Eintopf mit Halloumi

Halloumi scheint eine ganz eigene Faszination auf die Menschen auszuüben, insbesondere auf Vegetarier. Bei jedem sommerlichen Grillfest taucht er in schönster Regelmäßigkeit auf. Ich mag den quietschigen Käse, finde aber, dass er aromatechnisch durchaus etwas Unterstützung vertragen kann. Hier liegt er auf einem Bett aus gerösteter Paprika und einer Blitztomatensauce, die den knusprig gebratenen Käse umschmeichelt. Irgendwo zwischen einem warmen Salat und einem frischen kräuterwürzigen Eintopf.

....

FÜR 4 PERSONEN

3 rote Paprika

500 g Kirsch- und Rispentomaten, halbiert

2 Handvoll (etwa 20 Stück) Kalamata-Oliven, entsteint

2 EL kleine Kapern

abgeriebene Schale von 1 unbehandelten Zitrone

3 EL gutes Olivenöl

Meersalz und frisch gemahlener schwarzer Pfeffer

1 Päckchen Halloumi (250 g), in 12 Scheiben geschnitten

½ Bund Minze, Blätter abgezupft und gehackt

½ Bund Petersilie, Blätter abgezupft und gehackt

½ Bund Basilikum, Blätter abgezupft und gehackt

• Falls Sie einen Gasherd haben, eine der Gasflammen anstellen und mithilfe einer Küchenzange die Paprikaschoten um die offene Flamme herum anordnen, dabei alle paar Minuten wenden, bis die Haut rundherum verbrannt ist. Das dauert etwa 10 Minuten. Sie sind fertig, wenn sie fast komplett schwarz, weich und nicht mehr roh sind. Anstelle eines Gasherds eine sehr heiße gerillte Grillpfanne verwenden und die Paprikas darin braten, bis sie rundherum schwarz sind. Oder unter den heißen Backofengrill legen. Wenn die Haut schwarz ist, die Paprikas in eine Schüssel legen und mit Frischhaltefolie abdecken. 5 Minuten ruhen lassen.

• Die Tomaten mit den entsteinten Oliven, den Kapern, der Zitronenschale und 1 Esslöffel Olivenöl in eine Schüssel geben. Kräftig salzen und pfeffern und ziehen lassen. Inzwischen die Paprikas häuten. Dazu die verbrannte Haut mit der Hand abziehen und entsorgen, dabei so viel wie möglich entfernen. Auf keinen Fall mit Wasser abspülen, dadurch geht zu viel Aroma verloren. Die Samen und Trennwände entfernen, dann die Paprikas in 1 cm breite Streifen schneiden und zu den Tomaten in die Schüssel geben.

• Nun eine Pfanne bei mittlerer Temperatur erhitzen. Das restliche Olivenöl zugeben und heiß werden lassen. Die Halloumi-Scheiben hineinlegen und etwa 30 Sekunden pro Seite anbraten, bis sie sich gerade eben goldgelb färben. Den Halloumi auf einen Teller legen, die Tomatenmischung in die heiße Pfanne geben und einige Minuten auf den Herd stellen, sodass sie durch und durch erhitzt wird und etwas Saft freisetzt.

• Zum Schluss die gehackten Kräuter und den Halloumi in die Pfanne geben. Alles sofort warm servieren, mit gutem Brot und frischem Grünzeug.

Selleriesuppe mit Haselnüssen und Knuspersalbei

Knollensellerie ist ein verkannter Star, der viel zu selten zum Einsatz kommt. Ich liebe ihn, und in meiner Küche bekommt er die verdiente Aufmerksamkeit. Manchmal wird er einfach mit Salz und Pfeffer angebraten, ein anderes Mal mit Zitrone und Thymian als Püree zubereitet oder einfach roh in feine Scheiben geschnitten und mit Remoulade vermischt genossen.

Hier ist er der Hauptdarsteller in einer wärmenden Suppe: Feelgood-Food pur. Äpfel eignen sich besonders gut, um Süße ins Spiel zu bringen, und die Limabohnen sorgen für Cremigkeit. Die Suppe kann einfach so verspeist werden, wie sie ist. Ich rate Ihnen jedoch, sie einmal mit brauner Butter (auch »Nussbutter« genannt) zu versuchen – sie gibt der Suppe das gewisse Etwas mit ihrem intensiv nussigen Aroma, das sich mit dem knusprigen Salbei und den gerösteten Haselnüssen wunderbar verbindet.

Knollensellerie ist zugegebenermaßen nicht gerade hübsch. Aber Aussehen ist nicht alles – das knorrige, knubbelige Äußere verbirgt cremig weißes Fruchtfleisch von süß-nussigem und wunderbar herzhaftem Geschmack. Auch aus gesundheitlicher Sicht hat er einiges zu bieten: Er ist reich an Ballaststoffen, Kalium, Magnesium und Vitamin B_6. Schälen Sie die Knolle großzügig, damit alle Verfärbungen und Verunreinigungen entfernt werden.

FÜR 6 PERSONEN

Olivenöl

1 Stange Lauch, gewaschen, geputzt und in dünne Ringe geschnitten

1 Knollensellerie, gewaschen, geschält und grob zerkleinert

4 Äpfel (ich empfehle Cox), Kerngehäuse entfernt, grob zerkleinert

einige Zweige Thymian, Blättchen abgezupft

1,5 l Gemüsebrühe

1 Dose Limabohnen (à 400 g), abgetropft

Meersalz und frisch gemahlener schwarzer Pfeffer

ZUM SERVIEREN

1 Handvoll Haselnüsse

100 g Butter

einige Zweige Salbei, Blätter abgezupft

• In einem großen Topf einen Spritzer Öl erhitzen, den Lauch hineingeben und 10 Minuten bei mittlerer Temperatur anbraten, bis er weich und mild geworden ist. Sellerie, Äpfel und Thymian hinzufügen und 2 bis 3 Minuten mit anbraten. Die Brühe und die Bohnen zugeben und kräftig salzen und pfeffern. 20 bis 30 Minuten bei niedriger Temperatur simmern lassen, bis der Sellerie weich ist. Vom Herd nehmen und mit dem Pürierstab fein pürieren.

• Die Haselnüsse in einer Pfanne goldbraun rösten, herausnehmen, grob hacken und beiseitestellen. Die Butter in die Pfanne geben. Sobald sie heiß ist, die Salbeiblätter hineinlegen und braten, bis sie knusprig sind und die Butter sich hellbraun gefärbt hat. Gegen Ende die Temperatur möglichst gering halten und sofort die Pfanne vom Herd ziehen, sobald die Butter braun wird, da sie sehr schnell verbrennen kann.

• Die Suppe in Schüsseln schöpfen, mit dem Salbei, den Haselnüssen und der braunen Butter garnieren.

Zitronige Linsensuppe mit knusprigem Grünkohl

Ich liebe diese einfache Suppe, die irgendwo zwischen einem Dal und einer Suppe anzusiedeln ist – sie erinnert mich an ein Currygericht, das in Südindien mit *dosas* (dünnen Pfannkuchen) serviert wird. Diese Suppe hat einen reinigenden und puren Charakter, was sie der Zugabe von Kurkuma und reichlich Zitrone verdankt. Das ist genau das, wonach mir zumute ist, wenn ich geschlemmt habe oder zu lange zu viel Essen um mich herum hatte (quasi mein Berufsrisiko… aber sicher nicht das schlechteste). Ich serviere die Suppe gern zu Kitchari (siehe Seite 167).

Kurkuma (Gelbwurz) zählt zu meinen Lieblingsgewürzen. Wenn ich angeschlagen bin, rühre ich einen Teelöffel Kurkuma in heißes Wasser und trinke es als anregende Stärkung. Ich liebe den lebhaften intensiv safrangelben Farbton, die reine, kräftige herzhaft-säuerliche Note und das schwer greifbare Aroma. Vom gesundheitlichen Standpunkt aus ist Kurkuma ein Star: Sie wirkt entzündungshemmend und punktet mit antikarzinogenen Eigenschaften. Was für ein Gewürz!

FÜR 4 BIS 6 PERSONEN

1 Spritzer Oliven- oder Rapsöl

1 Stange Lauch, gewaschen, geputzt und in dünne Ringe geschnitten

1 TL gemahlene Kurkuma

2 TL gemahlener Kreuzkümmel

2 TL schwarze Senfsamen

Saft von 2–3 Zitronen

250 g geschälte halbierte rote Linsen

1 Gemüsebrühwürfel oder 1 EL Instant-Gemüsebrühe

4 Handvoll Grünkohl (oder anderes grünes Blattgemüse), gewaschen, geputzt und in Streifen geschnitten

ZUM SERVIEREN (NACH BELIEBEN)

Naturjoghurt, mit etwas Meersalz verrührt

• Einen großen Topf auf den Herd stellen. Etwas Öl hineingeben und bei mittlerer Temperatur erhitzen. Den Lauch dazugeben und einige Minuten anbraten, bis er weich ist und süßlich duftet. Die Gewürze hinzufügen und einige Minuten anbraten. Ein Drittel des Zitronensaftes zugeben und umrühren, damit sich die Gewürze nicht am Topfboden absetzen.

• Danach die Linsen, 1,5 l Wasser und den Brühwürfel oder die Instantbrühe zugeben und 20 bis 25 Minuten köcheln lassen, bis die Linsen gar sind und die Suppe eingedickt ist.

• Den Herd ausschalten und das Ganze nach Belieben zu einer dünnflüssigen Dal-artigen Konsistenz pürieren, dann den restlichen Zitronensaft nach und nach zugießen, dabei abschmecken, damit die Suppe nicht zu säuerlich gerät. Die Menge mag reichlich erscheinen, der zitronige Charakter soll jedoch deutlich zu schmecken sein.

• Kurz vor dem Servieren den Grünkohl in wenig Olivenöl sautieren, bis er etwas weicher und an den Rändern knusprig zu werden beginnt.

• Die Suppe in Schüsseln schöpfen, nach Belieben einen Klecks gesalzenen Joghurt daraufgeben und mit dem knusprigen Grünkohl garnieren.

Meine Ribollita – weiße Bohnen, Grünzeug und Olivenöl

Ich habe einige Jahre meines Lebens damit verbracht, italienisch zu kochen, und mein Herz schlägt immer noch für die italienische Küche – eine Liebe, der ich garantiert treu bleiben werde. Dies ist eines der Gerichte, auf die sich meine Liebe gründet. Es handelt sich dabei allerdings um eine ausgemachte Diva von einem Gericht, die verlangt, dass man jede Zutat nur in allerbester Qualität verwendet, damit sie wirklich glänzen kann. Eine Ribollita aus bestem Öl, Tomaten, Schwarzkohl und Brot lässt sich durch nichts überbieten.

Ich erinnere mich an jede Nuance meines allerersten Mundvolls dieser Suppe, wie ich sie im *Fifteen London* genießen durfte, gekocht von Ben Arthur, einem wunderbaren Koch, der als gebürtiger Londoner wie ein waschechter Italiener kocht. Gerichte wie diese haben mein Gesamtbild, das ich von Lebensmitteln bis dahin hatte, grundlegend verändert – warum das Öl von bester Qualität sein muss, warum man davon reichlich verwenden sollte, warum man sich an Traditionen orientiert und an bestimmte Techniken hält. Man könnte sagen: ein Teller Suppe, der mein Leben veränderte.

Hier stelle ich Ihnen die herbstliche Variante vor. Im Sommer bevorzuge ich Mangold oder Spinat anstelle des Schwarzkohls und frische Tomaten statt Dosentomaten. Ich nehme hier der Bequemlichkeit halber Bohnen aus der Dose, Sie dürfen jedoch gern selbst gekochte Bohnen verwenden.

Eine gute Gemüsebrühe ist wichtig, sie verleiht dem Gericht Intensität und eine Basis, mit denen kein Brühwürfel mithalten kann. Auf den Seiten 348 und 349 finden Sie meine Rezepte für Gemüsebrühe. Eine Brotsorte von guter Konsistenz ist hier ebenfalls ein Muss – ich nehme ein gutes Sauerteigbrot oder Bauernbrot von meiner hiesigen Bäckerei. Schwammiges Weißbrot wird hier nicht wirklich funktionieren.

Schwarzkohl ist ein tief grünschwarzer Kohl, der im Spätsommer auftaucht und einige Monate verfügbar ist. Ich liebe seinen kräftig mineralischen Geschmack und seinen robusten Charakter – die Blätter eignen sich hervorragend für Eintöpfe. Mit Olivenöl geht er eine geradezu himmlische Verbindung ein. Falls Sie keinen Schwarzkohl bekommen, ist Grünkohl ebenfalls eine gute Wahl.

FÜR 6 PERSONEN

Olivenöl

2 rote Zwiebeln, geschält und gehackt

3 Knoblauchzehen, geschält und gehackt

1 Karotte, geschält und klein geschnitten

6 Stangen Staudensellerie, geputzt und klein geschnitten, zarte Blätter aufbewahrt

1 kleines Bund Petersilie, grob gehackt

1 Dose Flaschentomaten (400 g)

1 mittelgroße Kartoffel, geschält und klein geschnitten

1 Dose weiße Bohnen (400 g) (Flüssigkeit auffangen)

3 große Handvoll Schwarzkohl oder Grünkohl, Mittelrippen entfernt, Blätter grob gehackt

2 l Gemüsebrühe

4 Scheiben gutes Brot (am besten leicht altbacken)

sehr gutes natives Olivenöl extra

....

• In einem großen Topf etwas Olivenöl erhitzen und Zwiebeln, Knoblauch, Karotten und Sellerie etwa 30 Minuten bei mittlerer Temperatur anbraten, bis sie weich, süß und leicht karamellisiert sind.

- Den Großteil der Petersilie hinzufügen und einige Minuten mit anbraten.

- Als Nächstes die Tomaten und die Kartoffel hinzufügen. Die Tomaten mit einem Holzkochlöffel zerdrücken und weitere 15 Minuten bei niedriger Temperatur unter gelegentlichem Umrühren erhitzen. Der Tomatensaft sollte fast vollständig eingekocht sein und das Gemüse relativ trocken aussehen.

- Die Bohnen samt der Flüssigkeit aus der Dose zusammen mit dem Schwarzkohl oder dem Grünkohl sowie der Gemüsebrühe zugeben. Erhitzen, bis alles leise köchelt, dann 30 Minuten simmern lassen.

- Den Herd ausschalten und die Brotscheiben wie einen Deckel auf die Suppe legen. Großzügig mit Olivenöl beträufeln und etwa 10 Minuten ruhen lassen.

- Nun umrühren, damit sich alles vermischt – die Ribollita sollte dick, fast eintopfartig und absolut köstlich sein. Mit Salz und Pfeffer würzen, die Petersilie, die zarten Sellerieblättchen und mehr Olivenöl hinzufügen und in große Schüsseln schöpfen.

- Falls Reste bleiben, diese in einem Topf erhitzen und mit heißer Brühe oder Wasser verdünnen, da die Suppe beim Abkühlen eindickt.

Kürbissuppe mit Kardamom und Sternanis

Eine sättigende Suppenmahlzeit, ein echter Leib- und Seelentröster an einem kalten Wintertag, der zwei von mir heiß geliebte Gewürze enthält: Kardamom, das Gewürz mit dem wunderbarsten Duft überhaupt, und den wunderhübschen Sternanis. Zusammen mit dem kräftig orangefarbenen süßen Fruchtfleisch von Kürbis und Süßkartoffel ergeben die Zutaten etwas ganz besonders Gutes. Eine Suppe mit Tiefe und Charakter.

Ich serviere sie gern mit ein paar Löffeln Naturreis, etwas Joghurt und ein paar Schwarzkümmelsamen. Falls Sie keine Schwarzkümmelsamen zur Hand haben, eignet sich hier auch gerösteter Sesam. Die Suppe und der Naturreis haben etwa dieselbe Garzeit, setzen Sie also den Reis auf, wenn Sie mit der Zubereitung der Suppe beginnen.

FÜR 4 PERSONEN

Oliven- oder Rapsöl

1 Stange Lauch, gewaschen und klein geschnitten

1 daumendickes Stück Ingwer, geschält und fein gehackt

4 Knoblauchzehen, geschält und fein gehackt

1 grüner Chili, Samen entfernt, fein gehackt

6 Kardamomkapseln

1 EL Koriandersamen

1 EL gemahlene Kurkuma

½ Butternuss- oder 1 Stück (500 g) Gartenkürbis

3 Süßkartoffeln, geschält und grob gehackt

2 Sternanis

2 l Gemüsebrühe

Meersalz und frisch gemahlener schwarzer Pfeffer

3 Handvoll Blattspinat

ZUM SERVIEREN (NACH BELIEBEN)

Naturreis, gekocht

1 kleines Bund Koriandergrün

Schwarzkümmelsamen

grüner Chili, gehackt

Limettenspalten

- Einen großen Topf mit schwerem Boden bei mittlerer Temperatur erhitzen. Etwas Öl hineingeben, dann Lauch, Ingwer, Knoblauch und Chili 10 Minuten sautieren, bis sie weich und süß geworden sind.

- Die Kardamomkapseln im Mörser aufbrechen, die Kapseln wegwerfen, die Samen im Mörser belassen. Die Koriandersamen zugeben und beides so fein wie möglich zerstoßen. Das Gewürzpulver mit der Kurkuma zum Lauch in den Topf geben und nochmals einige Minuten umrühren, bis sich ihr Duft entfaltet.

- Den Kürbis, die Süßkartoffeln und den Sternanis hinzufügen und mit der Brühe bedecken. Zum Kochen bringen, dann die Temperatur senken und 20 Minuten simmern, bis der Kürbis weich und gar ist. Bei Bedarf während des Garvorgangs etwas Wasser nachfüllen.

- Mit Salz und Pfeffer würzen und mit dem Pürierstab pürieren. Den Spinat hineingeben und erwärmen, bis er zusammengefallen ist.

- Die Suppe in Schüsseln schöpfen, ein paar Löffel Naturreis hineingeben, darauf etwas gehacktes Koriandergrün, einige Schwarzkümmelsamen und noch etwas Chili. Einige Limettenspalten extra dazu servieren.

Salate zum Satt- und Glücklichessen

Salate sind viel mehr als nur ein paar Blätter Kopfsalat. Salate sind für mich eine moderne Art der Ernährung. Farbenfrohe Variationen mit Bedacht gewählter Blattsalate, sanft geröstetes oder in dünne Scheiben geschnittenes rohes Gemüse, gutes Brot, grasiges Olivenöl und geröstete Saaten oder Nüsse – ein Mittagessen (und Abendessen) für Könige. Nehmen Sie für eine sättigendere Mahlzeit eine interessante Körnersorte oder geröstetes Wurzelgemüse dazu oder konzentrieren Sie sich ganz puristisch auf frische grüne Salatblätter und ein geniales Dressing. Ob einfach oder komplex, luftig-leicht oder herzhaft und sättigend – feiern Sie Ihre Salattage!

Zitronenschale · knackig grüner Frühkohl · Röstbrot mit goldenem Olivenöl · aromatische Gewürze · glitzernde Granatapfelkerne · Miso-Tahini-Dressing · mexikanische Limettenfrische · gegrillte Kokosnuss · knuspriger Grünkohl · geröstete Ofentomaten · Butternusskürbis von seiner besten Seite

Lauras grüner Quinoa-Kräuter-Salat

Meine wunderbare Schwester Laura ist die Queen der Wohlfühlküche. Sie kocht häufig für unsere Familie und schafft es immer, etwas so Unglaubliches auf den Tisch zu bringen, dass jeder Bissen total köstlich schmeckt und mindestens genauso gesund ist. Das ist das beste Quinoagericht, das ich jemals gegessen habe – voll grasiger Frische und intensiver Röstaromen. Deshalb habe ich es gleich für mein Buch stibitzt.

Langstieliger, violetter Brokkoli ist meistens der Brokkoli meiner Wahl. Ich liebe seine violetten Röschen und die Tatsache, dass er fast rund ums Jahr gedeiht (zumindest in Großbritannien) – während der langen Winter sind die Röschen dieser winterharten kleinen Brassica-Art das einzig Grüne, das sich über der Erde blicken lässt. Mit seinem üppigen Vitamin-C-Gehalt und dem großen Ballaststoffanteil – von anderen Vitaminen und Mineralien ganz zu schweigen – handelt es sich um ganz erstaunliche kleine Stängel. Falls Sie ihn nicht bekommen, tut es auch ein kleiner handelsüblicher Brokkoli. Verwenden Sie auch die Stängel, sie können in Scheiben geschnitten und mit den Röschen blanchiert werden. Achten Sie darauf, den Brokkoli nicht zu übergaren – mir reichen 1 bis 2 Minuten in kochendem Wasser oder einem Dampfgarer völlig aus, damit er nicht mehr roh ist, sein mineralischer Charakter und seine tiefgrüne Farbe jedoch noch erhalten bleiben.

Quinoa wird oft mit Vollkorn-Getreide »in einen Topf geworfen«, dabei handelt es sich um ein Pseudogetreide, nämlich um die Samen einer Pflanze, die mit grünem Blattgemüse wie Blattspinat und Mangold verwandt ist. Quinoa ist ein energiereiches Nahrungsmittel, das große Mengen an Ballaststoffen und Eiweiß, aber wenig Fett und kein Gluten enthält. Die enthaltenen Aminosäuren machen Quinoa zu einer vollwertigen Eiweißquelle, also eine gute Wahl für Vegetarier und Veganer. Außerdem schmeckt Quinoa so gut: fluffig und cremig mit leicht knusprigem Biss. Ich liebe das Zeug. Probieren Sie auch einmal die schwarze und rote Sorte, die sich genauso zubereiten lassen.

Für diesen Quinoasalat eignet sich im Grunde jedes grüne Gemüse: Blattspinat, Dicke Bohnen, Edamame, Grünkohl, Spargel... Die Liste ließe sich ewig fortsetzen. Suchen Sie sich einfach das aus, was Sie mögen und was gerade Saison hat, und variieren Sie nach Belieben.

FÜR 4 PERSONEN

2 unbehandelte Zitronen

250 g Quinoa

½ Gemüsebrühwürfel oder 1 TL Instant-Gemüsebrühe

1 Bund (etwa 250 g) langstieliger Brokkoli, Stängel klein geschnitten, Röschen im Ganzen

1 großzügige Handvoll Tiefkühlerbsen

natives Olivenöl extra

1 Stange Lauch, gewaschen, geputzt und in dünne Ringe geschnitten

1 kleines Bund Basilikum, Blätter abgezupft und gehackt

1 kleines Bund Minze, Blätter abgezupft und gehackt

3 große Handvoll Blattspinat, gewaschen und in Streifen geschnitten

2 EL Kürbiskerne, geröstet

2 EL Sesamsamen, geröstet

200 g Feta (nach Belieben)

Meersalz und frisch gemahlener schwarzer Pfeffer

• 1 Zitrone halbieren und beide Hälften mit der Quinoa in einen Topf geben. Mit 600 ml Wasser bedecken, den Brühwürfel hineinkrümeln und zum Kochen bringen.

• Die Temperatur senken und die Quinoa etwa 15 Minuten simmern lassen, bis sie den Großteil des Wassers aufgenommen hat. Falls nötig, im Laufe des Garvorgangs noch etwas kochendes Wasser zugießen.

• Kurz vor Ablauf der 15 Minuten, wenn die Quinoa die Garflüssigkeit noch nicht vollständig aufgenommen hat, den Brokkoli und die Erbsen direkt auf die Quinoa geben, einen Deckel auflegen und das Gemüse einige Minuten dämpfen.

• Inzwischen eine Pfanne bei mittlerer Temperatur erhitzen, einen Spritzer Olivenöl und den klein geschnittenen Lauch hineingeben. Etwa 10 Minuten langsam anbraten, bis er weich geworden ist und ein süßes Aroma angenommen hat.

• Sie sehen gleich, wenn die Quinoa gar ist: Sie hat dann immer noch etwas Biss, ist leicht glasig, und das gewellte Korn hat sich aus der Samenhülle gelöst. Überschüssiges Wasser abgießen, die Zitronenhälften herausnehmen und mithilfe einer Küchenzange den Saft über der Quinoa auspressen.

• Die Quinoa mit dem Brokkoli und den Erbsen in eine Schüssel geben, die gehackten Kräuter, den in Streifen geschnittenen Blattspinat, die gerösteten Saaten und den angebratenen Lauch hinzufügen. Von der zweiten Zitrone eine Hälfte auspressen, den Saft mit einigen Esslöffeln Olivenöl zugeben und gründlich vermischen.

• Den Feta, falls verwendet, über den Salat krümeln. Mit Salz und Pfeffer würzen und nach Belieben mit Zitronensaft abschmecken.

• Dieser Salat ist schon eine komplette Mahlzeit, schmeckt aber auch gut mit etwas gesalzenem Naturjoghurt und Vollkornfladenbrot, auch ein paar Scheiben Avocado sind eine gute Ergänzung.

Kalifornischer Salat mit Miso, Avocado und Limabohnen

Eine blitzschnell gezauberte Mahlzeit, die die unnachahmliche Art und Weise widerspiegelt, wie Kalifornier asiatische Aromen in ihre Sonnenscheinküche integrieren. Jedes saisonale grüne Blattgemüse eignet sich hier – meine Favoriten sind Senfblätter, Rucola und Eichblatt.

Ponzu ist eine süß-sauer-salzige Mischung aus Sojasauce und einer japanischen Zitrusfrucht namens Yuzu-Limette, die das spritzigste Zitrusaroma besitzt, das ich kenne. Es ist in den meisten Asia-Läden erhältlich. Falls Sie kein Ponzu haben, mischen Sie Sojasauce und Limettensaft.

Misopaste zählt zu meinen Lieblingszutaten. Dabei handelt es sich um eine Paste aus fermentiertem Reis, Gerste oder Soja, die für eine unglaubliche, intensive *Umami*-Tiefe – den typisch herzhaften Geschmack – sorgt. Ich verwende die Paste für Röstgemüse (besonders gut zu Karotten), in Dressings, Brühen und Dips. Misopaste wird in dunkel und hell und in diversen Zwischentönen angeboten. Hier verwende ich dunkle, süße, fast pilzartig schmeckende Misopaste aus Vollreis. Die helle Sorte passt ebenfalls und ist zudem eine gute Wahl, wenn man Gluten vermeiden will. Miso eignet sich auch bestens für die vegane Ernährung oder bei reduziertem Konsum von Milchprodukten, da es Vitamin B_{12} enthält, das zur Gesunderhaltung unseres Nervensystems und unseres Blutes beiträgt und hauptsächlich in tierischen Produkten zu finden ist.

FÜR 2 PERSONEN ODER FÜR 4 ALS BEILAGE

150 g Brokkoli, Stängel klein geschnitten, große Köpfe in kleine Röschen gebrochen

2 EL Kürbiskerne

2 EL Sesamsamen

2 Handvoll gemischte junge Blattsalate, gewaschen und trocken geschleudert

1 reife Avocado, halbiert und entsteint

1 Dose Limabohnen (400 g), abgetropft

FÜR DAS DRESSING

1 EL Misopaste aus Genmai-Vollreis

1 EL Reisessig aus Genmai-Vollreis

1 EL Ponzu oder Sojasauce

Saft von ½ Limette

4 EL Natur- oder Sojajoghurt

Meersalz

• Zuerst für das Dressing alle Zutaten in einem Krug verrühren, bei Bedarf noch etwas Salz hinzufügen, je nachdem, wie salzig die Misopaste ist.

• Als Nächstes den Brokkoli etwa 1 Minute in kochendem Wasser blanchieren, bis er nicht mehr roh ist und ein schönes kräftiges Grün angenommen hat. Abgießen und abkühlen lassen.

• Die Kürbiskerne und die Sesamsamen in einer Pfanne hellgolden anrösten, dann zum Abkühlen in eine Schüssel geben.

• Die Salatblätter in eine Servierschüssel häufen, die Avocado in Stücke schneiden und mit den Limabohnen dazugeben. Sobald Brokkoli und Saaten abgekühlt sind, diese ebenfalls hinzufügen. Mit dem Dressing beträufeln und gut vermischen. Mit gedämpftem Naturreis oder Soba-Nudeln wird ein reichhaltigeres Abendessen daraus.

Warmer Salat mit geröstetem Grünkohl, Kokosnuss und Tomaten

Gerösteter Grünkohl ist eine Offenbarung. Hier habe ich ihn mit süßen Ofentomaten, Kokosnuss und einem schnellen Misodressing kombiniert. Durch das Rösten erhält dieser wunderbare Kohl ein intensiv herzhaftes Aroma und eine knackige Konsistenz, nicht unähnlich den knusprigen Algen, die ich als Kind in einem etwas fragwürdigen Chinarestaurant gegessen habe.

Im Winter esse ich fast täglich Grünkohl. Ich liebe seine mineralische Süße. Er schmeckt geröstet, sautiert, gedämpft, blanchiert, zu Chips gebacken – ich mag ihn sogar roh (siehe Seite 128). Grünkohl ist eine extrem winterharte Pflanze, deren stark gekräuselte Wedel uns mit Frische versorgen, wenn sich das andere Grünzeug verabschiedet hat. Der am weitesten verbreitete Grünkohl ist Krauskohl, der auch in den meisten Gemüseläden und Supermärkten angeboten wird. Der kräftig dunkelgrüne Schwarzkohl und der rote Grünkohl eignen sich ebenfalls für dieses Rezept.

Aus dem Salat wird eine sättigendere Mahlzeit, wenn Sie ein bis zwei Handvoll gegarte Quinoa oder Perlgraupen untermischen.

FÜR 4 PERSONEN

400 g Kirschtomaten
Meersalz und frisch gemahlener schwarzer Pfeffer
Olivenöl
2 unbehandelte Limetten
1 normaler oder roter Grünkohl (etwa 200 g), Mittelrippen entfernt, Blätter in mundgerechte Stücke gezupft
1 Handvoll ungesüßte Kokoschips oder Kokosraspel
1 EL Sojasauce oder Tamari

FÜR DAS DRESSING
1 daumengroßes Stück Ingwer, geschält und fein gehackt
1 EL weiße Misopaste (siehe Seite 105)
1 EL Tahini
1 EL Honig oder Agavendicksaft
1 EL Kokosöl oder Olivenöl
1 roter Chili, fein gehackt

• Den Backofen auf 220 °C (200 °C Umluft/Gas Stufe 7) vorheizen.

• Die Tomaten halbieren, auf einem Backblech verteilen und mit Salz und Pfeffer würzen. Großzügig mit Olivenöl beträufeln, mit Limettenschale bestreuen und mit dem Saft von 1 Limette beträufeln. Im Ofen 20 Minuten rösten, bis sich Bläschen bilden und die Tomaten glänzen.

• Den Grünkohl mit den Kokoschips oder -raspeln auf ein Backblech geben. Mit der Sojasauce beträufeln und gründlich vermischen, bis alles mit Sojasauce überzogen ist. 5 bis 10 Minuten vor Ablauf der Garzeit der Tomaten das Blech in den Ofen schieben und rösten, bis der Kohl knusprig ist.

• Inzwischen alle Dressingzutaten in eine Schüssel geben und mit dem übrigen Limettensaft verrühren. Abschmecken und bei Bedarf nachwürzen oder, falls nötig, noch etwas Limettensaft hinzufügen. Den Grünkohl und die Tomaten aus dem Backofen nehmen und in eine große Schüssel geben. Das Misodressing portionsweise untermischen, dabei immer wieder probieren, ob die Dressingmenge ausreicht. Den Salat warm servieren.

Salat mit karamellisiertem Lauch und neuen Kartoffeln

Ich liebe Kartoffelsalat und habe diverse Varianten im Repertoire, die ich je nach Saison und Anlass zubereite. Manchmal mit Kapern, Cornichons und Dill-Joghurt, ein andermal werden die Kartoffeln mit gegrilltem Brokkoli, Zitrone und Chili geröstet.

Von allen Variationen ist dies mein aktueller Liebling, da er volle Punktzahl für Aroma und Konsistenz erreicht: karamelliger Lauch, kraftvoller Senf in zweierlei Gestalt und doppelt knackiges Knuspererlebnis durch Staudensellerie und Radieschen. Ich mache diesen Salat häufig, wenn ich viel Besuch erwarte, da sich das Rezept prima verdoppeln lässt und dann das Herzstück vieler Einladungen bildet.

FÜR 4 PERSONEN

FÜR DEN SALAT

750 g kleine neue Kartoffeln, gründlich abgeschrubbt

Meersalz und frisch gemahlener schwarzer Pfeffer

Oliven- oder Rapsöl

2 große Stangen Lauch, gewaschen, geputzt, halbiert und in breite Stücke geschnitten

1 Handvoll Radieschen, geputzt und in kleine Stücke geschnitten

2 Stangen Staudensellerie, geputzt und grob zerkleinert

1 großes Bund Dill

FÜR DAS DRESSING

1 TL Honig

1 EL Apfelessig

4 EL Olivenöl

4 EL körniger Dijonsenf

1 EL Dijonsenf

Saft von ½ Zitrone

- Die Kartoffeln mit einer kräftigen Prise Salz in einen Topf geben und mit Wasser bedecken. Zum Kochen bringen und 20 bis 25 Minuten simmern lassen, bis sie gar sind.

- Als Nächstes einen Topf bei mittlerer Temperatur erhitzen, einen Spritzer Öl und den Lauch hineingeben. Eine Prise Salz zugeben, dann auf niedrige Temperatur einstellen und den Lauch 20 bis 25 Minuten anbraten, bis er weich und süß geworden ist und stellenweise eine karamellbraune Färbung annimmt.

- Alle Zutaten für das Dressing mit einer kräftigen Prise Salz und etwas Pfeffer in einem Krug verrühren.

- Sobald die Kartoffeln fertig sind, diese abgießen und zurück in den Topf geben. Mit einem kleinen Messer die Oberfläche der Kartoffeln etwas aufrauen, damit das Dressing besser haften bleibt. Den Lauch hinzufügen.

- Die Kartoffel-Lauch-Mischung leicht abkühlen lassen, dann in eine Servierschüssel umfüllen und die Radieschen, den Sellerie und den Dill zugeben und behutsam mit einem Löffel vermischen. Das Dressing darüberträufeln und den Salat sofort noch warm servieren. Falls Sie den Salat im Voraus zubereiten möchten, ist es ratsam, die doppelte Dressingmenge zuzubereiten, da Sie eventuell kurz vor dem Servieren noch etwas zugeben müssen.

Buchweizen mit Koriander und Orange

Ich mag die Londoner East Side sehr. Seit zwölf Jahren wohne ich nun schon in Hackney, nahe des Broadway Market, einem geschäftigen Straßenzug voller Läden mit einem Samstagsmarkt. Über die Jahre konnte ich beobachten, wie er sich zu einer wunderbar dynamischen Mischung aus Essen, Musik und in der Sonne getrunkenem Bier entwickelte. An Samstagen durchstöbern meine Schwester und ich immer diesen Markt und prüfen dabei systematisch jeden einzelnen Stand, bevor wir uns entscheiden, was wir essen. Nicht selten landen wir an einem Stand, der einen genialen Gemüsesalat und einen sehr leckeren Buchweizensalat anbietet. So kam es, dass ich – inspiriert von diesem Genuss und beflügelt vom Wunsch, öfters Buchweizen auf den Tisch zu bringen – diesen Salat kreierte.

Als Aromaimpuls kommen hier Koriandersamen zum Einsatz, die wunderbar mit dem kernigen Buchweizen und der sanften Süße von geröstetem Kürbis und gerösteten Zwiebeln harmonieren. Auf Seite 189 können Sie mehr über Buchweizen erfahren.

....

FÜR 4 PERSONEN

1 Butternusskürbis, geschält, Kerne entfernt und in grobe Stücke geschnitten

2 rote Zwiebeln, geschält und in dünne Spalten geschnitten

1 gehäufter EL Koriandersamen, im Mörser zerstoßen

Meersalz und frisch gemahlener schwarzer Pfeffer

Olivenöl

1 unbehandelte Orange

100 g gerösteter Buchweizen (Kascha)

1 kleines Bund Minze, Blätter abgezupft und grob gehackt

1 kleines Bund Koriandergrün, grob gehackt

natives Olivenöl extra

etwas Honig (nach Belieben)

ZUM SERVIEREN
etwas griechischer Sahnejoghurt

- Den Backofen auf 220 °C (200 °C Umluft/Gas Stufe 7) vorheizen.

- Den Kürbis mit den Zwiebeln und dem Koriander auf einem Backblech verteilen. Mit Salz und Pfeffer bestreuen und mit Olivenöl beträufeln. Die Orange halbieren, den Saft über Kürbis und Zwiebeln auspressen, dann die Hälften aufs Blech legen. Alles vermischen und 15 bis 20 Minuten im Ofen rösten.

- Als Nächstes den Buchweizen kochen. Dazu den Buchweizen in einen Topf geben, die doppelte Menge Wasser zugießen. Zum Kochen bringen, die Temperatur senken und den Buchweizen 20 Minuten simmern lassen, bis die Körner das gesamte Wasser aufgenommen haben und zart, aber nicht matschig sind. Falls nötig, überschüssiges Wasser abgießen, dann zum Warmhalten den Deckel auflegen und beiseitestellen.

- Wenn er fertig geröstet ist, den Kürbis in eine Servierschüssel geben. Den Buchweizen, die gehackten Kräuter und das Olivenöl und den Honig (falls verwendet) hinzufügen. Gut vermischen, probieren und nach Bedarf abschmecken. Einfach mit etwas griechischem Sahnejoghurt und ein paar mit Zitronensaft beträufelten Salatblättern servieren – wenn ich sehr hungrig bin, esse ich noch gegrilltes Fladenbrot dazu.

WIE MACHE ICH EINEN RICHTIG GUTEN SALAT?

1

DIE BASIS: EIN PAAR SALATBLÄTTER

2 Handvoll pro Person

↓

BLATTSPINAT

╱

RUCOLA

╱

ROMANASALATHERZEN

╱

CHICORÉE
(ROTER ODER WEISSER)

╱

EICHBLATTSALAT

╱

KOPFSALAT

╱

GRÜNKOHL IN STREIFEN

╱

BRUNNENKRESSE

╱

FRÜHKOHL

BEISPIEL

2

PLUS: EINE INTERESSANTE ZUTAT

½ Handvoll pro Person

↓

GERÖSTETER KÜRBIS

╱

GEWÜRZTE TOMATEN

╱

BLANCHIERTE ERBSEN

╱

MAISKOLBEN

╱

GEBRATENER LAUCH

╱

AVOCADO

╱

ZUCKERSCHOTEN

╱

RADIESCHEN

╱

ZUCCHINISTREIFEN

╱

FETA

3

PLUS: ETWAS BISS

1 kleine Handvoll pro Person

↓

CROÛTONS

╱

GERÖSTETE SAATEN

╱

GERÖSTETE NÜSSE

╱

GEBACKENE TORTILLASTREIFEN
(SIEHE SEITE 90)

╱

SCHNELLE AHORNSIRUP-
KNUSPER-SAATEN
(SIEHE SEITE 250)

╱

SPROSSEN

╱

GRANATAPFELKERNE

╱

SCHNELL GERÖSTETE
SEMMELBRÖSEL

Ein guter Salat besteht aus einer gelungenen Kombination aus Aromen, Konsistenzen und Farben, harmonisch abgerundet mit dem passenden Dressing. Salate sind so viel mehr als eine Schüssel grüner Blätter – ob nun mit einem anderen Gericht zusammen oder als vollständige Mahlzeit serviert, bieten sie reichlich Gelegenheit, kreativ zu werden. Orientieren Sie sich an den Vorschlägen, nehmen Sie sich jedoch auch die Freiheit zu experimentieren.

4

PLUS: DAS I-TÜPFELCHEN FRISCHE

1 kleine Handvoll pro Person

↓

BASILIKUM

/

MINZE

/

KERBEL

/

ESTRAGON

/

PETERSILIE

/

KORIANDERGRÜN

/

KNUSPRIG GEBRATENER SALBEI

/

DILL

/

FENCHELGRÜN

/

SELLERIEBLÄTTER

5

PLUS: MEHR SUBSTANZ (FALLS GEWÜNSCHT)

einige Esslöffel pro Person

↓

QUINOA

/

ABGETROPFTE BOHNEN

/

LINSEN

/

COUSCOUS

/

PERLGRAUPEN

/

IN STÜCKE GEZUPFTES BROT

/

AMARANTH

/

BULGUR

/

EIN POCHIERTES EI

/

KÄSE

6

DAZU: EIN TOLLES DRESSING

Verhältnis 2:1 plus Aromen und Gewürze

↓

ÖL: 2 TEILE

OLIVENÖL · HASELNUSSÖL · RAPSÖL · ZERDRÜCKTE AVOCADO · KOKOSMILCH · KÜRBISKERNÖL

SÄURE: 1 TEIL

ZITRUSSÄFTE: ZITRONE · LIMETTE · ORANGE · GRAPEFRUIT

ESSIG: REISESSIG · WEISS-WEINESSIG · ROTWEINESSIG · KRÄUTERESSIG · BALSAMICO

AROMEN UND GEWÜRZE

MISOPASTE · CHIPOTLE-CHILI · GERÖSTETE GEWÜRZE · ROTER ODER GRÜNER CHILI · SENF · KAPERN · PARMESAN · PECORINO · SALZ UND PFEFFER

In einem Krug mit einer Gabel verrühren oder in ein Einmachglas füllen, verschließen und schütteln.

Topinambursalat

In Amerika hört Topinambur auf den charmanten Namen *sunchoke*, während er im britischen Sprachraum *Jerusalem artichoke* heißt. Zusammen mit Artischocke, Kamille und Ringelblume gehört Topinambur zur Familie der Sonnenblumen, daher der fröhliche Name.

Ich liebe dieses vor Nährstoffen berstende knubbelige kleine Gemüse und esse es auch sehr gerne roh, da es so erfrischend saftig und deutlich süßer und zarter schmeckt als gegart. Wenn Sie Topinambur im Voraus in Scheiben schneiden möchten, legen Sie sie in eine mit Wasser und dem Saft einer halben Zitrone gefüllte Schüssel, damit sie nicht braun werden.

Dies ist mein Allround-Salatrezept. Das Dressing ist ein Hit, süß mit spritziger Zitrusnote; gewöhnlich bereite ich eine größere Menge zu und stelle es in einem Einmachglas in den Kühlschrank. Nehmen Sie den Blattsalat, den Sie mögen – ich mag eine Mischung aus Frisée und Rucola oder, falls gerade saisonal erhältlich, Winterendivie, Radicchio oder die pink gefleckte Radicchiosorte Castelfranco.

Ich verwende Rauchmandeln, da sie wunderbar mit den anderen Zutaten harmonieren, Sie können aber auch geröstete Mandeln nehmen. Dieser Salat ist eine gute Beilage. Wenn Sie ihn als vollständige Mahlzeit genießen möchten, servieren Sie ihn mit Ofen-Feta (siehe Seite 123) und aufgebackenem Fladenbrot.

FÜR 4 PERSONEN ALS BEILAGE

FÜR DEN SALAT

2 kleine Topinambur
4 ordentliche Handvoll bitter-aromatische Blattsalate
1 Handvoll Rauchmandeln, grob gehackt
Meersalz und frisch gemahlener schwarzer Pfeffer

FÜR DAS DRESSING

½ eingelegte Zitrone, Kerne entfernt
3 EL Olivenöl
1 EL Weißweinessig
1 TL Honig oder Agavendicksaft
1 kräftige Prise Meersalz

• Zuerst für das Dressing alle Zutaten in den Mixbehälter der Küchenmaschine geben und pürieren, bis ein homogenes, trübes Dressing entstanden ist. Falls Sie keine Küchenmaschine besitzen, hacken Sie die eingelegte Zitrone in winzige Stückchen und verrühren Sie sie mit den anderen Zutaten in einem Krug.

• Danach die Topinambur in hauchdünne Scheiben schneiden – ich verwende dafür eine Mandoline, ein scharfes Messer und etwas Sorgfalt funktionieren jedoch genauso gut.

• Die Salatblätter mit den Topinamburscheiben und den grob gehackten Rauchmandeln in eine Schüssel geben. Mit dem Dressing beträufeln, alles vermischen, probieren und nach Bedarf mit Salz und Pfeffer abschmecken.

Gurken-Satay-Salat mit Crunch

Erfrischend, knackig und spritzig – dieser frische Salat ist alles zugleich. Er passt großartig zu indischen oder thailändischen Currygerichten oder als Teil eines leichten sommerlichen Abendessens. Natürlich schmeckt er auch solo zum Mittagessen oder mit ein bis zwei Fladenbroten als leichtes Abendessen.

Lassen Sie sich bitte nicht von der üppigen Menge Koriandergrün abschrecken – genau das macht den Salat aus. Ich verwende ein großes Bund von meinem Gemüsehändler; falls Sie kleinere im Supermarkt kaufen, nehmen Sie lieber zwei davon.

In diesem Rezept darf die Salatgurke einmal glänzen. Das beliebte Gemüse, übrigens ein Mitglied der Kürbisfamilie, steckt voller Vitamin C.

Bitte beachten Sie die Hinweise zur Kokosmilch auf Seite 43. Hier verwenden Sie die trinkfertige Sorte.

FÜR 4 PERSONEN

1 Salatgurke

2 Handvoll ungesalzene Erdnüsse

1 großes Bund Koriandergrün mit Wurzeln, grob gehackt

3 ordentliche Handvoll Blattspinat, gewaschen und in Streifen geschnitten

1 Zitrone

1 TL Honig

1 TL Sojasauce

2 EL leichte Kokosmilch oder Olivenöl

1 kleines Stück Ingwer, geschält und fein gehackt

1 Handvoll Kokoschips, geröstet

• Die Salatgurke schälen und längs halbieren, dann mithilfe eines Teelöffels die Samen herausschaben. Die Salatgurke in etwa ½ cm dicke Halbmonde schneiden und in eine große Servierschüssel geben.

• Die Erdnüsse im Mörser zu Bröseln zerstoßen, dann zusammen mit den gehackten Korianderblättern, -stängeln und -wurzeln und dem in Streifen geschnittenen Blattspinat in die Schüssel geben.

• Die Zitrone in einen kleinen Krug oder in ein Einmachglas auspressen. Den Honig, die Sojasauce, die Kokosmilch und den Ingwer hinzufügen und alles gründlich vermischen.

• Den Salat mit dem Dressing beträufeln, gut vermischen und mit den gerösteten Kokoschips bestreuen.

Herbst-Panzanella mit Röstgemüse

Der klassische italienische Brotsalat Panzanella lebt von der Qualität der Tomaten und ist darum etwas, das ich eigentlich nur im Spätsommer so richtig genieße, wenn die Tomaten am reifsten und am besten sind. Wunderbar mit gutem Brot, das sich mit dem aromatischen Saft der Tomaten vollsaugt.

Aber ich liebe Panzanella, also musste auch für den Herbst eine Variante her. In diesem Salat gehen sanft gerösteter Kürbis und Körnerbrot eine harmonische Beziehung ein, Zwiebeln bilden einen mild-süßlichen Hintergrund, während Rote Beten mit einer mutigen Menge Essig geröstet werden. Der Essig verwandelt sich in eine intensiv amethystfarbene Flüssigkeit, die die Basis für ein geniales Dressing bildet. In diesem Rezept erledigt der Backofen die gesamte Arbeit für Sie (Sie brauchen nur ein paar Backbleche bereitzuhalten).

Immer wieder empfehle ich Butternusskürbis, da er gewöhnlich überall problemlos erhältlich ist. Ich rate Ihnen aber, auch den anderen Kürbissen, die während der Herbst- und Wintermonate die Auslagen der Gemüsegeschäfte schmücken, eine Chance zu geben. Der tiefgrüne Eichelkürbis eignet sich hier ebenso gut wie ein halber kräftig orangefarbener Hokkaidokürbis oder ein Kabocha (grüner Hokkaido) mit goldenem Fruchtfleisch. Mein Lieblingskürbis ist jedoch der staubig blassgrüne Crown Prince. Diese Sorte ist riesig, ein Viertel ist hier ausreichend. Die Kürbisse haben alle dieselbe Garzeit, vorausgesetzt, Sie schneiden sie in 1 cm dicke Scheiben.

Ich verwende gern auch die Kürbiskerne, indem ich sie röste und zu Salaten und Müslimischungen gebe. Es ist zwar mit etwas Fummelei verbunden, lohnt aber die Mühe, da sie viel besser schmecken als gekaufte. Einfach die Kerne unter fließendem kaltem Wasser abwaschen und einige Stunden in gesalzenem Wasser einweichen, danach lassen sich noch anhaftende Fasern ganz leicht entfernen. Mit etwas Salz und Öl 15 Minuten im Backofen bei 200 °C (180 °C Umluft/Gas Stufe 6) rösten – Sojasauce und Gewürze können ebenfalls zugegeben werden. Denken Sie daran, dass sie beim Abkühlen noch knuspriger werden.

....

- Den Backofen auf 200 °C (180 °C Umluft/Gas Stufe 6) vorheizen.

- Die Roten Beten mit dem Essig, etwas Salz und Pfeffer und einem großzügigen Spritzer Olivenöl auf ein tiefes Backblech geben. Alles miteinander vermischen, das Backblech mit Alufolie abdecken und die Roten Beten 15 Minuten im Ofen rösten.

FÜR 4 PERSONEN

FÜR DEN SALAT

6 mittelgroße Rote Beten, geschält und geviertelt

2 EL Sherryessig oder Rotweinessig

Meersalz und frisch gemahlener schwarzer Pfeffer

Olivenöl

2 rote Zwiebeln, geschält und in Achtel geschnitten

6 kleine Karotten, geschält und längs halbiert

½ Butternusskürbis, Kerne entfernt, in 1 cm dicke Scheiben geschnitten (siehe Text oben)

einige Zweige Salbei oder Thymian, Blätter abgezupft

5 Scheiben gutes Körnerbrot

1 Handvoll Kürbiskerne, geröstet

1 unbehandelte Zitrone

FÜR DAS DRESSING

2 EL natives Olivenöl extra von guter Qualität

1 kleines Bund Minze, Blätter abgezupft und grob gehackt

1 EL körniger Senf

• Als Nächstes die Zwiebeln und die Karotten auf ein zweites und den Kürbis auf ein drittes Backblech legen. Mit Salz und Pfeffer bestreuen und mit wenig Olivenöl beträufeln, dann den Salbei oder den Thymian darüber verteilen. Wenn die Roten Beten 15 Minuten im Ofen waren, das Blech mit Zwiebeln und Karotten in den Ofen schieben und alles weitere 40 Minuten rösten. Nach 20 Minuten das Blech mit dem Kürbis ebenfalls in den Ofen schieben.

• Sobald das Gemüse fertig geröstet und gar ist und eine goldene Färbung angenommen hat, alles aus dem Ofen nehmen. Die Zwiebeln und die Karotten vom Blech schaben und zum Kürbis aufs Blech geben. Das Brot in kleine Stücke reißen, auf das leere Backblech legen und mit den Kürbiskernen bestreuen. Mit Salz und Pfeffer würzen und die Zitronenschale darüberreiben. Mit Olivenöl beträufeln und 5 bis 10 Minuten in den Ofen schieben, bis alles knusprig zu werden beginnt.

• Während das Brot röstet, das Dressing zubereiten. Dazu den Garsud der Roten Beten vorsichtig in einen Krug füllen, das Olivenöl, die Minze und den Senf hinzufügen, mit Salz und Pfeffer würzen und gründlich verrühren.

• Alle Gemüse in eine große Schüssel geben und mit dem knusprigen Brot und den Kürbiskernen bedecken. Das Dressing unterrühren, sodass sich alles tiefviolett einfärbt.

• Wunderbar mit etwas Ziegenkäse oder einem Löffel zitronigem Naturjoghurt und ein bisschen grünem Blattsalat, wenn Sie möchten.

Feigen mit klebrigem Datteldressing

Dieses Rezept muss her, wenn Sie zufällig beim Einkaufen besonders schöne Feigen sehen, weiß bereift und intensiv lila. Die kleinen Körbchen mit den begehrten Früchten tauchen nur wenige Male im Jahr bei meinem Gemüsehändler um die Ecke auf – wenn das der Fall ist, ergreife ich die Gelegenheit.

Das Wahnsinns-Dressing eignet sich für jeden nicht allzu zarten Blattsalat. Falls Feigen gerade keine Saison haben sollten, schmecken hier auch Pfirsiche, in dünne Scheiben geschnittene Äpfel oder Clementinen gut.

Ich verwende in diesem Rezept Dattelsirup – ich habe immer eine Flasche im Vorratsschrank stehen, um Porridge, Dressings, Marinaden und Smoothies zu süßen und um Pancakes damit zu beträufeln. Es handelt sich dabei um einen tollen und vollständig natürlichen Zucker mit kräftig malziger Note. Falls Sie keinen Dattelsirup bekommen, können Sie auch ein paar Datteln mit etwas Öl pürieren oder einen guten dickflüssigen Balsamico verwenden.

Ziegenkäse passt hervorragend zu Obst und ist außerdem – aufgrund seiner kleineren Eiweißmoleküle – deutlich leichter verdaulich als Kuhmilchkäse. Er enthält mehr Kalzium und Mineralien als Kuhmilch und wirkt entsäuernd auf den Körper. Ich liebe ihn!

FÜR 4 PERSONEN

FÜR DAS DRESSING
1 Schalotte, geschält und sehr fein gehackt
½ TL Dijonsenf
2 EL Dattelsirup oder 2 Datteln, mit etwas Öl püriert
1 Zitrone
Meersalz und frisch gemahlener schwarzer Pfeffer
2 EL natives Olivenöl extra von guter Qualität
1 kleines Bund Minze

FÜR DEN SALAT
8 große Handvoll gemischte Blattsalate (ich nehme Rucola, Radicchio, Babymangold und Senfblätter)
6 frische Feigen, geviertelt
1 kleines Bund Basilikum
100 g Ziegenfrischkäse oder Ziegenquark

- Die gehackte Schalotte mit dem Senf, dem Dattelsirup und dem Zitronensaft in einen Krug füllen, mit Salz und Pfeffer würzen und das Öl zugießen, dabei ständig mit einem Schneebesen aufschlagen. Die Minze hacken, ebenfalls hinzufügen und den Krug beiseitestellen.

- Die Blattsalate in eine Schüssel geben und die Feigen darauf verteilen. Das Dressing nochmals kräftig aufschlagen, dann über den Salat träufeln. Die Basilikumblätter von den Stängeln zupfen und über den Salat streuen, dann alles vermischen.

- Den Ziegenkäse zerbröckeln und auf dem Salat verteilen. Servieren.

Gegrilltes Frühlingsgemüse mit Brunnenkresse-Vinaigrette

Das ist einer dieser großartigen Salate, die als vollständige Mahlzeit durchgehen. Ich röste dafür die Kartoffeln und den Spargel im Ofen, da ich die nussige Note mag, die der Spargel dadurch erhält. Im Winter verwende ich Brokkoli und in Stücke geschnittene große Kartoffeln, die dieselbe Garzeit haben und genauso gut funktionieren.

Einer der Gründe, dass ich so gerne koche, ist die unmittelbare Verbindung zu all dem, was auf den Feldern und Beeten im ganzen Land vor sich geht. Das Auftauchen des Spargels steht für einen Wechsel im Jahreslauf, er kündigt wärmere Zeiten an. Bewahren Sie die holzigen Enden auf, um eine Brühe für eine Suppe oder ein Risotto damit zu aromatisieren. Auch wenn sie sich nicht zum Verzehr eignen, haben sie reichlich Geschmack.

FÜR 4 PERSONEN

750 g kleine neue Kartoffeln, gründlich abgeschrubbt

Meersalz und frisch gemahlener schwarzer Pfeffer

natives Olivenöl extra

4 Bio- oder Freilandeier

1 Bund grüner Spargel, holzige Enden abgebrochen

je einige Stängel Petersilie, Minze und Estragon, Blätter abgezupft

1 großes Bund Brunnenkresse

8 Cornichons, grob gehackt

2 EL kleine Kapern

1 EL Rotweinessig

1 TL Dijonsenf

• Den Backofen auf 220 °C (Umluft 200 °C/Gas Stufe 7) vorheizen. Die neuen Kartoffeln auf ein Backblech legen, mit einer kräftigen Prise Salz und Pfeffer bestreuen und mit Olivenöl beträufeln. Sobald der Ofen vorgeheizt ist, die Kartoffeln hineinschieben und 30 Minuten rösten.

• Die Eier in einen Topf geben, mit kaltem Wasser bedecken, zum Kochen bringen, dann den Herd ausschalten und die Eier 7 Minuten ziehen lassen. Danach aus dem Topf nehmen und unter fließendem kaltem Wasser abschrecken. Nach dem Abkühlen schälen und beiseitelegen.

• Nachdem die Kartoffeln 30 Minuten im Ofen waren, den Spargel bis auf zwei Stangen dazugeben, gründlich mit den Kartoffeln und dem Öl vermischen und weitere 15 Minuten im Ofen rösten.

• Die Kräuter und die Brunnenkresse mit den Cornichons und den Kapern hacken und in einen Krug oder in ein Einmachglas (mit Deckel) füllen. 3 Esslöffel Olivenöl, den Rotweinessig und den Dijonsenf zugeben und kräftig verrühren oder zum Mischen schütteln. Die restlichen Spargelstangen mit einem Sparschäler in lange dünne Streifen abschälen.

• Wenn Kartoffeln und Spargel fertig geröstet sind, beides in eine Schüssel geben. Die Eier vierteln oder achteln und ebenfalls zugeben. Mit dem Dressing beträufeln, die Spargelstreifen darüber verteilen und alles noch heiß behutsam vermischen.

Würziger Karotten-Cashew-Salat mit frischer Kokosnuss und Koriandergrün

Indische Aromen durchziehen diesen frischen, peppigen Salat, den ich durch meine Freundin Emily kennengelernt habe. Das Rösten intensiviert den Geschmack der Karotten, während die Salatgurke und die reifen roten Tomaten für Frische sorgen. Ich verwende hier meine geliebten Curryblätter, aber keine Sorge, falls Sie keine auftreiben können – der Salat schmeckt auch toll ohne sie.

Ich liebe es, Gewürznüsse herzustellen, und diese hier sind auch ein prima Snack für zwischendurch. Werden sie jedoch über diesen mit Bedacht zusammengestellten Salat gestreut, vervielfacht es den Genuss.

FÜR 4 PERSONEN

FÜR DEN SALAT

500 g Karotten, geschält, längs halbiert und in 3 cm lange Stücke geschnitten

Oliven- oder Kokosöl

1 EL Honig oder Agavendicksaft

2 TL Senfsamen

1 TL Schwarzkümmelsamen

½ Salatgurke, in Streifen abgeschält

4 reife Tomaten, grob gehackt

1 kleine rote Zwiebel, geschält und in sehr dünne Scheiben geschnitten

1 große rote Chili, Samen entfernt, fein gehackt

Meersalz

1 Limette

FÜR DIE GEWÜRZCASHEWS

20 Curryblätter (nach Belieben)

1 TL gemahlene Kurkuma

1 Zwiebel, geschält und in dünne Scheiben geschnitten

100 g Cashewkerne

ZUM SERVIEREN

1 großes Bund Koriandergrün, grob gehackt

1 große rote Chili, Samen entfernt, fein gehackt

100 g frische Kokosnuss oder 50 g Kokosnusscreme (im Block)

1 Limette

• Den Backofen auf 200 °C (Umluft 180 °C/Gas Stufe 6) vorheizen.

• Die Karotten auf einem tiefen Backblech verteilen, mit reichlich Olivenöl und dem Honig beträufeln. Mit den Senf- und Schwarzkümmelsamen bestreuen und 30 Minuten im Backofen rösten.

• Salatgurke, Tomaten, rote Zwiebel und Chili in eine Schüssel geben. Mit etwas Öl, einer kräftigen Prise Salz und dem Limettensaft vermischen.

• In einer Pfanne etwas Olivenöl erhitzen. Falls verwendet, die Curryblätter und die Kurkuma hineingeben und etwa 1 Minute umrühren, bis die Curryblätter knusprig zu werden beginnen. Die Zwiebel hinzufügen und einige Minuten anbraten, dann die Cashewkerne zugeben und anbraten, bis sie goldgelb geröstet sind. Mit Salz abschmecken und zum Abkühlen in eine Schüssel geben.

• Die Karotten aus dem Ofen nehmen und zur Gurke und den Tomaten in die Schüssel geben.

• Zum Servieren den Karottensalat auf einer großen Platte anrichten. Erst das Koriandergrün, dann die Gewürznüsse darüber verteilen. Mit dem gehackten Chili bestreuen, die Kokosnuss darüberraspeln und die übrige Limette darüber auspressen. Mit warmen Chapati und Mango-Chutney (oder dem Nektarinen-Chutney auf Seite 343) servieren.

Zitronen-Feta aus dem Ofen mit bunten Tomaten

Ich lebe im Ostlondoner Stadtteil Hackney, wo in jedem Tante-Emma-Laden Feta und Tomaten angeboten werden, daher bereite ich dieses Gericht gern im Sommer zu, wenn ich keine Zeit (oder keine Lust) habe, zum Einkaufen längere Wege zurückzulegen.

Hier röste ich den Feta mit Zitrone und Koriander, da beides dem salzigen Käse aufregende Zitrusnoten verleiht. Durch das Rösten erhält der Feta ein ganz wunderbar cremiges Inneres und ein knusprig-goldenes Äußeres. Ich serviere ihn gern direkt aus dem Ofen, sodass er noch milchig-weich ist.

Basilikum ist der typische Kombinationspartner der Tomate, Minze stammt jedoch aus derselben Kräuterfamilie und eignet sich hier meines Erachtens genauso gut. Manchmal mische ich einige halbmondförmige Scheiben geschälte und von den Samen befreite Salatgurke, eine Handvoll in Streifen geschnittenen Blattspinat und ein paar geröstete Kürbiskerne unter.

Ich nutze gern die ganze Vielfalt der unterschiedlich gefärbten und geformten Tomatensorten, die mittlerweile vielerorts angeboten werden. Ich kann mir keine schönere Auswahl auf dem Teller vorstellen als eine bunte Mischung aus kräftig gelben, lebhaft orangefarbenen und knallroten Tomaten, in Viertel oder Scheiben geschnitten, mit feinem Olivenöl beträufelt und etwas Meersalz bestreut.

Tomaten enthalten ein wirksames Antioxidans namens Lycopin, das vom Körper besser aufgenommen werden kann, wenn die Tomaten gegart wurden. Und was noch besser ist: Mit Olivenöl verzehrt kann unser Körper das Lycopin leichter absorbieren, was wieder einmal beweist, dass die Natur weiß, was gut ist.

FÜR 2 PERSONEN ODER FÜR 4 ALS BEILAGE

1 Päckchen Feta (200 g)

1 unbehandelte Zitrone

1 TL Koriandersamen, im Mörser zerstoßen

Meersalz und frisch gemahlener schwarzer Pfeffer

Olivenöl

800 g Tomaten unterschiedlicher Farbe, Größe und Form

1 kleines Bund Minze, Blätter abgezupft und fein gehackt

....

- Den Backofen auf 220 °C (200 °C Umluft/Gas Stufe 7) vorheizen.

- Den Feta auf ein mit Backpapier ausgelegtes Backblech legen. Die Schale einer halben Zitrone darüberreiben, die zerstoßenen Koriandersamen darüberstreuen, mit etwas schwarzem Pfeffer übermahlen (Salz ist nicht nötig) und mit einem Tropfen Öl beträufeln. Im Ofen 25 Minuten rösten, bis der Feta eine appetitlich goldgelbe Färbung annimmt.

• Während der Feta im Ofen ist, die Tomaten in schöne Stücke und Scheiben schneiden und in eine Schüssel geben. Großzügig mit Salz und Pfeffer würzen. Von der restlichen Zitronenhälfte die Schale abreiben und darüberstreuen und mit einigen Esslöffeln Olivenöl beträufeln. Die Hälfte des Zitronensafts hinzufügen, probieren und bei Bedarf mehr zugeben. Von Hand gut vermischen und durchziehen lassen.

• Sobald der Feta fertig geröstet ist, die Tomaten auf einer Servierplatte anrichten und mit der Minze bestreuen. Mithilfe eines Löffels kleine Stücke Feta auf den Tomaten verteilen. Den Salat sofort servieren. Dazu reichlich aufgebackene Pitabrote oder mit Olivenöl beträufeltes Röstbrot und, wenn Sie möchten, grünen Blattsalat reichen.

Ofen-Feta schmeckt auch sehr gut:
· zu in dünne Scheiben geschnittener Zucchini mit Zitrone und Chili
· auf einem Quinoa- oder Couscous-Salat
· über gerösteten Kürbis gekrümelt
· als Garnitur auf Suppen und Eintöpfen
· auf dicken Stücken von mit Olivenöl beträufeltem gutem Brot
· in einem griechischen Salat

Roher Thai-Zitrus-Crunch-Salat

Die Aromen dieses Salats sind entlehnt vom Pad Thai, einem meiner absoluten Wohlfühl-Lieblingsgerichte. Im Unterschied zum Pad Thai enthält der Salat jedoch keine Nudeln – stattdessen nehmen Zucchini- und Karottenstreifen ihren Platz ein. Ich bereite diesen Salat das ganze Jahr über zu: im Herbst und im Winter ersetze ich das Basilikum durch noch mehr Koriandergrün und die Zucchini durch Knollensellerie oder Pastinake.

Alles, was in diesem Salat verwendet wird, ist roh. Es ist eine gute Idee, Rohes in die Ernährung einzubauen – sein Genuss sorgt dafür, dass wir Nahrungsmittel in ihrer reinsten und pursten Form zu schätzen lernen. Dieser Salat ist ein guter Einstieg für Menschen, die meinen, in der rohen Küche drehe sich alles nur um Mungobohnen und Hanfsamen.

FÜR 4 PERSONEN

FÜR DEN SALAT
1 Zucchini
3 mittelgroße Karotten, geschält
½ Spitzkohl oder Weißkohl
1 rote Paprika, Samen und Trennwände entfernt
2 Frühlingszwiebeln
1 rosa Grapefruit
1 Limette
1 kleines Bund Basilikum
1 großes Bund Koriandergrün
2 ordentliche Handvoll Bohnensprossen

FÜR DAS DRESSING
2 Datteln der Sorte Medjool
1 Handvoll (etwa 100 g) Cashewkerne, über Nacht in Wasser eingeweicht (falls genug Zeit ist)
1 Stück (2 cm) Ingwer, geschält und grob gehackt
½ Knoblauchzehe, geschält und grob gehackt
1 roter Chili, Samen entfernt, fein gehackt
Saft von 2 Limetten
2 EL Sojasauce oder Tamari

ZUM SERVIEREN
1 Handvoll Cashewkerne, grob zerstoßen

• Von der Zucchini und den Karotten mit einem Sparschäler Streifen abschälen und in eine große Schüssel geben – es ist in Ordnung, der Finger zuliebe ein kleines Stück übrig zu lassen. Den Kohl fein hobeln, die rote Paprika und die Frühlingszwiebeln in feine Streifen schneiden und alles in die Schüssel geben.

• Die Grapefruit und die Limette mit einem Messer schälen und alle Filets zwischen den Trennhäuten grob herausschneiden, weiße Häutchen entfernen und wegwerfen. Die Filets in eine Schüssel legen und so zerdrücken, dass sie sich in kleine saftige Limetten- und Grapefruitjuwelen aufspalten. Ebenfalls in die große Schüssel geben.

• Basilikum und Koriandergrün grob hacken, das gesamte Basilikum, die Hälfte des Koriandergrüns und alle Bohnensprossen in die Schüssel geben. Der Schüsselinhalt lässt sich nun bis zum Verzehr gut im Kühlschrank aufbewahren.

• Unmittelbar vor dem Servieren das Dressing zubereiten. Dazu alle Zutaten mit 150 ml Wasser in einen Mixer geben und pürieren, bis ein flüssiges Dressing entstanden ist, das gerade dick genug ist, dass es am Gemüse haften bleibt und es überzieht. Falls nötig, mit etwas Wasser verdünnen. Falls Sie keinen Mixer besitzen, die Datteln in einer Schüssel zu einer Paste zerdrücken, dann Cashewkerne, Ingwer, Knoblauch und Chili fein hacken und mit Limettensaft und Sojasauce unterrühren. Den Salat mit dem Dressing beträufeln, gut vermischen und mit den Cashewkernen und dem restlichen Koriandergrün garnieren.

Salat aus gegrilltem Mais, Grünkohl und Süßkartoffel

Ein Mix aus lebhaften mexikanischen Gewürzen und frischen kalifornischen Aromen. Eine Farbexplosion und oft strahlender Mittelpunkt auf dem Tisch, wenn ich Freunde zum Abendessen einlade. Aber auch ein wunderbares Mittagessen unter der Woche, da der Salat im Handumdrehen zubereitet ist, einfach mit etwas schwarzem Reis oder Naturreis servieren.

Hier verwende ich rohen Grünkohl, was Ihnen vielleicht etwas seltsam vorkommt. Ich liebe rohen Grünkohl, aber ich zerdrücke ihn immer erst ein bisschen mit Zitronen- oder Limettensaft und einer Prise Salz. Diese Behandlung verleiht ihm eine erstaunliche Frische und verändert ihn – die Zellulose wird aufgespalten und verwandelt sich in weiche und süße buttrige kleine Bänder. Das geht ganz fix, außerdem bleiben alle Nährstoffe erhalten, da der Grünkohl nicht erhitzt wird. Bei mir durchläuft alles Grünzeug diesen Knetprozess, bevor es in die Salatschüssel wandert.

FÜR 4 PERSONEN

4 Süßkartoffeln, gewaschen und grob gehackt
1 TL geräuchertes Paprikapulver (Pimentón de la Vera)
½ TL Kreuzkümmelsamen
1 TL flüssiger Honig
natives Olivenöl extra
Meersalz und frisch gemahlener schwarzer Pfeffer
1 Grünkohl (250 g)
Saft von ½ Limette
2 Maiskolben
1 reife Avocado, geschält, Stein entfernt, in Scheiben geschnitten

FÜR DAS DRESSING

Saft von ½ Limette
1 Handvoll Cashewkerne, über Nacht in Wasser eingeweicht (falls genug Zeit ist; siehe Anmerkung auf Seite 344)
½ Bund Koriandergrün
2 EL Kokosmilch (siehe Anmerkung auf Seite 43)

• Den Backofen auf 200 °C (Umluft 180 °C/Gas Stufe 6) vorheizen.

• Die Süßkartoffeln mit Paprikapulver, Kreuzkümmel, Honig, einem ordentlichen Spritzer Olivenöl und etwas Salz und Pfeffer auf ein tiefes Backblech geben und vermischen. Im Ofen 40 Minuten rösten, bis sie innen weich und außen kräftig gebräunt und karamellisiert sind.

• Den Grünkohl von den Mittelrippen abzupfen und in mundgerechte Stücke reißen oder schneiden. In eine große Schüssel legen, mit dem Limettensaft beträufeln und eine Prise Salz zugeben. Etwa 1 Minute kneten, dann beiseitestellen.

• Nun eine gerillte Grillpfanne sehr stark erhitzen. Den Mais hineinlegen und unter gelegentlichem Wenden rundherum anbräunen, bis er Grillspuren hat. Sobald er kräftig und vollständig gebräunt ist, den Mais abkühlen lassen, dann die Körner vom Kolben schneiden und zum Grünkohl in die Schüssel geben.

• Die Dressingzutaten mit 2 Esslöffeln Wasser und einer großen Prise Salz in den Mixer füllen. Fast vollständig pürieren, bis ein grasgrünes Dressing entstanden ist. Probieren und bei Bedarf noch etwas Limettensaft oder Salz unterrühren.

• Die Süßkartoffeln zu Grünkohl und Mais in die Schüssel geben, dann die Avocado hinzufügen. Mit dem Dressing beträufeln und vermischen.

Ofenkürbis im Saatenmantel mit Granatapfel und Za'tar-Gewürz

Dieser wärmende Salat ist ein echter Lichtblick an einem grauen Tag durch sein intensiv orangefarbenes und rubinrotes Farbspiel. Er jongliert mit den Aromen der nahöstlichen Gewürzmischung Za'tar. Falls Sie noch nicht mit Za'tar vertraut sein sollten: Es handelt sich um eine Mischung aus Thymian, Sumach und Sesamsamen, das von Fladenbrot bis Suppe über alles gestreut wird und als schnelles i-Tüpfelchen jedes Essen aufpeppt.

Kürbis könnte ich zu jeder Mahlzeit essen. Seinem kräftig orangefarbenen Fruchtfleisch sieht man von Weitem an, was in ihm steckt, nämlich jede Menge Beta-Karotin und Vitamine, zudem handelt es sich um ein einheimisches Gemüse, das durch seine gute Lagerfähigkeit fast rund ums Jahr erhältlich ist. Blattsalate mit bitterer Note wie Chicorée und Radicchio bilden eine harmonische Basis für die in diesem Salat vorherrschende Süße.

FÜR 4 PERSONEN

1 mittelgroßer Butternusskürbis oder 2 kleinere Kürbisse wie Eichelkürbis, Kerne entfernt, in Stücke geschnitten (Schale muss nicht entfernt werden)

etwas Olivenöl

1 gehäufter EL Mohnsamen

1 gehäufter EL Sesamsamen

1 TL Fenchelsamen, im Mörser leicht zerstoßen

1 TL Chiliflocken

1 TL Zimt

Meersalz und frisch gemahlener schwarzer Pfeffer

2 rote Chicorée oder 1 Radicchio

½ Granatapfel

einige Minzestängel

FÜR DAS DRESSING

2 Datteln der Sorte Medjool, entsteint

2 EL guter Balsamico

2 EL Olivenöl

Saft von ½ Zitrone

- Den Backofen auf 220 °C (Umluft 200 °C/Gas Stufe 7) vorheizen.

- Den Kürbis auf ein Backblech geben, einen Spritzer Öl, dann Mohn-, Sesam-, Fenchelsamen, Chiliflocken und Zimt darüber verteilen. Mit Salz und Pfeffer würzen und alles vermischen, sodass die Kürbisstücke rundherum mit den Saaten und Gewürzen ummantelt sind. Mit Alufolie abdecken und 20 Minuten im Ofen backen.

- Inzwischen den Chicorée oder Radicchio in Streifen schneiden und die Kerne aus der Granatapfelhälfte auslösen. In eine große Schüssel geben, die Minze grob hacken und ebenfalls zugeben. In einer Schüssel die Datteln mit einer Gabel zerdrücken, die restlichen Dressingzutaten hinzufügen und gut vermischen. Falls die Datteln nicht weich genug zum Zerdrücken sind, die Küchenmaschine zu Hilfe nehmen.

- Nach 20 Minuten die Folie vom Backblech entfernen, prüfen, ob der Kürbis weich und gar ist, dann ohne Folie nochmals 10 Minuten in den Ofen schieben, damit er etwas knusprig wird.

- Den Kürbis aus dem Ofen nehmen und in die Schüssel geben. Mit dem Dressing beträufeln und alles vermischen. Für eine richtig sättigende Mahlzeit noch Fladenbrot und grüne Blattsalate dazu servieren. Etwas Feta macht sich ebenfalls gut als Garnitur auf dem Salat.

Einfaches für mittags, Entspanntes für abends

Essen für unkomplizierte Tage und entspannte Abende – ich liebe leichte und pure Küche, die einen Spaziergang nach dem Abendessen oder einen gemütlichen Fernsehabend auf der Couch so viel angenehmer macht. Die hier vorgestellten Rezepte eignen sich perfekt für ein Abendessen unter der Woche sowie für ein Mittagessen am Wochenende, sie sind in weniger als 30 Minuten fertig, und nach ihrem Genuss fühlt man sich satt und zufrieden – und leicht wie eine Feder.

Tacos mit Popcorn · aromatisches Kokosnuss-Dal · Walnuss-Pesto · geröstete Rote Beten · Salsa verde mit Pep · Haselnuss-Pizzette · karamellisierte Zwiebeln · klebrige Ahornsirupsauce · kräftig grüner Frühlinsspargel · Avocado-Spaghetti · rauchig süße Romesco-Sauce

Dal mit knuspriger Süßkartoffel und schnellem Kokos-Chutney

Dieses Dal zählt zu meinen Lieblingsgerichten. Es schmeckt unglaublich gut – die gerösteten Süßkartoffeln und das rosafarbene Chutney machen es unwiderstehlich! Alle, denen ich das Rezept gegeben habe, berichten mir, dass es dafür Komplimente ohne Ende hagelt – jeder liebt das Gericht. Und das alles dank der bescheidenen kleinen Linse.

Für das Chutney eignet sich frisch geriebene Kokosnuss am besten, wobei es nicht oft vorkommt, dass ich genügend Zeit habe, für ein Abendessen extra Kokosnüsse aufzubrechen, daher verwende ich hier Kokosraspel. Falls Sie Zeit haben, frische Kokosnuss zu raspeln, wird das Chutney überirdisch schmecken. Falls die Zeit knapp ist, können Sie anstelle des Kokos-Chutneys auch einen ordentlichen Löffel Mango-Chutney nehmen.

Ich habe immer einen Beutel Curryblätter im Tiefkühler. Sie wecken in mir lebhafte Erinnerungen an Südindien, ihr intensiver, aber feiner Geschmack ist durch nichts zu ersetzen. Falls Sie keine frischen Curryblätter finden, tun es auch getrocknete.

FÜR 4 PERSONEN

FÜR DIE SÜSSKARTOFFELN

2 Süßkartoffeln, ungeschält, gewaschen und in etwa 1,5 cm große Würfel geschnitten

Meersalz und frisch gemahlener schwarzer Pfeffer

1 TL Kreuzkümmelsamen

½ TL Fenchelsamen

Olivenöl

FÜR DAS DAL

2 Knoblauchzehen, geschält und gehackt

1 daumengroßes Stück Ingwer, geschält und grob gehackt

1 grüner Chili, fein gehackt

1 rote Zwiebel, geschält und grob gehackt

1 TL Kreuzkümmelsamen

1 TL Koriandersamen

1 TL gemahlene Kurkuma

1 TL Zimt

200 g rote Linsen

1 Dose Kokosmilch (400 ml)

400 ml Gemüsebrühe

2 große Handvoll Blattspinat

1 Bund Koriandergrün, mit Stängeln grob gehackt

Saft von 1 Zitrone

FÜR DAS KOKOS-CHUTNEY

50 g Kokosraspel

1 TL schwarze Senfsamen

10 Curryblätter

etwas Pflanzenöl oder Kokosöl

1 Stück (20 g) Ingwer, geschält und fein gerieben

1 roter Chili, fein gehackt

- Den Backofen auf 220 °C (Umluft 200 °C/Gas Stufe 7) vorheizen. Die Kokosraspel mit 150 ml kochendem Wasser übergießen.

- Die Süßkartoffeln auf einem Backblech verteilen, eine kräftige Prise Salz und Pfeffer, den Kreuzkümmel und die Fenchelsamen darüberstreuen und mit Olivenöl beträufeln. Im Ofen 20 bis 25 Minuten rösten, bis die Süßkartoffeln innen weich und süß und außen knusprig braun sind.

- Inzwischen für das Dal in einem großen Topf den Knoblauch mit dem Ingwer, dem Chili und der roten Zwiebel etwa 10 Minuten in etwas Öl anbraten, bis sie weich und süß geworden sind.

- Die Kreuzkümmel- und die Koriandersamen im Mörser zerstoßen, dann mit den anderen Gewürzen in den Topf geben und einige Minuten anbraten, damit sie ihre Öle freisetzen. Die Linsen, die Kokosmilch und die Brühe hinzufügen und zum Simmern bringen. Die Temperatur senken und alles 25 bis 30 Minuten sanft köcheln lassen.

• Inzwischen das Chutney zubereiten. Dazu die eingeweichten Kokosraspel abgießen und in eine Schüssel geben. Die Senfsamen und die Curryblätter in etwas Öl anbraten, bis sie zu knistern beginnen, dann über die Kokosraspel gießen. Mit Salz und Pfeffer würzen, dann den Ingwer und den Chili unterrühren und alles sorgfältig vermischen.

• Zum Fertigstellen das Dal vom Herd nehmen, den Blattspinat unterrühren und kurz zusammenfallen lassen. Die Hälfte des gehackten Koriandergrüns und den Zitronensaft untermischen. In Schüsseln verteilen, die knusprigen Süßkartoffeln darauf anrichten, darauf ein paar Löffel Kokos-Chutney und das restliche Koriandergrün geben. Ich serviere das Dal gern mit gegrillten Chapati oder Roti, und wenn Sie sehr hungrig sind, essen Sie Natur-Basmatireis dazu, den Sie zum Servieren mit einer Gabel etwas auflockern.

Popcorn-Tacos

Elote ist ein mexikanischer Snack, der im ganzen Land an jeder Straßenecke verkauft wird. Dabei handelt es sich um eine ziemlich eigenwillige Kombination aus Mais, Chilipulver, Butter und Limette (und manchmal auch noch Mayonnaise), die in einem Kunststoffbecher serviert wird, üblicherweise mit einem Klecks *crema*, Sauerrahm, garniert. Klingt schräg. Schmeckt köstlich.

Ich bereite gerne meine eigene Version von *elote* zu, indem ich Mais karamellisiere, Limette und Chili zugebe, alles in ein Taco packe und mit agavensüß-pikantem Popcorn garniere. Es hat etwas von Jeff-Koons-Kitsch und schmeckt genial.

Mir gefällt, dass Mais hier in dreierlei Form auftaucht: als karamellisierte Maiskörner, als Popcorn und als Maismehl-Tortilla. Mais ist so ein pfiffiges und vielseitig verwendbares Nahrungsmittel. Vor ein paar Jahren habe ich etwas Zeit in einem Indianerreservat verbracht und war schwer beeindruckt vom Einfallsreichtum der Köche beim Thema Mais: Brote, Kuchen, Eintöpfe – an allem scheint der Mais beteiligt zu sein. Der Verzehr von Mais in dreifacher Form bedeutet auch, den maximalen Nutzen an Vitaminen und Mineralstoffen aus ihm herauszuholen, denn unterschiedliche Zubereitungsarten bringen unterschiedliche Vorteile für unseren Körper.

Diese Tacos sind perfekt als kleines Abendessen oder als Mittagssnack. Ich esse normalerweise zwei Mini-Tacos und bin damit vollauf zufrieden, daher gehe ich bei der Mengenangabe von mir aus, wobei jemand mit mehr Hunger (wie mein John) locker drei oder vier verspeisen kann.

Ich verwende Cayennepfeffer, da er nicht nur für einen ordentlichen Chilikick sorgt, sondern auch ein intensives Aroma von gerösteter roter Paprika besitzt, ähnlich wie das von getrockneten Tomaten. Erst kürzlich geriet das Gewürz – in Begleitung von Ahornsirup – in die Schlagzeilen als »superreinigender« Detox-Drink zahlreicher Promis. Genießen Sie lieber die Vorteile, die dieses Rezept mitbringt, anstatt verdrießlich an einer Flasche mit wässrig-pikantem Sirup zu nuckeln.

FÜR 4 PERSONEN

FÜR DAS POPCORN
Olivenöl
3 EL Popcorn-Mais
½ TL Meersalz
½ TL Kreuzkümmelsamen
½ TL Cayennepfeffer
1 EL Honig oder Agavendicksaft

FÜR DEN MAIS
4 Maiskolben
Meersalz und frisch gemahlener schwarzer Pfeffer
abgeriebene Schale und Saft von 1 unbehandelten Limette
½ TL Cayennepfeffer
1 roter oder grüner Chili, fein gehackt
100 g Naturjoghurt oder Crème fraîche

ZUM SERVIEREN
2 Avocados
Saft von ½ Limette
8 Mini-Tortillas oder 4 große Tortillas aus Maismehl oder Weizenmehl
100 g Feta, abgetropft und zerbröselt
1 Bund Koriandergrün, grob gehackt

• Zuerst das Popcorn zubereiten. Dazu eine große Pfanne bei niedriger Temperatur auf den Herd stellen und einen Spritzer Öl hineingeben. Den Popcorn-Mais zugeben und den Deckel auflegen. Etwa im Minutenabstand stark an der Pfanne rütteln, damit die Maiskörner nicht anbrennen. Nach einigen Minuten beginnt der Mais zu poppen. Sobald er vollständig gepoppt ist, die Pfanne vom Herd nehmen und kurz abkühlen lassen.

- Als Nächstes das Popcorn-Gewürz mischen. Dazu das Salz mit den Gewürzen und dem Honig oder dem Agavendicksaft in einen kleinen Topf geben, erwärmen und verrühren. Danach mit dem Popcorn vermischen, bis dieses mit der Gewürzmischung überzogen ist.

- Mit einem scharfen Messer die Körner von den Maiskolben schneiden. Etwas Olivenöl in einer Pfanne erhitzen und die Maiskörner darin 5 bis 10 Minuten anbraten, bis sie kräftig gebräunt und karamellisiert sind. Salz und Pfeffer, Limettenschale und -saft, Cayennepfeffer und Chili hinzufügen. Den Mais vom Herd nehmen, einen Esslöffel Naturjoghurt unterziehen und die Pfanne mit Folie abdecken, damit der Inhalt warm bleibt.

- Die Avocados schälen, die Steine entfernen und das Fruchtfleisch in kleine Stücke schneiden. In eine Schüssel geben und mit etwas Limettensaft beträufeln.

- Die Tortillas aufwärmen. Ich halte sie dazu mit einer Küchenzange über eine offene Gasflamme, Sie können sie auch im Backofen aufwärmen oder ohne Fett in einer antihaftbeschichteten Pfanne aufbacken.

- Die Maiskörner auf die Tortillas verteilen, einen Löffel Naturjoghurt oder Crème fraîche, etwas Avocado, zerbröselten Feta und ein bisschen gehacktes Koriandergrün daraufgeben. Mit Popcorn bestreuen, mit Limettensaft beträufeln, zusammenfalten und genießen.

Walnuss-Majoran-Pesto mit Radicchio

Vielleicht bekomme ich jetzt Ärger mit den Pastapuristen, aber diese Aromen sind es mir wert. Strozzapreti (»Priesterwürger«) sind meine bevorzugten italienischen Nudeln – ich liebe ihren kernigen Biss und die gedrungene Form. Sie finden diese Pastasorte in italienischen Feinkostgeschäften und in manchen Supermärkten. Fusilli sind ein guter Ersatz.

Da die Sauce in der Zeit gezaubert werden kann, in der die Nudeln kochen, eignet sich dieses Gericht bestens als Abendessen unter der Woche.

Radicchio ist ein leuchtend magentaroter Blattsalat mit leicht bitterer Note. Er gehört zur Chicorée-Familie, daher lässt er sich hier auch gut durch roten Chicorée ersetzen. Bitterer Blattsalat muss mit Bedacht verwendet werden. Hier wird der Radicchio in feine Streifen geschnitten, sodass seine Bitternote bei jedem Bissen durch die Süße der gerösteten Walnüsse ausbalanciert wird. Der Blattsalat besitzt verdauungsfördernde Eigenschaften, ähnlich der Wirkung von bitteren Digestifs, wie sie in Frankreich und Italien nach dem Essen getrunken werden.

FÜR 4 PERSONEN

400 g Strozzapreti- oder Fusilli-Pasta
1 Radicchio (etwa 200 g), in Streifen geschnitten

FÜR DAS PESTO
50 g Walnusskerne
1 kleine Knoblauchzehe, geschält
Meersalz und frisch gemahlener schwarzer Pfeffer
1 Bund Majoran oder Oregano, Blätter abgezupft
1 Bund Petersilie, Blätter abgezupft
3 EL natives Olivenöl extra
50 g Pecorino, frisch gerieben (siehe Anmerkung auf Seite 140)
Saft von 1 Zitrone

• Die Walnüsse einige Minuten in einer Pfanne hell goldbraun anrösten, dann mit dem Knoblauch und etwas Meersalz im Mörser zu einer dicken Paste zerstoßen. Nach Belieben kann dies auch mithilfe der Küchenmaschine erledigt werden – dabei darauf achten, dass die Paste nicht zu fein püriert wird, hier ist eine leicht grobkörnige Konsistenz erwünscht.

• Die Kräuter hinzufügen, erneut zerstoßen, das Öl zugießen und alles zu einer geschmeidigen grünen Paste verarbeiten. Den Pecorino und Zitronensaft nach Geschmack zugeben. Nach Bedarf mit etwas Salz und Pfeffer abschmecken. Beiseitestellen.

• Nun einen Topf mit Wasser zum Kochen bringen, Salz und die Pasta hineingeben. Nach Packungsanweisung – etwa 8 Minuten – kochen. Unmittelbar vor dem Abgießen eine Tasse Kochwasser für später abnehmen.

• Die Pasta zurück in den Topf geben, etwas Pesto unterziehen und gut vermischen, dabei so viel Pastakochwasser zugießen, dass die Nudeln weniger fest aneinanderhängen und eine cremige Sauce entsteht. Zum Schluss die Radicchiostreifen untermischen und die Pasta mit Pecorino servieren.

DREI PASTAREZEPTE FÜR ALLE FÄLLE

So wird Pasta gekocht: Einen großen Topf mit Wasser auf den Herd stellen. Das Wasser zum Kochen bringen, einige kräftige Prisen Salz zugeben. Sobald das Wasser sprudelnd kocht, die Pasta hineingeben und nach Packungsanweisung oder einfach al dente kochen. Inzwischen die Pastasauce zubereiten. Alle Rezepte sind für 4 Personen.

MEINE GOLDENEN PASTA-KOCH-REGELN:

- Den größten Topf verwenden, damit die Nudeln mit ausreichend Abstand voneinander gleichmäßig garen können.
- Nicht zu sparsam mit dem Salz umgehen – denken Sie daran, dass nur ein kleiner Teil des zugegebenen Salzes von den Nudeln aufgenommen wird.
- Die Pasta erst in den Topf geben, wenn das Wasser kräftig kocht.
- Die Pasta unbedingt al dente kochen – beim Abkühlen gart sie nämlich noch etwas nach.
- Kurz vorm Abgießen eine Tasse Nudelkochwasser entnehmen, das dann unter die abgetropften Nudeln und die Sauce gemischt wird, damit sich beides besser verbindet.

EINE ANMERKUNG ZU PARMESAN UND PECORINO

Oft verwende ich Pecorino zu Pastagerichten, da ich den Geschmack mag und vegetarischer Pecorino meiner Erfahrung nach leichter zu finden ist als Parmesan. Parmesan und manche Pecorinos sind nicht vegetarisch, da sie unter Verwendung von tierischem Lab hergestellt werden. Sie können speziellen parmesanartigen vegetarischen Käse kaufen, der wirklich gut schmeckt. Vielleicht möchten Sie ihn probieren oder stattdessen einen anderen Käse (ohne tierisches Lab) verwenden.

1

SCHNELLE GRÜNE SPAGHETTI

400 g Spaghetti (oder Naturreis-, Vollkorn- oder Dinkelspaghetti) – siehe Anleitung zum Pastakochen

natives Olivenöl extra

2 Knoblauchzehen, geschält und in dünne Scheiben geschnitten

1–2 rote Chilis, Samen entfernt, Schoten fein gehackt, je nachdem, wie viel Schärfe gewünscht wird

1 Zweig Rosmarin, Nadeln abgezupft

1 großer Kopf Frühkohl (etwa 400 g), gewaschen und in feine Streifen geschnitten, dicke Blattrippen entfernt

abgeriebene Schale und Saft von 1 großen unbehandelten Zitrone (bei Bedarf noch 1 Zitrone zum Auspressen bereithalten)

Meersalz und frisch gemahlener schwarzer Pfeffer

1 große Handvoll fein geriebener Parmesan oder Pecorino

Einen großzügigen Spritzer Olivenöl in einer großen Pfanne erhitzen, Knoblauch, Chili und Rosmarin darin etwa 1 Minute anbraten, bis der Knoblauch Farbe anzunehmen beginnt. Den Frühkohl zugeben und unter gelegentlichem Rühren 3 bis 4 Minuten anbraten, bis er etwas zusammengefallen ist.

Alles in den Mixer füllen, die Zitronenschale und den Zitronensaft, weitere 2 Esslöffel Olivenöl und je eine kräftige Prise Salz und Pfeffer hinzufügen und pürieren. Falls nötig, mit etwas Nudelkochwasser verdünnen – am Ende soll die Sauce eine pestoartige Konsistenz haben. Die grüne Sauce zurück in die Pfanne geben.

Die Pasta abgießen, davor eine Tasse Nudelkochwasser abnehmen. Die Pasta mit einem Schuss Nudelkochwasser zur grünen Sauce geben und gründlich vermischen. Nach Belieben noch etwas Zitronensaft hinzufügen. Zum Servieren mit etwas Olivenöl beträufeln und mit geriebenem Parmesan oder Pecorino bestreuen.

SCHNELLE SOMMERLICHE ZUCCHINI-SPAGHETTINI

400 g Spaghettini oder Spaghetti nach Wahl (ich mag Buchweizen- oder Vollkornpasta) – siehe Anleitung zum Pastakochen
4 Zucchini
1 roter Chili, Samen entfernt und fein gehackt
1 Bund Minze, Blätter abgezupft und gehackt
1 Bund Petersilie, Blätter abgezupft und gehackt
abgeriebene Schale und Saft von 1 unbehandelten Zitrone
200 g Feta
natives Olivenöl extra von guter Qualität
Meersalz und frisch gemahlener schwarzer Pfeffer

Die Zucchini in eine große Schüssel raspeln. Die gehackte Chili, Minze und Petersilie, die Schale und den Saft der Zitrone hinzugeben und den Feta darüberkrümeln. Ein paar Esslöffel hochwertiges Olivenöl zugeben und alles gut vermischen.

Bevor die Pasta abgegossen wird, eine halbe Tasse Kochwasser abnehmen. Die Pasta abgießen und zurück in den Topf geben, dann die Zucchinimischung und je eine kräftige Prise Salz und Pfeffer hinzufügen. Einen kleinen Spritzer Nudelkochwasser unterrühren, damit sich eine Art Sauce bildet. Den Topf auf den Esstisch stellen, damit sich alle selbst bedienen können.

SOMMER-SPAGHETTI »POMODORO«

400 g Spaghetti (ich nehme hier gern Buchweizenspaghetti) – siehe Anleitung zum Pastakochen
Olivenöl
2 Knoblauchzehen, geschält und in feine Scheiben geschnitten
1 Bund Basilikum, Blätter abgezupft, Stängel gehackt
500 g reife Kirsch- oder Rispentomaten, Kirschtomaten halbiert, Rispentomaten gehackt
Meersalz
gutes Olivenöl zum Fertigstellen
Parmesan oder Pecorino (nach Belieben)

Eine große Pfanne erhitzen und einen ordentlichen Spritzer Olivenöl hineingeben. Wenn das Öl warm, aber noch nicht zu heiß ist, den Knoblauch hineingeben und bei mittlerer Temperatur anbraten, bis er gerade eben am Rand anzubräunen beginnt. Die Basilikumstängel zugeben und in der Pfanne schwenken. Danach die Tomaten und eine kräftige Prise Salz hinzufügen und 10 Minuten bei mittlerer Temperatur erhitzen, bis sie zerfallen und zu einer süßen, dickflüssigen Sauce eingekocht sind.

Sobald die Pasta fertig ist, eine Tasse Kochwasser abnehmen, die Pasta abgießen und zur Tomatensauce geben. Alles vermischen, nach Bedarf etwas Nudelkochwasser untermischen. Die Basilikumblätter zerzupfen und darüberstreuen.

Sofort servieren, dazu mit hochwertigem Olivenöl beträufeln und nach Belieben mit geriebenem Parmesan oder Pecorino bestreuen.

WAS SCHMECKT NOCH DAZU?
· 1 Esslöffel Harissa und einige entsteinte schwarze Oliven
· 1 Esslöffel geröstete Fenchelsamen und etwas in Streifen geschnittener Grünkohl
· 1 Esslöffel Koriandersamen und etwas zerbröselter Feta
· 1 Esslöffel Kapern, 1 Handvoll grüne Oliven und etwas Oregano
· ein paar Handvoll Tiefkühlerbsen und etwas frische Minze
· 1 Esslöffel Za'tar (siehe Seite 129) und etwas gerösteter Kürbis
· 200 g klein geschnittene grüne Bohnen und etwas getrockneter Chili
· einige in lange Streifen gehobelte Zucchini und etwas zerkrümelter Ziegenkäse

Spaghetti mit Avocado und Zitronenschale

Bei uns ist das Abendessen fast immer eine schnelle Angelegenheit, trotzdem muss es in puncto Aroma und Nährstoffe top sein – kein Problem bei diesem Gericht.

Ich nehme gerne Vollkornspaghetti, da diese besonders gut zu Avocado passen. Vollkornspaghetti nehmen mehr Öl auf als andere Spaghetti, daher ist es eventuell notwendig, am Ende etwas mehr Öl hinzuzufügen.

Ich bevorzuge Kapern, die in Lake eingelegt sind. Ich empfinde die in Salz eingelegten als zu salzig, auch nach dem Abwaschen. Nehmen Sie die, die Sie am liebsten mögen, denken Sie jedoch daran, dass Kapern generell salzig sind – also immer eher sparsam salzen.

Oft kröne ich das Nudelgericht mit einem pochierten Ei, teils um es sättigender zu machen, teils wegen der sonnengelben Sauce, die es der Pasta beschert. Unbedingt einen Versuch wert.

FÜR 4 PERSONEN

Meersalz und frisch gemahlener schwarzer Pfeffer

400 g Spaghetti nach Wahl (ich nehme Vollkornspaghetti, aber Pasta aus Reis, Quinoa oder normale Spaghetti funktionieren hier genauso)

Olivenöl

4 EL Kapern in Lake, grob gehackt

1 Knoblauchzehe, geschält und in sehr dünne Scheiben geschnitten

abgeriebene Schale von 2 unbehandelten Zitronen

Saft von ½ Zitrone

1 Bund Basilikum, Blätter abgezupft

1 Bund Petersilie, Blätter abgezupft

2 reife Avocados

Basilikumblätter zum Bestreuen (nach Belieben)

• Einen großen Topf mit Wasser füllen, eine kräftige Prise Salz hinzufügen. Das Wasser zum Kochen bringen, die Pasta hineingeben und 8 bis 10 Minuten – oder nach Packungsanweisung – kochen, bis sie perfekt al dente ist.

• In einer großen Pfanne bei niedriger Temperatur etwas Olivenöl erhitzen. Kapern und Knoblauch zugeben und anbraten, bis der Knoblauch an den Rändern sehr leicht anzubräunen beginnt. Vom Herd nehmen und die Zitronenschale hinzufügen.

• Die Kräuter hacken und zugeben. Die Avocado halbieren, vom Stein befreien, dann das Fruchtfleisch mit einem Messer längs und quer bis zur Schale einschneiden, sodass es quasi in der Schale zerkleinert wird. Mit einem Löffel die Fruchtfleischstückchen aus der Schale lösen, in die Pfanne geben und umrühren, damit sich die Aromen miteinander vermischen.

• Bevor die Pasta abgegossen wird, eine halbe Tasse Kochwasser abnehmen. Die Spaghetti abgießen und mit etwas Kochwasser und einem guten Schuss Olivenöl in die Pfanne geben. Probieren und bei Bedarf mit Salz, Pfeffer und Zitronensaft abschmecken. Die Pasta in Teller oder Schüsseln verteilen, nach Belieben mit Basilikum bestreuen und genießen.

Sushi in der Schüssel mit Grünkohl und schwarzem Sesam

Dies ist Essen in seiner puren Form. Nussiger Vollkorn-Sushireis bildet die wohltuende Basis für eine bunte, beglückende Auswahl knackiger, spritziger, geradliniger Aromen, ein Fest für die Geschmacksknospen. Genau das, was ich mir an einem Wochentag zum Mittagessen wünsche, wenn ich etwas brauche, das mich für den Rest des Tages fit hält. In London gibt es einige japanische Restaurants, die eine mit Reis, Avocado und Algen gefüllte Bentobox zum Mitnehmen anbieten – ein Angebot, das ich gern und oft nutze.

Wenn ich jedoch zu Hause bin oder am Vorabend genug Zeit habe, bereite ich dieses Gericht zu, es schmeckt kalt und warm. Das Rezept ist für zwei Personen, es lässt sich jedoch gut als Abendessen für vier Personen verdoppeln, die perfekte leichte Mahlzeit an einem Sommerabend.

Schwarze Sesamsamen haben eine dunkle blau-schwarze Färbung und einen ausgeprägteren und intensiveren Sesamgeschmack als ihre hellen Kollegen. Schwarzer Sesam enthält einen hohen Anteil an Vitamin E und Antioxidanzien. Ich kaufe schwarzen Sesam in Geschäften mit chinesischem oder japanischem Lebensmittelangebot. Falls Sie keinen auftreiben können, nehmen Sie stattdessen kräftig gerösteten hellen Sesam.

FÜR 2 PERSONEN

200 g Vollkorn-Sushireis (Vollkorn-Rundkornreis; oder normaler Naturreis)

Meersalz

2 Handvoll gepalte Tiefkühl-Edamame (etwa 120 g)

1 großer Granatapfel

1 Spritzer Sesamöl

2 große Handvoll Grünkohl oder Frühkohl, Mittelrippe entfernt und Blätter in feine Streifen geschnitten

4 Nori-Blätter, in Stücke gezupft

2 EL schwarze Sesamsamen

1 kleines Bund Koriandergrün, Blätter abgezupft und gehackt

1 Avocado, in Stücke geschnitten und mit Limettensaft beträufelt

FÜR DAS DRESSING

abgeriebene Schale und Saft von 1 unbehandelten Zitrone

abgeriebene Schale und Saft von ½ unbehandelten Orange

1 EL Honig oder Agavendicksaft

2 EL Sojasauce oder Tamari

1 EL japanischer Reisessig

• Den Reis in einem Sieb unter fließendem kaltem Wasser abspülen, um Stärke zu entfernen, dann mit einer Prise Salz in einen Topf geben und mit dem doppelten Volumen (etwa 400 ml) Wasser bedecken. Zum Kochen bringen, die Temperatur senken und den Reis bei aufgelegtem Deckel 45 Minuten simmern lassen, bis das gesamte Wasser absorbiert und der Reis vollständig gar ist. Bei Bedarf immer wieder mit heißem Wasser auffüllen, damit der Reis nicht austrocknet. Falls normaler Naturreis verwendet wird, diesen nach Packungsanweisung garen.

• Inzwischen die Edamame-Bohnen zum Auftauen in eine Schüssel geben und mit kochendem Wasser bedecken. 10 Minuten stehen lassen.

• Den Granatapfel halbieren. Ein Sieb auf einen Krug setzen, die eine Granatapfelhälfte mit der Schnittfläche nach unten in die Hand nehmen und über dem Krug ausdrücken, dabei den Saft durch die Finger in den Krug laufen lassen. Beiseitestellen.

• Die andere Granatapfelhälfte mit der Schnittfläche nach unten über eine saubere Schüssel halten. Mit einem Holzlöffel auf die Oberseite klopfen, sodass die Kerne durch die Finger in die Schüssel fallen. Falls die Kerne sich nur schwer lösen, etwas kräftiger klopfen. Wenn alle Kerne in der Schüssel gelandet sind, die Schalen wegwerfen und alle Stückchen der weißen Zwischenhäute herausfischen, die mit in die Schüssel gefallen sind.

• Eine Pfanne bei mittlerer Temperatur erhitzen. Einen Spritzer Sesamöl hineingeben und den Grünkohl oder Frühkohl einige Minuten anbraten, dann die Nori-Stücke hinzufügen und 1 Minute mit anrösten. Vom Herd nehmen und abgedeckt warm halten.

• Die Dressingzutaten in den Krug mit dem Granatapfelsaft geben und gründlich vermischen.

• Sobald er gar ist, den Reis abgießen und mit dem Großteil des Dressings beträufeln. Die Hälfte der schwarzen Sesamsamen hinzufügen und alles vermischen, sodass das Dressing die Reiskörner überzieht.

• Den Reis auf zwei Schüsseln verteilen, die Edamame-Bohnen, die Granatapfelkerne, den warmen Grünkohl, das gehackte Koriandergrün, die Avocadostücke und die restlichen schwarzen Sesamsamen in kleinen Häufchen in die Schüssel geben und mit dem übrigen Dressing beträufeln.

• Genießen und wohlfühlen.

Linsen und Rote Beten mit Salsa verde

Ein einfaches Abendessen, bei dem jedoch viel geboten ist. Rote Beten und Linsen werden hier einfach, aber sorgfältig auf meine Lieblingsart zubereitet. Mit einem Klecks Salsa verde obendrauf hat das Gericht alles, was es braucht, um unter die Top Fünf meiner liebsten Abendessen zu kommen.

Linsen auf diese Weise zuzubereiten ist eine Offenbarung: Die Tomaten, der Knoblauch und der Lorbeer verbinden sich mit ihnen zu einer hocharomatischen Angelegenheit. Falls Sie Linsen so noch nie gegessen haben, müssen Sie es unbedingt ausprobieren – es werden die besten Linsen sein, die Sie je auf dem Teller hatten. Verwenden Sie unbedingt Puy-Linsen, da sie einen besonders kräftigen Geschmack besitzen und beim Kochen ihre Form behalten.

Falls Rote Bete keine Saison hat, die Linsen mit gedämpftem Brokkoli, geröstetem Kürbis oder Knollensellerie servieren. Ab und zu garniere ich das Gericht auch mit Ziegenquark oder Ziegenkäse oder mit gutem griechischem Sahnejoghurt.

FÜR 4 PERSONEN

FÜR DIE ROTEN BETEN
8 mittelgroße Rote, gelbe oder Ringel-Beten, geschält und geviertelt
4 EL Rotweinessig
natives Olivenöl extra
Meersalz und frisch gemahlener schwarzer Pfeffer

FÜR DIE LINSEN
400 g Puy-Linsen, gewaschen
4 Knoblauchzehen
1 kleine Tomate
1 Lorbeerblatt
einige Zweige Thymian
1 l Gemüsebrühe

FÜR DIE SALSA VERDE
2 EL Kapern (35 g)
2 EL Cornichons (50 g)
1 Bund Minze
1 Bund Petersilie
1 Bund Basilikum
natives Olivenöl extra
Saft von ½ Zitrone

- Den Backofen auf 180 °C (160 °C Umluft/Gas Stufe 6) vorheizen.

- Die geviertelten Roten Beten mit dem Essig, einem kräftigen Schuss Olivenöl und einem Spritzer Wasser auf ein Backblech legen, mit Salz und Pfeffer würzen und alles vermischen. Mit Folie abdecken und 1 Stunde im Ofen backen, bis die Roten Beten gar und der ausgetretene Saft knallpink ist.

- Inzwischen die Linsen zubereiten. Mit dem ungeschälten Knoblauch, der ganzen Tomate und den Kräutern in einen Topf geben. Knapp mit Gemüsebrühe bedecken, bei mittlerer Temperatur zum Simmern bringen, dann 20 bis 25 Minuten sanft köcheln lassen, bis die Linsen gar sind und das Wasser verdampft ist. Falls sie zu trocken erscheinen, nach Bedarf mit etwas kochendem Wasser auffüllen.

- Als Nächstes die Salsa verde zubereiten. Dazu auf einem großen Brett die Kapern und die Cornichons sehr klein hacken, dann die Kräuter zugeben und das Ganze nochmals hacken, bis eine feine grüne Masse entstanden ist. Alles in eine Schüssel geben, 3 Esslöffel Olivenöl und den Zitronensaft hinzufügen.

• Mit Salz und Pfeffer würzen, probieren und nach Belieben abschmecken. Mehr Öl? Mehr Salz? Mehr Zitrone?

• Sobald die Linsen gar sind und das Wasser verdampft ist, die Tomate und die Knoblauchzehen herausfischen und zum Abkühlen in eine Schüssel legen. Wenn sie so weit abgekühlt sind, dass man sie anfassen kann, die Knoblauchzehen aus der Schale drücken, wieder in die Schüssel mit der Tomate geben und alles mit einer Gabel zerdrücken. Die Tomaten-Knoblauch-Paste unter die Linsen rühren. Probieren, mit Salz und Pfeffer abschmecken, dann einen kräftigen Schuss Olivenöl und einen Spritzer Rotweinessig hinzufügen.

• Wenn die Roten Beten fertig sind, die Linsen auf Teller verteilen, mit der Roten Bete belegen und mit dem Garsud beträufeln. Zum Schluss die Salsa verde darübergeben. Falls Salsa verde übrig bleibt: Sie ist in einem Einmachglas im Kühlschrank 2 bis 3 Tage lang haltbar.

Salsa verde schmeckt auch
· als Marinade für Gemüse oder Tofu
· auf Mozzarella oder gebackenen Feta gestrichen
· als Dressing für Körner oder Bohnen
· anstelle von Pesto unter Pasta gemischt
· als grüner Klecks in einer einfachen Suppe
· als Dip mit einem guten Röstbrot

Pizzette mit süßen roten Zwiebeln und Haselnüssen

Diese kleinen Pizzette lassen sich durchaus der Rubrik Pizza zuordnen, allerdings werden sie mit Dinkelmehl zubereitet, was ihnen einen kräftigeren, leicht nussigen Geschmack verleiht. Außerdem werden Haselnüsse unter den Teig geknetet, die während des Backens rösten, wodurch er eine erstaunlich süß-nussige Note erhält.

Die Intensität des Dinkel-Haselnuss-Bodens bildet einen reizvollen Kontrast zu den puren, frischen Aromen des Ziegenkäse-Karamellzwiebel-Belags und dem Grün des gegarten Blattspinats. Ich bereite die Pizzette gern für eine größere Gästeschar zu oder mit einem einfachen Salat als ungezwungenes Abendessen.

FÜR 8 PIZZETTE

FÜR DEN TEIG

550 g helles Dinkelmehl (Weizenmehl Type 550/Brotmehl eignet sich ebenfalls)

1 TL Meersalz (10 g)

1 TL oder 1 Päckchen Trockenhefe (15 g)

1 große Handvoll geröstete Haselnüsse, zerstoßen

260 ml warmes Wasser

50 ml Rapsöl plus etwas mehr zum Einölen

FÜR DEN BELAG

3 rote Zwiebeln, geschält und in Scheiben geschnitten

Olivenöl

400 g Blattspinat

1 kräftige Prise frisch gemahlene Muskatnuss

1 Knoblauchzehe, geschält

1 Bund Majoran oder Oregano, Blätter abgezupft

6 EL Rapsöl

250 g Ziegenfrischkäse oder Ricotta

1 kräftige Prise Salz

• Alle trockenen Teigzutaten in eine Rührschüssel abwiegen. Das warme Wasser nach und nach zugießen, die Zutaten dabei ununterbrochen verkneten. Das Öl ebenfalls nach und nach zugeben. Alle Zutaten verkneten, bis sie sich zu einem Teig verbunden haben. Dabei kann die Küchenmaschine helfen: entweder mit Rührschüssel und Knethaken oder im mit Schneidmessern ausgestatteten Mixbehälter.

• Den Teig kneten, bis er elastisch und sehr dehnbar geworden ist. Dies dauert von Hand etwa 15 Minuten und mit der Küchenmaschine 10 Minuten. Die Knetdauer bitte nicht reduzieren, da der Teig erst dadurch richtig gut wird.

• Wenn er sich zu einer geschmeidigen, glatten, elastischen Kugel formen lässt, den Teig in die Rührschüssel legen, abdecken und an einem warmen Ort etwa 1 Stunde gehen lassen, bis sich sein Volumen verdoppelt hat.

• Nach dem Gehen den Teig auf die saubere Arbeitsfläche legen und in acht gleiche Portionen teilen. Jede Portion zu einer festen kleinen Kugel rollen.

• Eine großzügige Menge Rapsöl in einen großen Bräter geben und die Teigkugeln darin herumrollen, sodass sie rundherum mit Öl überzogen sind. Das verhindert, dass sie beim Gehen aneinanderkleben, zudem verleiht es dem Pizzaboden eine lockere Kruste. Den Bräter mit den Pizzateigkugeln abgedeckt an einen warmen Ort stellen und die Teigkugeln nochmals 30 Minuten gehen lassen.

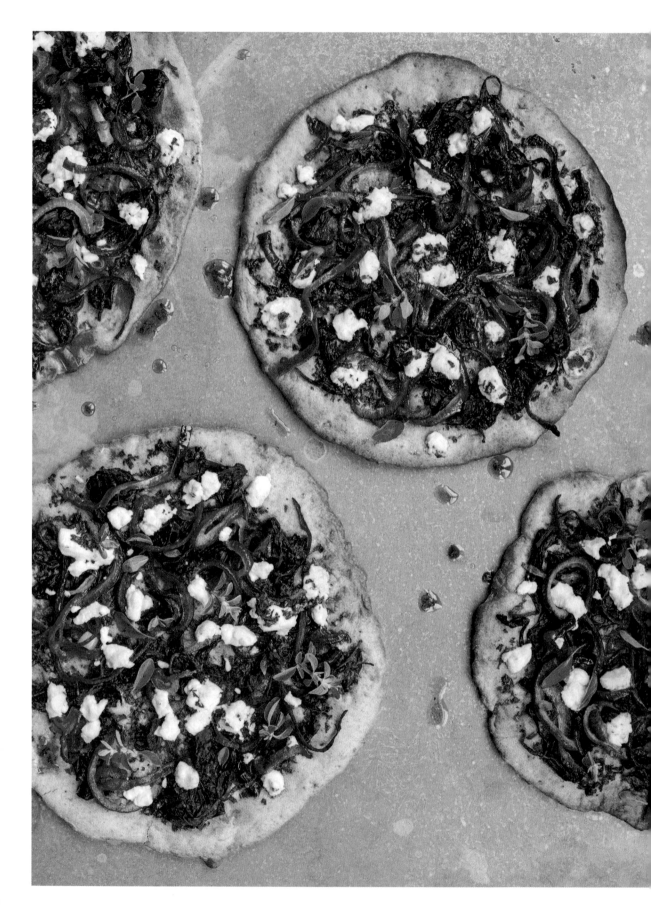

- Inzwischen den Backofen auf höchster Stufe vorheizen – alles, was 240 °C (220 °C Umluft/Gas Stufe 9) überschreitet, ist ideal. Einen Pizzastein oder ein schweres Backblech zum Aufheizen in den Ofen schieben.

- Nun zum Belag. Die Zwiebeln in etwas Olivenöl bei niedriger Temperatur etwa 15 Minuten anbraten, bis sie weich und süß geworden sind. Den Blattspinat und die Muskatnuss hinzufügen, beiseitestellen. Den Knoblauch mit dem Majoran fein hacken und mit dem Öl vermischen.

- Nachdem sie 30 Minuten gegangen sind, die Pizzateigkugeln zu Kreisen ausrollen, dabei kleine Risse im Teig, die eventuell durch die zerstoßenen Haselnüsse entstehen, wieder verschließen. Die Teigböden mit dem Majoranöl bestreichen, die Spinatmischung darauf ausbreiten und den Ziegenfrischkäse oder den Ricotta in kleinen Portionen darüber verteilen. Auf dem Pizzastein oder Backblech 8 bis 10 Minuten backen. Die Pizzette essen, sobald sie etwas abgekühlt sind.

Wok-Spargel mit gerösteten Cashews

Ich bin ganz verrückt nach diesem Wokgericht, das es bei mir oft zum Abendessen gibt. Es ist frisch, grün und ganz großes Aromakino! Ein superschnell gezaubertes Essen, das in 10 Minuten auf dem Tisch steht. Servieren Sie es mit Naturreis oder asiatischen Nudeln – ich mag Soba-Nudeln, aber Reis- oder Eiernudeln passen auch gut.

Ganz wichtig beim Garen im Wok: Alles muss vorbereitet sein und bereitstehen, wenn Sie mit dem Kochen loslegen. Dieses Rezept ist für zwei Personen vorgesehen, da der Wok beim Pfannenrühren nicht zu voll sein darf. Falls Sie eine größere Menge zubereiten möchten, tun Sie das am besten in mehreren Portionen. Im Herbst und im Winter mache ich das Gericht mit Brokkoli und Grünkohl oder winterlichem Blattgemüse, manchmal werfe ich auch ein paar Sesamsamen mit hinein.

FÜR 2 PERSONEN

Sesamöl

6 Frühlingszwiebeln, in Ringe geschnitten

1 daumengroßes Stück Ingwer, geschält und fein gehackt

1 Bund grüner Spargel, Enden abgebrochen, Stangen in 2 cm lange Stücke geschnitten

200 g Zuckerschoten oder halbierte grüne Bohnen

einige große Handvoll Blattspinat oder in Streifen geschnittener Frühkohl

1 Prise Chiliflocken

1 EL Ahornsirup

1 EL Sojasauce

abgeriebene Schale und Saft von 1 unbehandelten Limette

1 kleines Bund Minze oder Koriandergrün oder beides, grob gehackt

1 große Handvoll Cashewkerne, geröstet

• Die größte Pfanne oder einen Wok erhitzen, einen Spritzer Sesamöl hineingeben. Die Frühlingszwiebeln und den Ingwer hinzufügen und 1 bis 2 Minuten anbraten, dann den Spargel und die Zuckerschoten oder Bohnen zugeben und einige Minuten unter Rühren anbraten, bis sie nicht mehr roh sind. Den Blattspinat oder das Blattgemüse hinzufügen und unter Rühren zusammenfallen lassen.

• Als Nächstes die Chiliflocken, den Ahornsirup, die Sojasauce, den Limettensaft und die -schale zugeben und weitere 1 bis 2 Minuten braten.

• Vom Herd nehmen, die Kräuter untermischen und das Gericht mit den Cashewkernen bestreuen. Sofort mit Reis oder asiatischen Nudeln servieren.

Emmer mit Ofenlauch und rauchig süßer Romesco-Sauce

Wenn es nach mir ginge, käme diese rauchig würzig-süße katalanische Sauce täglich auf den Tisch. Das Rezept ergibt genug für dieses Abendessen und ein Einmachglas voll, das etwa eine Woche lang im Kühlschrank haltbar ist.

Emmer zählt zu meinen liebsten Getreidesorten – er besitzt eine kernige, fast gummiartige Konsistenz, die dem Gaumen schmeichelt. Emmer enthält deutlich weniger Gluten als die meisten anderen Getreidesorten. Falls Sie unter einer nur leicht ausgeprägten Glutenunverträglichkeit leiden, vertragen Sie ihn vielleicht. Er wird in den meisten Bioläden und guten Supermärkten angeboten. Falls Sie ihn nicht bekommen, eignen sich hier auch Perlgraupen, Bulgur oder Quinoa – Sie haben die Wahl. Sie müssen nur die Garzeiten entsprechend anpassen (siehe Seiten 188 bis 189).

Verwenden Sie die besten eingelegten spanischen Röstpaprikas, die Sie bekommen können – halten Sie nach der Sorte Piquillo Ausschau. Falls Sie keinen Babylauch bekommen, nehmen Sie normalen Lauch. Diesen waschen, putzen, längs halbieren und in 3 cm lange Stücke schneiden.

FÜR 4 BIS 6 PERSONEN UND ETWAS MEHR ROMESCO-SAUCE

1 Butternusskürbis, Kerne entfernt und in nicht zu kleine Stücke geschnitten
12 Babylauch, gewaschen und geputzt
1 unbehandelte Zitrone
200 g Emmer (Zweikorn)
einige Stängel Petersilie, Blätter abgezupft

FÜR DIE ROMESCO-SAUCE
100 g blanchierte Mandeln
50 g Haselnüsse
Olivenöl
2 Scheiben (etwa 40 g) gutes altbackenes Weißbrot, in Stücke gezupft
2 Knoblauchzehen, geschält und fein gehackt
1 TL mildes geräuchertes Paprikapulver (Pimentón de la Vera dulce)
1 Glas geröstete rote Paprika (220 g), abgetropft (siehe Seite 91 für eine Anleitung zum Selbströsten)
6 EL natives Olivenöl extra
2 EL Sherryessig
1 kleiner getrockneter Chili, zerbröselt, oder 1 Prise Chiliflocken
1 großzügige Prise Safranfäden
1 EL Tomatenmark
Meersalz und frisch gemahlener schwarzer Pfeffer

- Den Backofen auf 200 °C (180 °C Umluft/Gas Stufe 6) vorheizen.

- Zuerst die Romesco-Sauce zubereiten. Dazu die Mandeln und Nüsse auf einem Backblech verteilen und 10 bis 15 Minuten im heißen Ofen goldbraun rösten. Inzwischen etwas Olivenöl in einer Pfanne erhitzen und die Brotstücke darin rundherum goldbraun anbraten. Den Knoblauch und das geräucherte Paprikapulver hinzufügen und 1 weitere Minute anbraten, dann vom Herd nehmen.

- Die gerösteten Nüsse aus dem Backofen nehmen – diesen nicht ausschalten – und mit den Brotstücken in den Mixbehälter der Küchenmaschine geben. Die Paprikas zugeben und alles zu einer groben Paste pürieren, die noch stückig sein soll.

- Die Paste in eine Rührschüssel geben, das Olivenöl, den Sherryessig, den zerbröselten Chili, den Safran und das Tomatenmark unterrühren. Mit Salz und Pfeffer würzen, gut vermischen und abschmecken. Bei der Romesco-Sauce dreht sich alles darum, die intensiven Aromen ins Gleichgewicht zu bringen. Zu dickflüssig? Etwas Wasser zugeben. Zu süß? Noch etwas Essig. Zu sauer? Mit Öl verdünnen. Zum Durchziehen beiseitestellen.

• Als Nächstes den Kürbis und den Lauch auf ein großes Backblech legen. Mit etwas Öl beträufeln, die Zitronenschale darüberreiben und mit Salz und Pfeffer würzen. Im Ofen 30 Minuten rösten, bis sich der Kürbis hell goldbraun gefärbt hat und der Lauch ein süßes Aroma angenommen hat. Inzwischen den Emmer 35 bis 40 Minuten in gesalzenem kochendem Wasser garen, bis er weich ist, aber noch einen leicht gummiartigen Biss hat.

• Den Emmer abgießen, mit dem gerösteten Kürbis, dem Lauch und ein paar Esslöffeln Romesco-Sauce vermischen und zum Schluss großzügig mit Petersilie bestreuen.

Romesco-Sauce schmeckt auch
· als schneller Snack auf Röstbrot gestrichen und mit etwas Ziegenkäse belegt.
· als Dip zu Babykarotten und Frühlingsgemüse.
· als Marinade für Grillgemüse.
· großzügig über Röstgemüse gelöffelt als Aromabombe.
· mit gebratenem Gemüse unter asiatische Nudeln gemischt.
· unter Naturreis gerührt und mit einem pochierten Ei gekrönt.
· zum Frühstücksei.
· mit Fladenbrot und Feta als schnelles und einfaches Mittagessen.
· als i-Tüpfelchen in einem Teller Suppe.

Grüne Gemüsepuffer

Diese Puffer habe ich auf einer Piemontreise probiert. Nach einem reichhaltigen Frühstück aus regional hergestelltem Käse, Brot und dunklem Melata-Honig (Honigtau-Waldhonig) bekamen wir einen ganzen Stapel davon vorgesetzt, den wir prompt auch noch verputzten.

Den Weg vom Schneidbrett zum Esstisch legen diese Puffer in gerade mal 10 Minuten zurück, daher fällt meine Wahl oft auf sie, wenn ich spät nach Hause komme. Dazu schmeckt ein grüner Blattsalat mit Senfdressing. Auch ein guter Einstieg in eine Mahlzeit, wenn eine größere Runde am Tisch sitzt – die Puffer lassen sich gut bei niedriger Temperatur im Backofen warmhalten und können daher im Voraus zubereitet werden.

Ich verwende immer gern das grüne Gemüse, das gerade Saison hat. Meine beiden Lieblingskombis sind jedoch Zucchini–Blattspinat–Basilikum und violetter Brokkoli–grünes Blattgemüse–Dill. Im Grunde ist jedes grüne Blattgemüse mit kurzer Garzeit geeignet. Bei Weichkäse nehme ich den, der gerade problemlos erhältlich ist, was bedeutet, dass häufig Feta den Zuschlag bekommt. Halten Sie Ausschau nach Robiola, einem Schafskäse aus dem Piemont, der die Puffer in höhere Sphären erhebt.

FÜR 4 PERSONEN (12 PUFFER)

250 g Zucchini, geraspelt, oder Brokkoli, fein gehackt

2 Handvoll (etwa 100 g) Blattspinat oder Frühkohl, in Streifen geschnitten

4 EL krümeliger Weichkäse (Feta, Robiola, Ziegenkäse)

25 g Parmesan oder Pecorino, frisch gerieben (siehe Anmerkung auf Seite 140)

½ Knoblauchzehe, geschält und fein gehackt

einige Stängel Dill oder Basilikum, grob gehackt

abgeriebene Schale von 1 unbehandelten Zitrone

Meersalz und frisch gemahlener schwarzer Pfeffer

5 Bio- oder Freilandeier

Olivenöl

• Das gesamte geraspelte, gehackte und in Streifen geschnittene Gemüse in eine Schüssel geben. Den Käse darüberkrümeln, Knoblauch, Kräuter, Zitronenschale und je eine kräftige Prise Salz und Pfeffer hinzufügen und alles vermischen. Die Eier aufschlagen und ebenfalls zugeben.

• Eine große Pfanne bei mittlerer Temperatur auf den Herd stellen, einen großzügigen Schuss Olivenöl hineingeben – bei diesem Rezept bitte nicht mit Olivenöl sparen.

• Sobald das Öl heiß ist, vorsichtig einige Löffel Teig in die Pfanne geben und zu kleinen Puffern glatt streichen. 2 bis 3 Minuten anbraten, dann behutsam wenden und auf der anderen Seite 2 Minuten anbraten, bis das Ei vollständig durchgegart ist.

• Auf einen Teller legen und bei niedriger Temperatur bis zum Essen warmstellen.

• Zum Servieren ein paar Puffer auf einen Teller legen, daneben einen frischen Blattsalat mit einem Dressing aus Zitrone, Öl und etwas Senf anrichten.

Rote-Bete-Curry mit würzigem Hüttenkäse

Mein indisches Stammlokal ist unglaublich. Dort wird überirdisch gute vegetarische Küche aus Kerala serviert, die ich sehr liebe. Großartige Chiliaromen, umhüllt von sanfter Kokosmilch. Das lebhaft pinkfarbene Interieur und das köstliche Essen bringen auch in den verregnetsten Londoner Tag ein paar Sonnenstrahlen.

Die Idee mit der Roten Bete habe ich von einer Reise nach Kerala mitgebracht, wo ich das Vergnügen hatte, mit einer wunderbaren Dame namens Leelu kochen zu dürfen. Dies ist meine Variante eines Rote-Bete-*thoran*, das wir damals zubereitet hatten, ein Rote-Bete-Curry mit reichlich Kokosnuss, mit Curryblättern, Zitrone und Blattspinat. Die Menge an Kokosraspeln mag Ihnen übertrieben erscheinen, aber vertrauen Sie mir: Damit die Süße der Kokosnuss durch das erdige Aroma der Roten Bete dringen kann, ist diese Menge nötig.

Mit dem gewürzten Hüttenkäse habe ich mir hier mein persönliches kleines i-Tüpfelchen ausgedacht – Rote Bete und Hüttenkäse sind eine himmlische Kombination! Anstelle des Hüttenkäses können Sie auch Kokosnuss- oder Sojajoghurt verwenden.

FÜR 4 BIS 6 PERSONEN

2 EL Kokosöl oder Sonnenblumenöl

1 Handvoll (etwa 20 Stück) Curryblätter

2 EL Senfsamen

2 TL Kreuzkümmelsamen

1 TL gemahlene Kurkuma

1 EL Currypulver

4 Bananenschalotten oder 8 kleine Schalotten, geschält und in dünne Scheiben geschnitten

1–2 grüne Chilis, fein gehackt

2 Knoblauchzehen, geschält und durchgepresst

1 daumengroßes Stück Ingwer, geschält und klein gehackt

10 EL Kokosraspel

1 TL Meersalz

Saft von 2 Zitronen

1 kg Rote Beten mit Stängeln und Blättern, die Knollen geschält und grob geraspelt, die Stängel und Blätter gewaschen und klein gehackt

200 ml Kokosmilch

250 g gewaschener junger Blattspinat

frisch gemahlener schwarzer Pfeffer

200 g Hüttenkäse

1 kleines Bund Koriandergrün, die Blätter grob gehackt

• Das Öl bei mittlerer Temperatur in einem großen Topf erhitzen, die Curryblätter, die Senfsamen und die Kreuzkümmelsamen hineingeben und anbraten, bis sie zu duften beginnen. Vorsicht, die Senfsamen hüpfen in der Pfanne.

• Die Kurkuma, das Currypulver, die Schalotten, die Chilis, den Knoblauch und den Ingwer hinzufügen und anbraten, bis die Schalotten glasig geworden sind. Kokosraspel und Salz zugeben und einige Minuten unter ständigem Rühren anbraten. Als Nächstes die Hälfte des Zitronensafts zugießen und gründlich unterrühren. Von der Mischung einen Esslöffel abnehmen, in eine Schüssel geben und beiseitestellen.

• Die geraspelten Roten Beten mitsamt Stängeln und Blättern in den Topf geben. Die Kokosmilch zugießen, die Temperatur erhöhen und umrühren, bis sich alles gleichmäßig rot gefärbt hat. Zum Kochen bringen, die Temperatur senken, den Deckel auflegen und das Curry 35 bis 45 Minuten simmern lassen.

- Sobald die Rote Bete weich geworden ist, den Herd ausschalten, den Spinat hinzufügen und unterrühren, bis er zusammengefallen ist. Die Hälfte des übrigen Zitronensaftes dazugeben. Probieren und bei Bedarf mit etwas Salz und Pfeffer abschmecken, dann den Deckel wieder auflegen.

- In einer anderen Schüssel den Hüttenkäse mit der beiseitegestellten Kokos-Gewürz-Mischung und dem Koriandergrün verrühren. Den restlichen Zitronensaft hinzufügen und das Curry nach Belieben abschmecken.

- Das Rote-Bete-Curry mit einem Löffel gewürztem Hüttenkäse und warmen Chapati servieren. Für den ganz großen Hunger noch etwas gedämpften Naturreis dazu servieren.

Asia-Nudeln mit knackigem Kohl und knusprigem Tofu

Dieses Gericht trifft genau meinen Geschmack: pur, geradlinig, aromatisch, aber auch herzhaft – eine Schüssel voller Farbe und Aroma, genau das, was alle, die ich kenne, gerne essen. Noch ein wirklich fix gekochtes Abendessen, das von der Vorbereitung bis auf den Teller 15 Minuten benötigt, wenn Sie zügig arbeiten, und 20 Minuten, wenn Sie es locker angehen.

Ich verwende hier Räuchertofu, den ich ebenfalls gerne für Sandwiches, Eintöpfe und zu Naturreis nehme. Der rauchige Sesamgeschmack wird auch Tofuhasser überzeugen. Was ich jedoch am meisten an ihm schätze, ist, dass er zuverlässig und einfach zuzubereiten ist. Guter Tofu ist nicht immer leicht zu finden, was manche Leute davon abhält, überhaupt damit zu kochen, da die Zubereitung vieler Sorten nicht immer vom gewünschten Erfolg gekrönt ist. Dieser Tofu ist fest, leicht zu schneiden und lässt sich in einer antihaftbeschichteten Pfanne in 1 bis 2 Minuten schön knusprig braten.

Meine Empfehlung für die Soba-Nudeln: 100 Prozent Buchweizen. Allerdings kann diese Sorte recht teuer sein, daher kaufe ich oft die normalen Soba-Nudeln, die aus einer Mischung aus Buchweizen- und Weizenmehl bestehen. Buchweizen ist übrigens kein Getreide, sondern ein Cousin des Rhabarbers, kann aber wie Getreide verwendet werden. Buchweizen ist unzerkleinert für Porridge erhältlich oder findet als Korn Verwendung in Suppen und Salaten. Natürlich kann das Mehl für Pancakes, beim Backen und – am bekanntesten – zu Blinis verarbeitet werden. Es besitzt einen kräftigen nussigen Geschmack, leicht malzig und einfach köstlich. Genau wie Quinoa ist auch Buchweizen ein guter Eiweißlieferant.

FÜR 2 PERSONEN

etwa 200 g kleine Brokkoliröschen, Stängel geputzt, oder ein anderes grünes Gemüse

200 g Soba-Nudeln

¼ von einem kleinen Rotkohl, in feine Streifen geschnitten

Meersalz

2 EL Reisessig aus Genmai-Vollreis

3 EL Ahornsirup oder Agavendicksaft

Oliven- oder Rapsöl

200 g Räuchertofu (ich nehme die Variante mit Mandeln und Sesam), in 1 cm große Stücke geschnitten

1 EL Sesamsamen

6 Frühlingszwiebeln, in dünne Ringe geschnitten

1 TL Sesamöl

1 EL Sojasauce oder Tamari

Saft von 1 Zitrone

1 kleine Handvoll geröstete Sesamsamen

1 kleines Bund Koriandergrün, grob gehackt

• Einen mit Wasser gefüllten Topf zum Kochen bringen, den Brokkoli hineingeben und einige Minuten leise köcheln lassen, bis er nicht mehr roh ist. Nicht länger garen lassen, er soll ruhig noch etwas Biss haben.

• Den Brokkoli mithilfe eines Sieblöffels aus dem Wasser heben, den Topf mit dem Wasser auf dem Herd stehen lassen. Die Nudeln hineingeben und 6 bis 8 Minuten kochen, bis sie gar sind, aber noch ein wenig Biss haben. Abgießen, unter fließendes kaltes Wasser halten, damit sie abkühlen und nicht aneinanderkleben.

• Den in Streifen geschnittenen Rotkohl in eine Schüssel geben, eine kräftige Prise Salz, 1 Esslöffel Reisessig und 1 Esslöffel Ahornsirup hinzufügen.

• Alles 1 Minute von Hand verkneten, dann beiseitestellen. Die Hände waschen, da der Rotkohl stark färbt.

• Eine antihaftbeschichtete Pfanne erhitzen und einen Spritzer Öl hineingeben. Wenn es heiß ist, die Tofustücke hineinlegen und anbraten, bis sie rundherum knusprig sind. Die Sesamsamen darüberstreuen und umrühren, bis die Tofustücke damit überzogen sind, dann den Tofu aus der Pfanne nehmen, beiseitestellen und die Pfanne zurück auf den Herd stellen.

• Nochmals einen Spritzer Öl, und dann die Frühlingszwiebeln in die Pfanne geben und einige Minuten anbraten, bis sie weich sind. Den restlichen Esslöffel Reisessig und die übrigen 2 Esslöffel Ahornsirup sowie das Sesamöl, die Sojasauce und den Zitronensaft hinzufügen. Etwa 30 Sekunden erhitzen, sodass alle Zutaten zu einem süßen, warmen Dressing eindicken.

• Die abgetropften Nudeln zum Dressing in die Pfanne geben und gründlich umrühren, damit sich beides miteinander verbindet. Auf zwei Schüsseln verteilen, darauf je eine Handvoll marinierten Rotkohl und eine Hälfte Tofu und Brokkoli geben, mit Sesam und gehacktem Koriandergrün bestreuen.

Sanfter Naturreis-Pilaw mit gerösteten Nüssen und Kernen

Sehr praktisch, wenn man dieses Rezept im Repertoire hat, da es sich fast komplett aus Dingen zaubern lässt, die man im Haus hat. Ich variiere gern die Gewürze, manchmal nehme ich eine Prise Safran oder ein paar Kardamomkapseln dazu, während Piment und Zimt ihren festen Platz im Rezept haben.

Ich nehme hier extra viele Nüsse, da sie aus einer Schüssel Reis eine richtige Mahlzeit machen. Ab und zu tausche ich die Nüsse gegen eingelegte Artischocken oder sautierte Wildpilze oder gehackte getrocknete Aprikosen aus. Natur-Basmatireis stellt seine Energie dem Körper langsamer zur Verfügung als weißer Reis und ist daher die bessere Wahl, um sich länger satt und zufrieden zu fühlen.

Die Kräuter, die ich hier am liebsten mag, sind Estragon mit seinem Anisaroma, Dill, Kerbel oder auch Minze mit ihrer frischen, leichten Note, die einen reizvollen Kontrast zum warmen Aroma der Gewürze und Nüsse darstellt.

FÜR 4 BIS 6 PERSONEN

300 g Basmati-Naturreis
50 g Pinienkerne
50 g Cashewkerne
50 g Kürbiskerne
1 etwa walnussgroßes Stück Butter oder 1 Spritzer Olivenöl
2 rote Zwiebeln, geschält und in Scheiben geschnitten
1 TL Piment
1 TL Zimt
1 TL Kreuzkümmelsamen
Meersalz
1 unbehandelte Zitrone, halbiert

ZUM SERVIEREN
Naturjoghurt
1 kleines Bund gemischte weiche Kräuter (Minze oder Dill, aber Petersilie, Kerbel und Estragon passen auch gut)

• Den Reis etwa 15 Minuten in kaltem Wasser einweichen. Inzwischen einen großen Topf (zu dem ein Deckel existiert) bei mittlerer Temperatur erhitzen, dann die Nüsse und Kerne darin ohne Fett goldbraun rösten. Aus dem Topf nehmen und beiseitestellen.

• Als Nächstes ein ordentliches Stück Butter oder einen großzügigen Spritzer Olivenöl in den Topf geben und die Zwiebeln 10 Minuten bei mittlerer Temperatur darin anbraten, bis sie weich und süß geworden sind. Die Gewürze hinzufügen und 5 Minuten mitbraten, sodass sie ihre duftenden Öle und ihr warmes Aroma freisetzen.

• Den Reis abgießen und unter fließendem kaltem Wasser abspülen, bis das Wasser klar ist. In den Topf geben und einige Minuten unter Rühren anbraten.

• Eine sehr großzügige Prise Salz (es handelt sich um eine große Reismenge, also nicht zu sparsam sein) und die Zitronenhälften hinzufügen, dann genügend Wasser zugießen, sodass der Reis bedeckt ist (450 bis 500 ml müssten reichen). Den Deckel auflegen, dann nach der Methode *high cook, low cook, no cook* (»viel Hitze, wenig Hitze, keine Hitze«) fertigstellen: Dazu 5 Minuten bei hoher Temperatur erhitzen, danach die Temperatur senken und 15 Minuten bei niedriger Temperatur garen. Anschließend den Herd ausschalten und den Reis 10 Minuten ruhen lassen, ohne den Topf anzurühren – nicht einmal kurz den Deckel abnehmen.

• Anschließend den Deckel abnehmen, die Zitronenhälften herausnehmen und den Saft über dem Reis auspressen. Die gerösteten Nüsse und Kerne unterrühren. Probieren und bei Bedarf noch etwas Salz und Zitronensaft hinzufügen.

• In Schüsseln verteilen und mit Naturjoghurt und gehackten Kräutern garnieren.

Eine herzhafte Mahlzeit wird daraus, wenn Sie

· ein gebratenes und mit Chili bestreutes Ei auf jeden Teller geben.
· vor dem Kochen ein paar getrocknete Aprikosen und Rosinen unter den Reis mischen.
· etwas fein gehobelten Fenchel zugeben.
· den Pilaw auf blanchiertem grünem Blattgemüse anrichten.
· einige Erbsen und mehr Minze unterrühren.
· sautierten Grünkohl und ein pochiertes Ei auf dem Pilaw anrichten.

Zitronen-Mangold-Aloo

Saag aloo steht in jedem indischen Restaurant auf der Speisekarte und wird scheinbar stets als Beilage serviert. Hier steht es in seiner ganzen Pracht als Hauptgericht im Mittelpunkt. Anstelle von Blattspinat verwende ich Mangold (Spinat geht genauso gut, einfach die Garzeit halbieren), da ich seinen robusten Charakter mag.

Ich befolge die Regel, mich nach den Farben des Regenbogens zu ernähren. Danach muss Mangold eine wirklich gute Wahl sein. Mit seinen tollen Farben – knallige Stiele in Rubinrot, Safrangelb, Pinktönen und intensiven meergrünen Schattierungen – ist er wohl das Gemüse mit der größten Farbvielfalt. Die Farben stehen für die Fülle an Vitaminen, Mineralien und Antioxidanzien, die in grünen Blättern und fluoreszierenden Stielen enthalten sind.

Mangold kann etwas heikel in der Zubereitung sein, wenn Sie sich damit nicht auskennen, da die zarten Blätter und die Stiele unterschiedlich zubereitet werden müssen. Die Blätter werden von den Stielen abgetrennt und wenige Minuten gedünstet oder kurz blanchiert. Die Stiele benötigen eine geringfügig längere Garzeit – wenn Sie sie in 1 cm dicke Scheiben schneiden, sind sie in null Komma nichts gar. Ich schneide die Stiele auch gern in sehr feine Scheiben und mische sie unter einen Salat.

FÜR 4 PERSONEN

Oliven- oder Erdnussöl

2 TL schwarze Senfsamen

2 rote Zwiebeln, geschält und in dünne Scheiben geschnitten

1 daumengroßes Stück Ingwer, geschält und fein gehackt

2 Knoblauchzehen, geschält und in Scheiben geschnitten

1 roter Chili, grob gehackt

1 TL Kreuzkümmelsamen

1 TL gemahlene Kurkuma

700 g festkochende Kartoffeln, gewaschen und in etwa 1 cm große Würfel geschnitten

1 Mangold (etwa 300 g), Blätter grob gehackt, Stiele in 1 cm dicke Scheiben geschnitten

Meersalz

1 unbehandelte Zitrone

ZUM SERVIEREN

1 kleines Bund Koriandergrün, gehackt

Mango-Chutney

Naturjoghurt

aufgebackenes indisches Brot (Chapati oder Roti)

• Einen Spritzer Öl in einer großen Pfanne mit schwerem Boden erhitzen. Sobald sie richtig heiß ist, die Senfsamen hineingeben. Etwas zurücktreten, da sie hüpfen. Zwiebeln, Ingwer, Knoblauch, Chili, Kreuzkümmel und Kurkuma hinzufügen und 5 Minuten bei mittlerer Temperatur anbraten, bis die Zwiebeln weich sind.

• Die Kartoffeln, Mangoldstiele und eine große Prise Salz zugeben. 200 ml Wasser zugießen und bei mittlerer Temperatur und aufgelegtem Deckel 30 bis 35 Minuten kochen, bis die Kartoffeln gar sind. Die Mangoldblätter hinzufügen und einige Minuten garen, bis sie zusammengefallen sind. Mit reichlich Meersalz würzen und mit etwas Wasser auffüllen, falls es zu trocken erscheint.

• Vom Herd nehmen, die Zitronenschale darüberreiben und den Saft darüber auspressen. Das Mangold-Aloo in Schüsseln verteilen und mit dem Koriandergrün, Mango-Chutney und Joghurt garnieren. Mit warmem Brot zum Dippen servieren.

Kitchari

Kitchari ist ein ayurvedisches indisches Gericht aus Reis und Linsen, das eine reinigende und entgiftende Wirkung auf den Körper haben soll. Mit seinen wärmenden Gewürzen und weichen Konsistenzen besitzt es eine Qualität, die Leib und Seele nährt. Hier stelle ich Ihnen meine Variante vor, wie ich sie gern esse, mit mehr Gewürzen, als es vielleicht die traditionelle Version vorsieht, und mit einem kleinen Extra in Form von Ingwer, Kokos und Koriandergrün.

Ich esse Joghurt dazu, unter den ich ein bisschen Salz, etwas gehacktes Koriandergrün und Zitronensaft rühre. Kitchari schmeckt auch gut zu einem Curry anstelle von Reis oder Brot.

FÜR 4 BIS 6 PERSONEN

200 g geschälte halbierte gelbe Linsen

200 g Natur-Basmatireis

1 kleines Bund Koriandergrün

1 daumengroßes Stück Ingwer, geschält und grob gehackt

4 EL Kokosraspel

1 großzügiger EL Ghee oder Rapsöl

1 EL schwarze Senfsamen

je 1 TL gemahlener Koriander, Kreuzkümmel und Kardamom (ich mahle die Samen frisch)

je 1 TL gemahlene Kurkuma, Gewürznelken, schwarzer Pfeffer und Zimt

• Die Linsen sorgfältig verlesen, um sicherzugehen, dass keine Steinchen enthalten sind. Dann die Linsen und den Reis in kaltem Wasser einweichen; mindestens 1 Stunde, länger wäre noch besser.

• Das Koriandergrün mit dem Ingwer, den Kokosraspeln und 250 ml Wasser in den Mixbehälter der Küchenmaschine füllen und pürieren. Falls keine Küchenmaschine vorhanden ist, alles sehr klein hacken und mit dem Wasser verrühren.

• Wenn die Linsen und der Reis ausreichend lange eingeweicht sind, das Ghee oder Öl bei mittlerer Temperatur in einem Topf mit schwerem Boden erhitzen und alle Gewürze zugeben. Umrühren und etwa 1 Minute anbraten, bis sie aromatisch zu duften beginnen.

• Die Linsen abgießen und in den Topf geben, dann die Koriandergrünmischung und 700 ml Wasser hinzufügen. Den Reis abgießen und ebenfalls zugeben. Zum Kochen bringen und 30 bis 35 Minuten simmern lassen, bis die gesamte Flüssigkeit aufgenommen ist und Reis und Linsen gar sind – sie sollen eine weiche, fast porridgeartige Konsistenz bekommen haben. Bei Bedarf noch etwas Wasser unterrühren.

• Mit dem Korianderjoghurt und, falls Sie sehr hungrig sind, zu einem Curry servieren.

SAISONAL GENIESSEN

FRÜHLING

GEMÜSE

Artischocken
Blumenkohl
Staudensellerie
Spargel
Bärlauch
Radieschen und Rettich
Chicorée
neue Kartoffeln (langstieliger) Brokkoli
Rucola
Frühlingszwiebeln
Dicke Bohnen
Lauch
Erbsen
Blattspinat
Morcheln
Frühkohl
Blattsalat
Brunnenkresse

KRÄUTER

Rosmarin
Oregano
Estragon
Schnittlauch
Basilikum
Kerbel
Koriandergrün
Majoran
Lorbeer
Petersilie
Thymian
Dill

FRÜCHTE

Blutorangen
Rhabarber
Holunderblüten
(Alphonso-) Mangos
Stachelbeeren
Aprikosen

SOMMER

FRÜCHTE

Erdbeeren
Kirschen
schwarze Johannisbeeren
Pfirsiche
Pflaumen
Brombeeren
Rhabarber
Stachelbeeren
Melone
Trauben
Himbeeren
Birnen
Aprikosen
rote Johannisbeeren
Holunderblüten
Nektarinen
Blaubeeren
Feigen
Damaszenerpflaumen

GEMÜSE

Dicke Bohnen
Zucchini
Stangenbohnen
Mangold
Radieschen und Rettich
Paprika
Salatgurken
Rucola
Erbsen
Fenchel
Mais
Tomaten
Kartoffeln
Auberginen
Borlottibohnen
grüne Bohnen
Gartenkürbis
Rote Beten

KRÄUTER

Majoran
Schnittlauch
Petersilie
Thymian
Basilikum
Lorbeer
Kerbel
Estragon
Minze
Salbei
Koriandergrün
Dill
Oregano
Rosmarin

Dass wir uns beim Essen nach den Jahreszeiten richten, gehört mittlerweile zu unserer Ernährungsweise. Ich lasse mich normalerweise davon leiten, was Gemüsehändler und Marktstände aktuell im Angebot haben. Wenn ich an Rezepten arbeite, ein Essen plane oder im Supermarkt oder online einkaufe, finde ich es hilfreich, mich daran zu erinnern, was jetzt gerade besonders gut ist. So bekomme ich den besten Gegenwert für mein Geld und den besten Geschmack.

HERBST

GEMÜSE
Auberginen
Kürbis
Lauch
Steckrüben
Knollensellerie
Schwarzkohl
Staudensellerie
Zucchini
Fenchel
Pastinaken
Topinambur
Grünkohl
späte Tomaten
Paprika
Kohl
Rucola
Kartoffeln
Zwiebeln
Pilze
Rote Bete

FRÜCHTE
Äpfel
Birnen
Blaubeeren
Brombeeren
Pflaumen
Quitten
Feigen
Holunderbeeren
Clementinen
Nektarinen
Maronen
Haselnüsse

KRÄUTER
Basilikum
Schnittlauch
Petersilie
Salbei
Minze
Majoran
Thymian
Lorbeer
Oregano
Rosmarin

WINTER

GEMÜSE
Lauch
Kartoffeln
Rosenkohl
Butternusskürbis
Blumenkohl
Knollensellerie
Chicorée
Steckrüben
Schwarzkohl
Staudensellerie
Grünkohl
Brokkoli
Rotkohl
weiße Rüben
Topinambur
Pastinaken
Zwiebeln

FRÜCHTE
Granatapfel
Clementinen
Blutorangen
Quitten
Cranberrys
Maronen

KRÄUTER
Lorbeer
Salbei
Rosmarin

Ezekiels gegrillte Auberginen mit Baba Ghanoush

Emily Ezekiel ist mein kulinarischer Zwilling, im Laufe der Jahre haben wir zusammen die perfekten Erdbeeren gepflückt, gigantische Pies gebacken und burgförmige Kuchen in Sandeimern fabriziert. Unsere Reisen führten uns von Bauernhöfen in der Cotswolds-Region zu Gewürzplantagen in der Karibik über alle möglichen Stationen dazwischen. Emily ist ein absoluter Schatz und eine tolle Köchin, dieses Rezept ist eins ihrer besten.

Hier kommen die Auberginen auf zwei Arten zum Einsatz, einmal für ein schnelles rauchiges Auberginenpüree namens Baba Ghanoush und in der gegrillten Version in Kombination mit Süßkartoffeln.

Sie dürfen hier nicht allzu zaghaft mit Ihrem Grill umgehen – die Auberginen brauchen ordentlich Feuer, wenn sie richtig gegart werden sollen. Achten Sie darauf, dass die Auberginen außen verbrannt sind, während sie innen komplett durchgegart und weich sein sollen – es gibt nichts Schlimmeres als eine noch teilweise rohe Aubergine.

....

FÜR 4 BIS 6 PERSONEN

FÜR DAS BABA GHANOUSH
2 Auberginen
1 eingelegte Zitrone, Kerne entfernt, sehr fein gehackt
1 TL geräuchertes Paprikapulver (*Pimentón de la Vera*)
60 ml Naturjoghurt oder ungesüßter Sojajoghurt
1 EL Tahini
Saft von ½ Zitrone
Meersalz und frisch gemahlener schwarzer Pfeffer

FÜR DEN SALAT
5 Süßkartoffeln, gründlich gewaschen und längs in je 8 Spalten geschnitten
Olivenöl
Saft von ½ Zitrone
1 TL Kreuzkümmelsamen, im Mörser zerstoßen
1 TL Koriandersamen, im Mörser zerstoßen
2 Auberginen, oberes und unteres Ende abgeschnitten, in 1 cm dicke Scheiben geschnitten
natives Olivenöl extra
4 Romanasalatherzen, geviertelt
100 g Mandelblättchen, geröstet
1 Granatapfel, Kerne ausgelöst
1 Bund Minze, Blätter abgezupft und grob gehackt
1 großes Bund Petersilie, Blätter abgezupft und grob gehackt
1 roter Chili, fein gehackt

• Den Backofen auf 200 °C (180 °C Umluft/Gas Stufe 6) vorheizen. Inzwischen das Baba Ghanoush zubereiten. Dazu verwende ich meine größte Gaskochstelle. Falls Sie keinen Gasherd besitzen, nehmen Sie eine sehr stark erhitzte gerillte Grillpfanne.

• Die Haut der Auberginen mehrfach einstechen, dann die Auberginen direkt auf die Flamme legen. Mit einer Küchenzange immer nach etwa 1 Minute wenden, sodass am Ende die gesamte Schale rundherum vollständig matt schwarz verbrannt ist. Wenn beide Auberginen verbrannt sind und sich durch und durch weich anfühlen (was nach etwa 10 Minuten der Fall sein sollte), vom Herd nehmen und zum Abkühlen beiseitestellen.

• Die Süßkartoffeln auf ein großes Backblech legen. Mit Olivenöl und dem Zitronensaft beträufeln und mit den Kreuzkümmel- und den Koriandersamen bestreuen. Mit Salz und Pfeffer würzen und alles gründlich vermischen, sodass die Süßkartoffeln gleichmäßig überzogen sind. 15 Minuten im Ofen rösten.

• Sobald die Auberginen für das Baba Ghanoush so weit abgekühlt sind, dass man sie anfassen kann, diese längs halbieren und das Fruchtfleisch auslösen, die Schale wegwerfen. Das Fruchtfleisch mit den restlichen Zutaten für das Baba Ghanoush in eine Schüssel geben, mit Salz und Pfeffer würzen und mit einer Gabel gut vermischen, dabei alle größeren Stücke zerdrücken.

• Eine gerillte Grillpfanne bei hoher Temperatur erhitzen, bis sie raucht. Die Auberginenscheiben portionsweise von beiden Seiten darin grillen, bis sie dunkle Grillspuren aufweisen und gar sind. Wenn alle Auberginenscheiben gegrillt sind, diese auf ein Backblech legen und mit etwas Olivenöl beträufeln. Die Grillpfanne auf dem eingeschalteten Herd stehen lassen.

• Nachdem die Süßkartoffeln 15 Minuten im Ofen waren, das Blech mit den Auberginenscheiben ebenfalls hineinschieben und beides nochmals 15 Minuten rösten.

• Die Salatviertel in die Grillpfanne legen und auf beiden Seiten angrillen, bis sie deutliche Grillspuren aufweisen. Auf ein großes Brett oder eine Platte legen.

• Die Süßkartoffeln und die Auberginen aus dem Ofen nehmen. Beide sollten außen knusprig und innen durchgegart sein. Falls das nicht der Fall sein sollte, nochmals einige Minuten in den Ofen schieben.

• Zum Servieren die Süßkartoffeln und die Auberginen auf den gegrillten Salatvierteln anrichten. Mit den gerösteten Mandelblättchen, den Granatapfelkernen, den gehackten Kräutern und dem Chili bestreuen und zum Schluss großzügig mit nativem Olivenöl extra und etwas Zitronensaft beträufeln. Mit einer großen Schüssel Baba Ghanoush und warmem Fladenbrot servieren.

Noch mehr Ideen für Baba Ghanoush:
· als Topping für eine Backofen-Süßkartoffel
· zu einem Körnersalat
· als Dip für Rohkost
· auf ein mit Öl und Knoblauch eingeriebenes Röstbrot gestrichen

Geröstetes Wurzelgemüse mit Lauch, Estragon und Quinoa

Ein Rezept, das meine Schwester Laura sonntags oft zubereitet, wenn es heiß ist oder wir Lust auf etwas Leichteres haben. Das Gericht strotzt nur so von den typischen Aromen des klassischen Sonntagsbratens: karamellig geröstete Pastinaken, süße geröstete Rote Beten, farbenfroher Kürbis und pfeffrige Brunnenkresse. Die Familie versammelt sich um den Esstisch, das Essen wird in große Schüsseln gefüllt und mit Rotwein genossen. Es schmeckt aber auch hervorragend beim Zeitunglesen auf dem Sofa.

Bei Estragon scheiden sich die Geister – ich liebe seine lakritzige Basilikumnote und seinen zitronigen Grundton. Falls Sie nicht zu seinen Fans zählen, nehmen Sie stattdessen Petersilie oder Minze.

FÜR 4 PERSONEN

2 mittelgroße Pastinaken, geschält und in kleine Stifte geschnitten

2 mittelgroße Rote Beten, gewaschen, geschält und in Halbmonde geschnitten

½ Butternusskürbis, geschält, Kerne entfernt, in dünne Stücke geschnitten

Oliven- oder Rapsöl

Meersalz und frisch gemahlener schwarzer Pfeffer

2 große Stangen Lauch, gewaschen, geputzt und in dünne Ringe geschnitten

150 g Quinoa

1 kleines Bund Estragon, Blätter abgezupft

abgeriebene Schale und Saft von ½ unbehandelten Zitrone

2 EL Olivenöl

2 große Handvoll Brunnenkresse

- Zuerst das Gemüse zubereiten. Dazu den Backofen auf 220 °C (200 °C Umluft/Gas Stufe 7) vorheizen, zwei Backbleche bereitstellen und Pastinaken, Rote Beten und Kürbis darauf verteilen. Mit Olivenöl beträufeln, kräftig mit Salz und Pfeffer würzen und 40 bis 45 Minuten im Ofen rösten, bis sie goldbraun, süß und glänzend sind. Etwa alle 15 Minuten wenden.

- Inzwischen den Lauch bei niedriger Temperatur in etwas Olivenöl anbraten, bis er weich und süß geworden ist. Das dauert etwa 20 Minuten.

- Als Nächstes die Quinoa kochen. Dazu die Quinoa unter fließendem kaltem Wasser abspülen. In einen Topf geben, mit dem doppelten Volumen an Wasser bedecken und eine große Prise Salz zugeben. Zum Kochen bringen, auf mittlere Temperatur reduzieren und 10 bis 12 Minuten simmern, bis die Körnchen gerade eben gar sind.

- Den Estragon mit dem Zitronensaft und der -schale, dem Öl und je einer Prise Salz und Pfeffer in den Mixbehälter der Küchenmaschine geben. Zu einer grasigen Masse pürieren, noch etwas Öl zugeben, falls sie zu dick geraten ist (falls keine Küchenmaschine zur Verfügung steht, den Mörser dafür verwenden).

- Zum Servieren den Lauch und das Röstgemüse in eine Schüssel geben, die Quinoa und die Brunnenkresse zugeben, dann alles mit dem Estragonöl beträufeln und auf den Tisch stellen, damit sich alle selbst bedienen können.

Schwarze-Bohnen-Tacos mit Limette und Chipotle-Chili

FÜR 4 PERSONEN

FÜR DIE BOHNEN
2 Knoblauchzehen, geschält und fein gehackt
Olivenöl
1 TL Zimt
1 TL gemahlener Kreuzkümmel
1 TL Chipotle-Paste oder 1 roter Chili, fein gehackt
2 Dosen schwarze Bohnen (à 400 g)
Meersalz und frisch gemahlener schwarzer Pfeffer

FÜR DIE SALSA
20 Kirschtomaten
½ roter Chili, Samen entfernt, fein gehackt
einige Stängel Koriandergrün, Blätter abgezupft
Saft von ½ Limette
natives Olivenöl extra

FÜR DIE GUACAMOLE
1 Avocado
Saft von ½ Limette

FÜR DEN SALAT
1 kleiner Apfel
Saft von ½ Limette
einige Blätter Weißkohl oder 1 Romanasalatherz
4 Radieschen, in Scheiben geschnitten
einige Stängel Koriandergrün

ZUM SERVIEREN
6–8 Tortillas aus Weizen- oder Maismehl
1 Handvoll geriebener Manchego-käse
Natur-, Soja- oder Kokosmilch-joghurt (nach Belieben)

Mir ist noch niemand begegnet, der diese Tacos nicht mag, und das liegt vermutlich daran, dass sie sowohl beim Geschmack als auch bei der Zusammenstellung der Konsistenzen voll ins Schwarze treffen: Essen, das rundum glücklich macht. Dies ist das Abendessen, das ich wahrscheinlich am häufigsten zubereite. Es geht schnell, hat reichlich Aroma, und die meisten Zutaten sind griffbereit in meinem Vorratsschrank oder lassen sich schnell im Laden um die Ecke besorgen.

Ehrlich gesagt, macht John diese Tacos meistens für mich – das Rezept hat er von einem Surftrip in Nicaragua mitgebracht. Dort servieren sie diese Tacos mit der schnellen Chilisauce von Seite 346, die sie besonders lecker macht.

Das Rezept sieht nach reichlich Zutaten und Arbeitsschritten aus, aber es geht superschnell, und das Einzige, was wirklich unter Kochen fällt, ist das sanfte Erwärmen der Bohnen. Wenn ich gerade besonders tugendhaft drauf bin, tausche ich die Tortillas gegen robuste Kohlblätter, in die ich alles einwickle. Ab und zu streue ich auch ein paar Granatapfelkerne in den Salat als extraknackige Zugabe.

Schwarze Bohnen bergen ein tolles Geheimnis, nämlich die seltene Kombination von Eiweiß und Ballaststoffen. Eine Tasse schwarze Bohnen kann genauso viel Eiweiß enthalten wie 100 g Hühnchen und dreimal so viel Ballaststoffe wie Brokkoli. Schwarze Bohnen besitzen reichlich Antioxidanzien, wie sie in anderen dunkelvioletten und tief dunkelroten Nahrungsmitteln wie Blaubeeren und Trauben enthalten sind.

• Eine Pfanne bei mittlerer Temperatur erhitzen, den Knoblauch und einen Spritzer Olivenöl hineingeben und etwa 1 Minute anbraten, bis er an den Rändern zu bräunen beginnt. Den Zimt, den Kreuzkümmel und die Chipotle-Paste oder den Chili hinzufügen und 1 weitere Minute unter Rühren sanft rösten. Die Bohnen samt Flüssigkeit zugeben und zum Simmern bringen. Die Temperatur senken und alles 10 bis 15 Minuten erhitzen, bis die Flüssigkeit eingedickt ist, die Bohnen aber noch ihre Form behalten. Falls nötig, zum Auflockern etwas heißes Wasser zugießen. Mit Salz und Pfeffer würzen und warm halten.

• Während die Bohnen köcheln, Salsa, Guacamole und Salat zubereiten. Für die Salsa die Tomaten auf einem großen Brett grob hacken. Den Chili und das Koriandergrün darauflegen, mit Salz und Pfeffer würzen und alles hacken. In eine Schüssel geben, den Limettensaft und einen Spritzer Olivenöl hinzufügen und gründlich vermischen. Beiseitestellen.

• Für die Guacamole die Avocado schälen, den Stein entfernen und das Fruchtfleisch mit etwas Salz und Pfeffer und dem Limettensaft in einer kleinen Schüssel zerdrücken. Wenn Sie möchten, können Sie dafür einen Kartoffelstampfer verwenden.

• Für den Salat den Apfel in schmale Spalten schneiden und in eine Schüssel legen. Mit dem Limettensaft beträufeln, dann den in Streifen geschnittenen Weißkohl oder Salat, die Radieschen und das Koriandergrün hinzufügen. Mit Salz und Pfeffer würzen und mit etwas Öl beträufeln.

• Wenn alles fertig ist, die Tortillas aufwärmen. Ich halte sie dazu mit einer Küchenzange über die offene Flamme meines Gasherds – das geht superschnell und verleiht den Tortillas ein köstliches Grillaroma –, aber der Backofen funktioniert genauso gut.

• Die Bohnen, den Salat, die Guacamole und die Salsa in separaten Schüsseln auf den Tisch stellen, dazu die Tortillas und den geriebenen Käse, sodass alle ihre Tortilla nach Belieben zusammenstellen können. Reichen Sie außerdem Tabasco und Limettenspalten dazu, etwas Naturjoghurt passt auch gut.

Gado Gado

Vor ein paar Jahren waren wir in Indonesien, und ich muss sagen, dass ich sehr überrascht war, wie gut die Indonesier für Vegetarier sorgen: Auf jeder Speisekarte findet man inspirierende, frische und raffiniert gewürzte Tempeh- und Tofugerichte. Ich konnte nicht anders, ich musste Gado Gado einfach zu fast jeder Mahlzeit essen.

Die Satay-Sauce ist etwas zeitaufwendig, aber Sie werden sehen, dass es die zusätzlichen Aromen wert sind. Bei meinem ersten Kochversuch sträubte sich zuerst mein Schnelle-Küche-Instinkt. Erdnüsse in Wasser kochen? Gute gekaufte Erdnussbutter tut's doch sicher auch, oder? Weit gefehlt! Ich bin sonst sehr für Abkürzungen zu haben, aber manchmal lohnt es sich, die Dinge richtig zu machen. Dieses Rezept ergibt mehr Sauce, als hier gebraucht wird, sie schmeckt jedoch so gut, dass Sie sie zu allem dazuessen werden. Die Sauce ist etwa 1 Woche im Kühlschrank haltbar. Ich streiche sie auf Sandwiches, verwende sie mit etwas Limettensaft verdünnt als Salatdressing und als Krönung auf einer Portion gedämpftem Gemüse mit Reis. Fein auch im Tomaten-Grünkohl-Salat auf Seite 106.

Sambal Oelek ist eine indonesische Chilipaste, eine Art rauchig süße Chilisauce. Sie wird in Asialäden und ausgewählten Supermärkten angeboten. Falls Sie sie nicht bekommen, können Sie stattdessen Chipotle-Paste verwenden.

Ich kaufe Röstschalotten in meinem asiatischen Supermarkt um die Ecke und habe immer ein Glas vorrätig, um sie über asiatische Nudeln und Reis zu streuen. Falls Sie keine bekommen, braten Sie sie einfach selbst: 2 Schalotten schälen, in feine Scheiben schneiden und in heißem Öl knusprig ausbraten.

FÜR 4 PERSONEN

FÜR DIE SATAY-SAUCE

4 Knoblauchzehen, geschält

6 kleine Schalotten, geschält

1 Stängel Zitronengras, flach geklopft und gehackt

1 daumengroßes Stück Galgant oder Ingwer

2½ EL Sambal Oelek

4 EL Pflanzenöl

200 g geröstete Erdnüsse, im Mörser zerstoßen

2 EL brauner Zucker oder Kokosblütenzucker (siehe Seite 279)

½ EL Meersalz

½ EL Paprikapulver

1 EL Tamarindenpaste

200 ml Kokosmilch

FÜR DEN SALAT

10 neue Kartoffeln

1 TL gemahlene Kurkuma

100 g fester Tofu, in Scheiben geschnitten

Meersalz und frisch gemahlener schwarzer Pfeffer

Olivenöl

100 g grüne Bohnen, geputzt

100 g Zuckerschoten

200 g langstieliger Brokkoli

70 g Bohnensprossen

3 EL Korianderblätter

1 Handvoll Röstschalotten (nach Belieben)

• Zuerst die Satay-Sauce zubereiten. Dazu den Knoblauch mit den Schalotten, dem Zitronengras, dem Galgant, der Chilipaste und dem Öl in den Mixbehälter der Küchenmaschine füllen und zu einer dicken Paste pürieren. Alles in einen Topf geben und 20 Minuten bei mittlerer Temperatur unter ständigem Rühren köcheln lassen, dabei darauf achten, dass die Paste nicht zu stark bräunt.

• Inzwischen die zerstoßenen Erdnüsse mit 200 ml Wasser in einen Topf geben und 10 bis 15 Minuten simmern, bis die Mischung ziemlich dick eingekocht ist.

- Nachdem die Zitronengrasmischung 20 Minuten vor sich hingeköchelt hat, den Zucker, das Salz, das Paprikapulver und die Tamarindenpaste hinzufügen und einige Minuten erhitzen. Nun die Erdnussmischung und die Kokosmilch zugeben, sorgfältig unterrühren – und die Satay-Sauce ist fertig.

- Für den Salat einen großen Topf mit Wasser zum Kochen bringen, die Kartoffeln und die Kurkuma hineingeben und gerade eben gar kochen (das sollte 10 bis 15 Minuten dauern). Inzwischen den Tofu mit Salz und Pfeffer würzen, dann in wenig Olivenöl knusprig braten. Beiseitestellen und warm halten.

- Unmittelbar bevor die Kartoffeln fertig sind, die Bohnen, die Zuckerschoten und den Brokkoli dazugeben, die letzten Minuten mitgaren, dann alles abgießen.

- Die Kartoffeln und das Gemüse vorsichtig auf einen Teller gleiten lassen, dann die Kartoffeln mit der Rückseite eines Löffels etwas andrücken, damit sie die Aromen besser aufnehmen können. Die Bohnensprossen und den Tofu darauf verteilen und mit einer großzügigen Menge Satay-Sauce beträufeln (Sie werden nicht die gesamte Menge benötigen). Zum Schluss die Korianderblätter und, falls gewünscht, die Röstschalotten darüberstreuen.

Noch mehr Ideen für Satay-Sauce:

- unter gekochte asiatische Nudeln mischen
- auf ein Tofusandwich streichen
- als Dressing für einen Tomatensalat verwenden
- als Marinade für gegrillten Tempeh oder Tofu verwenden
- mit etwas Limettensaft verdünnen und als Salatdressing verwenden
- über warmes Gemüse träufeln

PESTOS

Kräuterpasten aus Nüssen, Käse, Kräutern, Öl und einer Menge anderer Zutaten mögen vielleicht nicht in Ihr Alltagsrepertoire gehören, doch sie zählen zu den einfachsten, wirkungsvollsten und unaufwendigsten Extras, mit denen man einem Gericht zu einem tollen Aroma-Plus verhelfen kann. Alles, was Sie dazu brauchen, ist ein Pürierstab oder Mörser und Stößel.

Beginnen Sie mit einem Kräuteröl. Pürieren Sie ein Bund Kräuter mit ein paar Esslöffeln Öl und stellen Sie es in den Kühlschrank oder in einen Eiswürfelbehälter abgefüllt in den Tiefkühler, um es als Extra auf Suppen und Eintöpfe zu geben, als Salatdressing zu verwenden und über Röstgemüse oder ein pochiertes Ei zu träufeln. Auch eine gute Methode, übrige Kräuter zu verwerten. Jedoch keine Zitrone oder Essig hinzufügen, wenn Sie das Öl länger aufbewahren möchten, da sich dadurch die Kräuter schwarz verfärben würden.

Oder Sie experimentieren mit den Aromen und bereiten ein Kräuterpesto zu. Spielen Sie herum, pürieren, zerdrücken und pulverisieren Sie, was Ihnen gerade gefällt. Das Gute: Pestos und Pasten sind in Sekundenschnelle fertig, sorgen aber für einen enormen Aromakick.

Denken Sie in Aromafamilien – die besten Ergebnisse erziele ich, wenn ich die Zutaten zusammen verwende, die sich beispielsweise italienisch oder orientalisch anfühlen.

1	**2**
MIT EINER NUSSBASIS STARTEN	**EIN ODER ZWEI KRÄUTER DAZU**
etwa 50 g	ein großes Bund
↓	↓
MANDELN	MINZE
/	/
KÜRBISKERNE	BASILIKUM
/	/
WALNÜSSE	PETERSILIE
/	/
PISTAZIEN	DILL
/	/
HASELNÜSSE	KORIANDERGRÜN
/	/
PINIENKERNE	MAJORAN

3

NOCH ETWAS SÄURE

etwa 2 Esslöffel

↓

LIMETTE

/

BALSAMICO

/

ORANGE

/

REISESSIG

/

ZITRONE

/

WEISSWEINESSIG

4

**ETWAS ÖL
HINZUFÜGEN**

etwa 4 Esslöffel

↓

AVOCADO

/

OLIVENÖL

/

RAPSÖL

/

KOKOSMILCH

/

WALNUSSÖL

5

**NOCH EIN EXTRA/
AROMA**

↓

PARMESAN

/

ROTER CHILI

/

KNOBLAUCH

/

SOJASAUCE

/

GRÜNER CHILI

/

PECORINO

/

HONIG/
AGAVENDICKSAFT

Süßkartoffel-Tortilla mit Mandelsalsa

Zwiebeln und Kartoffeln. Es gibt keine bessere Kombination. Ich bin verrückt nach der Tortilla, die meine spanische Freundin Carolina früher für uns zubereitete. Ich habe mich hier für Süßkartoffeln und rote Zwiebeln entschieden, die die Tortilla leichter und bunter machen, aber die traditionellen weißen Zwiebeln und Kartoffeln à la Carolina funktionieren genauso gut.

Die Ölmenge mag Ihnen vielleicht übertrieben vorkommen, aber keine Sorge: Ein Großteil wird nach dem Braten abgegossen, außerdem ist sie der Schlüssel zum gewünschten Aroma. Lassen Sie sich nicht von der Zeit abschrecken, die es dauert, die Zwiebeln und Kartoffeln anzubraten – Sie können sie einfach in Ruhe vor sich hinschmurgeln lassen und inzwischen etwas anderes erledigen. Aber vergessen Sie nicht, sich die Küchenuhr zu stellen. Manchmal gebe ich auch noch eine Handvoll blanchierten Blattspinat zu den gekochten Kartoffeln und den Eiern, um ein bisschen Grün ins Spiel zu bringen.

Was ich außerdem toll an Tortillas finde: Sie schmecken am nächsten Tag *noch* besser. Es scheint etwas Besonderes mit ihnen zu geschehen, während sie durchziehen und sich die Aromen miteinander verbinden. Eine Scheibe kalte Tortilla in Backpapier gewickelt, dazu ein paar Tomaten und etwas Olivenöl zum Beträufeln, und schon ist ein absolut köstliches Mittagessen zum Mitnehmen fertig.

Die Tortilla ist schon solo köstlich – wenn ich sie jedoch als Abendessen zubereite, mache ich gern die Mandel-Salsa dazu. Da passt einfach alles: Tomaten, Mandeln, Tortilla – als ob man mit einem Gläschen gekühltem Sherry unter der Sonne Spaniens relaxt.

FÜR 6 PERSONEN

FÜR DIE TORTILLA
Olivenöl

500 g (etwa 3 große) rote Zwiebeln, geschält und in sehr dünne Scheiben geschnitten

700 g (etwa 2 mittelgroße) Süßkartoffeln, geschält und in sehr dünne Scheiben geschnitten

Meersalz und frisch gemahlener schwarzer Pfeffer

5 mittelgroße Bio- oder Freilandeier

FÜR DIE MANDELSALSA
2 Rispentomaten

½ roter Chili

1 Handvoll ungehäutete Mandeln, geröstet

einige Stängel Koriandergrün

einige Stängel Petersilie

1 Prise Meersalz

natives Olivenöl extra

- In eine Pfanne mit hohem Rand so viel Olivenöl hineingießen, dass es 1 cm hoch steht, dann mittelheiß erhitzen. Die in Scheiben geschnittenen Zwiebeln hineingeben und braten, bis sie weich und süß sind – das dauert 20 bis 25 Minuten.

- Als Nächstes die Kartoffeln hineingeben und behutsam mit den Zwiebeln und dem Öl mischen, sodass sie davon überzogen sind. Mit Salz und Pfeffer würzen und nochmals 10 bis 15 Minuten braten, bis die Kartoffeln weich geworden sind und gerade eben eine goldbraune Färbung angenommen haben. Dabei ab und zu vorsichtig wenden, damit sie nicht zu sehr zerfallen.

- Während die Kartoffeln garen, die Salsa zubereiten. Dazu die Tomaten in kleine Würfel schneiden, den Chili fein und die Mandeln grob hacken. Alles mit den gehackten Kräutern, einer Prise Salz und etwas nativem Olivenöl extra in eine Schüssel geben. Vermischen, probieren und bei Bedarf nachwürzen, dann beiseitestellen.

- Sobald die Zwiebeln und die Kartoffeln weich geworden sind und sich leicht goldbraun gefärbt haben, das Öl abgießen, auffangen und für später aufbewahren. Die Kartoffelmischung in eine Schüssel umfüllen und 5 Minuten abkühlen lassen.

- Die Eier aufschlagen, zu den Kartoffeln geben, mit Salz und Pfeffer würzen und weitere 5 Minuten ruhen lassen.

- Etwa 2 Esslöffel des aufgefangenen Öls (den Rest anderweitig verwenden) bei niedriger Temperatur in der Pfanne erhitzen. Kurz heiß werden lassen, dann die Kartoffelmischung hineingeben und sofort mit einem Löffel glatt streichen. Bei niedriger Temperatur 3 bis 4 Minuten stocken lassen.

- Einen Teller bereitstellen, der etwas größer als die Pfanne ist. Die Pfanne vom Herd nehmen, die Hand mit einem Geschirrtuch schützen, den Teller verkehrt herum auf die Pfanne legen, dann die mit dem Teller bedeckte Pfanne schnell umdrehen, sodass die Tortilla auf dem Teller landet.

- Die Tortilla behutsam zurück in die Pfanne gleiten lassen und 3 bis 4 Minuten von der anderen Seite backen. Mit dem Finger prüfen, ob sie gar ist: Am Rand sollte sie sich relativ fest anfühlen, während sie in der Mitte noch etwas nachgeben darf.

- Zum Servieren in dicke Scheiben schneiden, darauf ein paar Löffel Mandel-Salsa geben und mit ein paar grünen Blättern genießen.

Herzhafte Gerichte und Ideen für hungrige Horden

Richtige Mahlzeiten, die satt und zufrieden machen. Vegetarisches Essen wurde lange als Salat-Mungobohnen-Küche belächelt. Als ich begann, kein Fleisch mehr zu essen, fiel es mir schwer, Gerichte zu finden, die meinen Hunger stillten (und den meines ewig hungrigen Freundes und meines Bruders), und meine Köchinnenseele sehnte sich nach großen Aromen. Hier finden Sie Gerichte, die ich gern sonntags für eine größere Runde zubereite, für Partys mit Freunden, als Festessen für den Weihnachtsabend oder als Rettungsanker an einem verregneten Abend, wenn nur noch ein guter Film und eine ordentliche Portion köstliches Essen helfen. Echtes Essen ohne Schnickschnack, das den Magen genauso glücklich macht wie den Gaumen.

Ein blubbernder Topf Chili · Pies mit mürber Kruste · farbenfrohe Riesenburger · Cassoulet mit Tomaten · üppiges Rote-Bete-Bourguignon · knusprige goldgelbe Zucchini-Polpette · Sonntagsessen mit allem Drum und Dran · das perfekte Risotto · Galette mit Kürbis · unglaubliche Regenbogen-Pie

Chili für Genießer

Mein Freund John ist ein großer Chilifan, und seit wir kein Fleisch mehr essen, versuchte ich, etwas zu kreieren, das dem kräftigen Geschmack ebenbürtig ist, den ich vor der Umstellung so geliebt hatte. Es hat lange gedauert, aber nun ist es so weit. Intensiv gewürzt mit drei Arten von Chili (und einem ordentlichen Esslöffel ungesüßtem Kakaopulver) ist es die reinste Aromabombe. Als wir das Chili zum ersten Mal ausprobierten, standen wir nach dem Abendessen um den Topf herum und konnten nicht aufhören, uns immer wieder einen Löffel voll zu nehmen.

Die meisten vegetarischen Chilis, die auf reichlich Bohnen basieren, finde ich zu schwer und nicht sehr originell. Hier werden Linsen, ein paar kleine Bohnen und Körner verwendet, die für Charakter und Struktur sorgen und sehr viel besser mit den pikanten Aromen zu verschmelzen scheinen.

Ein echtes Lieblings-Abendessen-aus-dem-Vorrat, das ich auch oft für eine große Runde zubereite. Kombinieren Sie die Körner ruhig nach persönlicher Vorliebe – hier lassen sich all die kleinen Reste verwerten, die in fast leeren Päckchen auf ihre Verwendung warten. Perlgraupen, Emmer und Amaranth eignen sich ebenfalls gut (von Couscous rate ich ab, er gart zu schnell).

Die benötigte Menge an Brühe hängt von der verwendeten Körnersorte ab – falls Sie also mit verschiedenen Körnern experimentieren (was ich Ihnen empfehle), sollten Sie das Flüssigkeitslevel im Auge behalten und bei Bedarf Brühe nachfüllen.

Viele wissen nicht, dass Chilipulver nicht gleich Chilipulver ist. Chilis können so unterschiedlich sein wie Weine hinsichtlich verschiedener Geschmacksnoten, Schärfe, Rauchigkeit und Süße. Ich halte immer und überall Ausschau nach gutem Chilipulver. Am liebsten mag ich die Chilipulver von *Cool Chile Co* (www.coolchile.co.uk; liefert auch in den deutschsprachigen Raum). Hier passt ein Chilipulver auf Chipotle- oder Ancho-Chili-Basis gut, aber nehmen Sie einfach das, was gerade zur Hand ist.

FÜR 8 BIS 10 PERSONEN

FÜR DAS CHILI
Oliven- oder Rapsöl

1 Zwiebel, geschält und fein gehackt

4 Knoblauchzehen, geschält und fein gehackt

1 daumengroßes Stück Ingwer, geschält und fein gehackt

1 rote oder grüne Chili, fein gehackt

1 EL gutes Chilipulver

1 TL Kreuzkümmelsamen, zerstoßen

1 EL Chipotle-Paste

3 Dosen stückige Tomaten (à 400 g)

300 g Puy-Linsen

100 g Bulgur

100 g Quinoa (ich nehme hier die rote Sorte, Sie können jedoch jede Sorte verwenden)

1 Dose kleine Bohnen (400 g, weiße, schwarze oder Augenbohnen)

1–2 l Gemüsebrühe

1 gehäufter EL gutes Kakaopulver

Meersalz und frisch gemahlener schwarzer Pfeffer

ZUM SERVIEREN
6 EL Olivenöl

2 grüne oder rote Chilis, fein gehackt

1 kleines Bund Thymian, Blättchen abgezupft

Naturjoghurt, mit etwas Salz verrührt

Maismehl-Tortillas, aufgewärmt

• Zuerst den größten Topf bei mittlerer Temperatur auf den Herd stellen. Einen Spritzer Olivenöl oder Rapsöl hineingeben, dann Zwiebel, Knoblauch, Ingwer und Chili 10 Minuten darin anbraten, bis sie weich und süß geworden sind.

- Das Chilipulver und die Kreuzkümmelsamen hinzufügen und 1 bis 2 Minuten im Topf umrühren. Dann alle anderen Chilizutaten unter Rühren zugeben – anfangs 1 Liter Brühe zugießen, den Rest bereithalten, falls das Chili etwas trocken auszusehen beginnt.

- Erhitzen, bis das Chili sanft köchelt, dann die Temperatur senken und das Chili 30 bis 35 Minuten simmern lassen, bis die Linsen gar sind und das Gericht ein kräftiges, tiefes Aroma entwickelt hat.

- Inzwischen das Thymianöl zubereiten. Dazu das Olivenöl mit den gehackten Chilis, den Thymianblättchen und etwas Salz und Pfeffer pürieren.

- Das Chili probieren und nach Bedarf mit Salz und Pfeffer abschmecken. Zum Servieren in Schüsseln verteilen, einen Klecks Joghurt daraufsetzen, mit Thymianöl beträufeln und aufgewärmte Maismehl-Tortillas dazu servieren, mit denen das Chili »gelöffelt« werden kann.

KÖRNER

Körner stehen in meiner Küche im Mittelpunkt. Ich esse so viel wie möglich davon, um meinen kulinarischen und ernährungstechnischen Horizont zu erweitern. Weizenkörner, die den Großteil der von uns verzehrten Kohlenhydrate ausmachen, werden industriell stark verarbeitet, haben keinen besonders hohen Nährwert und sind für viele schwer verdaulich. Weizen besitzt außerdem einen hohen glykämischen Index, was bedeutet, dass er nicht lange satt macht. Ob Sie nun empfindlich auf Weizen reagieren oder nicht, es wird Ihnen auf jeden Fall guttun, diese von Natur aus mit Nährstoffen vollgepackten Alternativen in Ihre Ernährung einzubauen.

QUINOA

WAS IST DAS? Quinoa wird oft in einem Atemzug mit Vollkorngetreide genannt, ist jedoch der Samen einer Planze, die mit grünem Blattgemüse wie Spinat und Mangold verwandt ist. Sie besitzt einen hohen Eiweiß- und Ballaststoffgehalt und den Bonus, dass sie kein Gluten und fast kein Fett enthält. Die in Quinoa enthaltenen Aminosäuren machen aus ihr eine vollwertige Eiweißquelle.

GESCHMACK UND VERWENDUNG Quinoa schmeckt ausgezeichnet. Sie ist fluffig, cremig und zart mit leicht knusprigem Biss und daher wie Reis, Pasta oder Couscous einsetzbar. Genauso gut in süßem Frühstücksporridge wie zu herzhafteren Mittag- und Abendessen. Quinoa wird als Flocken angeboten, im Porridge eine tolle Alternative zu Haferflocken. Falls Sie Quinoa bereits probiert haben und nicht mochten, könnte es daran liegen, dass sie zu alt war oder vor dem Garen nicht abgespült wurde, sie sollte ziemlich neutral schmecken.

EINKAUF Die am weitesten verbreitete gelbe Quinoa gibt es inzwischen in fast allen Supermärkten. Die rote, pinkfarbene und schwarze Variante sind ebenso köstlich und in den meisten Bioläden erhältlich.

ZUBEREITUNG Zuerst die Quinoa abspülen, wodurch sie jegliche bittere Note verliert. In ein Sieb geben, unter fließendem kaltem Wasser abspülen, bis das Wasser klar ist. Zum Kochen 1 Teil Quinoa mit 2 Teilen Flüssigkeit (Wasser oder Gemüsebrühe) und einer Prise Salz zum Kochen bringen. Die Temperatur senken und etwa 15 Minuten simmern lassen, bis das gesamte Wasser absorbiert ist. Die Quinoa ist fertig, wenn die Körner glasig werden und der Keim als kleine Locke sichtbar wird.

AMARANTH

WAS IST DAS? Amaranth ist ein bisschen wie Quinoa – der Samen eines getreideähnlichen Krauts, das häufig für ein Getreide gehalten wird. In der aztekischen Kultur war es sehr beliebt. Jedes Korn enthält eine Menge Vitamine, Eiweiß und Kalzium. Amaranth enthält sogar mehr Kalzium als Milch sowie weitere Mineralien, die die Kalziumaufnahme erleichtern. Und es enthält kein Gluten.

GESCHMACK UND VERWENDUNG Amaranth schmeckt sanft nussig mit einer leicht frischeren, zart grasigen Note. Er kann anstelle von Reis, Pasta oder Quinoa eingesetzt werden, in Suppen, Eintöpfen oder als Porridge (siehe Seite 22).

EINKAUF Amaranth wird in allen Bioläden und einigen Supermärkten angeboten. Er kann teuer sein, wenn Sie ihn jedoch mit anderen Nahrungsmitteln vergleichen, die Sie kaufen müssten, um denselben ernährungsphysiologischen Nutzen zu haben, ist er günstig. Amaranth ist sogar in gepuffter Form erhältlich, so kann er prima im Müsli und als Frühstücksriegel verzehrt werden.

ZUBEREITUNG Amaranth ist besonders vielseitig. Als Porridge mit der dreifachen Menge Wasser 20 bis 25 Minuten kochen, bis er cremig ist. Gepuffter Amaranth lässt sich selbst machen: Die Körner in einer Pfanne ohne Fett bei aufgelegtem Deckel erhitzen und schwenken, bis sie poppen. Vom Herd nehmen und als Snack, zum Frühstück oder im Salat genießen.

TEFF

WAS IST DAS? Teff oder Zwerghirse stammt aus Äthiopien, wo er oft zur Herstellung von Injera-Brot und in Eintöpfen verwendet wird. Es ist ein winziges Korn von Mohngröße, sein Name bedeutet wörtlich »verloren«. Es enthält reichlich Eiweiß und gilt als das Mittel, das den äthiopischen Langstreckenläufern die zum Laufen nötige Energie verleiht. Teff besitzt einen hohen Gehalt an Kalzium und Vitamin C und ist glutenfrei.

GESCHMACK UND VERWENDUNG Weißer Teff ist am mildesten, während der dunklere, braune Teff erdig schmeckt. Alle Sorten haben ein süßes und mildes Aroma. Teffmehl kann zum Backen, für Pancakes und Fladenbrote verwendet werden. Das ganze Korn kann für Porridge oder gegart in Salate und Suppen gestreut werden.

EINKAUF Teff wird oft als ganzes Korn verzehrt. Es existiert in verschiedenen Farben von violett zu grau, braun ist am verbreitetsten. Teff wird auch als Mehl angeboten.

ZUBEREITUNG Da Teff so klein ist, gart er schnell. Mit derselben Menge Wasser 5 Minuten kochen, dann bei aufgelegtem Deckel quellen lassen. Sie können 1 Tasse Teff mit 3 Tassen Wasser etwa 15 Minuten kochen, dann erhalten Sie cremigen Teff, der anstelle von Kartoffelpüree oder gesüßt als Porridge serviert werden kann.

BUCHWEIZEN

WAS IST DAS? Buchweizen ist der Samen einer Pflanze aus der Rhabarberfamilie. In Osteuropa, Japan und China zählt er seit Jahrhunderten zu den Grundnahrungsmitteln. Wie Amaranth und Quinoa ist Buchweizen kein echtes Getreide, er wird in der Küche jedoch wie Getreide behandelt. Buchweizen ist sehr gesund. Er hat einen niedrigen glykämischen Index, was bedeutet, dass er seine Energie über einen längeren Zeitraum hinweg an den Körper abgibt. Er enthält viel Eiweiß und ist daher für Vegetarier besonders empfehlenswert. Seine einzigartigen Aminosäuren sorgen dafür, dass die in anderen Nahrungsmitteln wie Bohnen und Hülsenfrüchten enthaltene Eiweißmenge, die wir am selben Tag verzehren, sehr viel besser aufgenommen werden kann. Buchweizen ist von Natur aus glutenfrei.

GESCHMACK UND VERWENDUNG Buchweizen besitzt ein zutiefst befriedigendes nussiges Aroma. Er wird zur Herstellung von Soba-Nudeln verwendet (siehe Seite 161), kann jedoch genau wie andere Körner in Suppen, Eintöpfen und Salaten eingesetzt werden. Zusammen mit Haferflocken lässt sich ein sättigendes und eiweißreiches Porridge zubereiten. Aus dem Mehl kann man sehr feine Pancakes mit nussigem Geschmack zaubern.

EINKAUF Buchweizen wird gewöhnlich geröstet und getrocknet angeboten. Er ist in allen guten Bioläden erhältlich. Soba-Nudeln aus Buchweizen gibt es auch in ausgewählten Supermärkten.

ZUBEREITUNG Ein Teil Buchweizen mit zwei Teilen Wasser und etwas Salz in einen Topf geben, zum Kochen bringen und 15 bis 20 Minuten kochen, bis er gar ist.

HIRSE

WAS IST DAS? Hirse ist ein vielseitiges Getreide, das aus Afrika stammt, in Form von Porridge eine lange Tradition in Osteuropa hat und in Indien als Mehl für Fladenbrote (Roti) verwendet wird. Neben Quinoa und Amaranth besitzt Hirse das wertvollste Eiweiß, das bei Getreide zu finden ist – eine gute Wahl für Vegetarier. Es ist von Natur aus basisch und glutenfrei, außerdem reich an Ballaststoffen und Nährstoffen wie Magnesium und Phosphor.

GESCHMACK UND VERWENDUNG Hirse hat einen milden, nussigen Geschmack ähnlich dem der Quinoa, ist jedoch etwas trockener. Hirse kann anstelle von Reis oder anderem Getreide verwendet werden. Aus Hirse lässt sich ein tolles Frühstücksporridge zubereiten, es kann auch zu Mehl gemahlen werden.

EINKAUF Hirsesamen sind klein und gelb und kommen gewöhnlich geschält in den Verkauf. Hirse ist in allen Bioläden und Supermärkten erhältlich.

ZUBEREITUNG Ein Teil Hirse mit zweieinhalb Teilen kaltem Wasser in einen Topf geben und zum Kochen bringen, dann 25 bis 30 Minuten simmern lassen. Hirse kann auch mit Wasser oder Milch als Porridge zubereitet werden. Häufig umrühren und 40 Minuten garen, bis sie cremig ist.

LAGERUNG

Körner vor Feuchtigkeit geschützt in luftdichten Behältern aufbewahren und innerhalb weniger Monate aufbrauchen oder bis zu sechs Monate im Tiefkühler lagern.

EINFRIER-TIPP

Reste von gegarten Körnern sind nach dem Abkühlen in luftdichte Behälter verpackt zwei Monate haltbar und können dann in eine Suppe, einen Eintopf oder ein Pfannengericht gegeben werden.

SPROSSEN

All diese Körner lassen sich auch als Sprossen ziehen, was ihren ernährungsphysiologischen Wert enorm erhöht. Die Körner über Nacht in kaltem Wasser einweichen, dann gründlich abspülen, in einen Keimapparat oder ein Sieb geben, das über einer Schüssel hängt, und 1 bis 2 Tage an einen kühlen Ort zum Keimen stellen. Sobald sie gekeimt sind, wird an den Körnern eine kleine Spirale sichtbar. Nochmals abspülen und auf Küchenpapier in den Kühlschrank legen, wo sie 2 bis 3 Tage haltbar sind.

Der Riesenhunger-Burger

Bei diesem Rezept musste ich etwas mit mir kämpfen. Hat ein Veggie-Burger wirklich einen Platz in einem modernen Buch über vegetarische Küche verdient? Irgendwie fühlt sich ein Veggie-Burger für mich an wie »Ich-geh-mit-meinen-Hanffaserhosen-in-ein-quietschbuntes-Café-und-esse-einen-Nussbratling«. Meiner großen Hamburgerliebe ist es zu verdanken, dass sie hier trotzdem erscheinen. Sie können sich darauf verlassen, dass es sich keinesfalls um die panierte Mais-Pilz-Pampe handelt, wie sie so oft und lieblos auf ein Weißmehlbrötchen geklatscht wird. Das ist ein herzhaftes supergesundes Wunder, das keinerlei Rechtfertigung nötig hat.

Ich habe mit vielen Rezepten herumexperimentiert, bevor ich mich für dieses entschieden habe. Manche waren vollgepackt mit frischen grünen Kräutern und geraspeltem Gemüse, andere aus eiweißreichem Tofu – und alle waren gut. Doch was ich von einem Burger erwarte, ist dieser deftige, komplexe Geschmack, von dem man nicht genug bekommen kann. Darf ich vorstellen: Hier ist er.

Ich verwende Naturreis, es funktioniert hier jedoch jedes beliebige Korn, das gerade zur Hand ist: Quinoa, Perlgraupen und Emmer sind gut geeignet.

Zu diesem Burger bereite ich gern schnelle Gurken-Pickles zu: Dazu eine viertel Salatgurke in dünne Scheiben schneiden und mit einer Prise Salz, etwas Honig und einem guten Esslöffel Weißweinessig in eine Schüssel geben, alles leicht miteinander verkneten und ziehen lassen, während die Burger zubereitet werden. Schnelle hausgemachte Pickles, die besser als jede gekaufte Gewürzgurke sind.

FÜR 8 BURGER

Olivenöl

6 große Riesenchampignons, in kleine Stücke gehackt

einige Zweige Thymian, Blättchen abgezupft

Meersalz und frisch gemahlener schwarzer Pfeffer

1 Dose weiße Bohnen (400 g, z.B. Cannellini-Bohnen), gut abgetropft

4 große Datteln der Sorte Medjool, entsteint

2 Knoblauchzehen, geschält und fein gehackt

1 kleines Bund Petersilie, fein gehackt

2 EL Tahini

2 EL Sojasauce oder Tamari

200 g gegarter und abgekühlter Naturreis (100 g Rohgewicht)

50 g Semmelbrösel oder Haferflocken

abgeriebene Schale von 1 unbehandelten Zitrone

ZUM SERVIEREN

1–2 Avocados, geschält und in Scheiben geschnitten

Tomatenrelish oder Ketchup

Gurken-Pickles (siehe Text oben)

ein paar Handvoll Blattspinat

8 Burgerbrötchen mit Körnern (ich nehme Vollkorn-Burgerbrötchen)

- Eine große Pfanne bei mittlerer Temperatur erhitzen und einen Spritzer Olivenöl hineingeben. Sobald die Pfanne schön heiß ist, die Pilze und den Thymian zugeben und mit Salz und Pfeffer würzen. Bei starker Hitze anbraten, bis die Pilze keine Flüssigkeit mehr abgeben und leicht angebräunt sind, dann zum Abkühlen beiseitestellen.

- Die weißen Bohnen abgießen und mit den Datteln, dem Knoblauch, der Petersilie, der Tahini und der Sojasauce in den Mixbehälter der Küchenmaschine füllen. Zu einer einigermaßen glatten Masse pürieren, in eine Schüssel umfüllen und den Reis, die Semmelbrösel, die Zitronenschale und die abgekühlten Pilze hinzufügen. Gründlich vermischen, dann etwa 10 Minuten zum Quellen in den Kühlschrank stellen.

- Nach dem Abkühlen die Masse in acht Portionen teilen und diese zu acht Patties formen. Auf ein mit Backpapier belegtes Backblech legen und bis zur Weiterverwendung in den Kühlschrank stellen. (Dies kann bereits am Vortag erledigt werden, die Burger lassen sich an diesem Punkt auch gut einfrieren.)

- Den Backofen auf 230 °C (210 °C Umluft/Gas Stufe 8) vorheizen. Die Burger etwa 15 Minuten backen, bis sie eine appetitlich braune Färbung angenommen haben. Falls Sie Käse auf Ihrem Burger möchten, legen Sie einige Minuten, bevor die Patties aus dem Ofen genommen werden, eine Scheibe darauf.

- Während die Patties im Ofen sind, die Toppings zubereiten. Ich nehme Avocado, Tomatenrelish und die schnellen Gurken-Pickles, dazu einige Spinatblätter. Hummus, geraspelte Karotte und Sprossen mag ich auch sehr gerne, aber improvisieren Sie ruhig mit Ihren Lieblingszutaten.

- Sobald die Patties goldbraun gebacken sind, die Burgerbrötchen toasten und die Burger fertigstellen. Ich serviere sie gern mit den Süßkartoffel-Pommes frites von Seite 246. Burger und Pommes frites sind einfach eine geniale Kombi – und in diesem Fall genauso gesund wie lecker.

Leichte Butternusskürbis-Grünkohl-Tarte

Das ist eine locker-leichte Variante der üblicherweise sehr sahne- und käselastigen Quiches und Tartes, die mit ihrer Thymian-Zitronen-Kruste und der saftigen bernsteinfarbenen Füllung nicht weniger aromatisch und sättigend ist. Der Teig enthält etwas Butter, jedoch weitaus weniger als die traditionelle Version, und ist trotzdem mürbe, köstlich und voller Geschmack.

Ich bereite den Teig mit einer Mischung aus Dinkel- und Weizenmehl zu, was eine hocharomatische, aber auch leichte, mürbe und knusprige Kruste ergibt. Anstelle von Dinkel passt Buchweizen hier auch gut, wenn Sie ein noch kräftigeres Aroma wünschen.

Falls Sie kein Naturtalent im Umgang mit Teig sind (und glauben Sie mir: Das war ich bei den ersten zwanzig Versuchen auch nicht), überlegen Sie sich gut, ob Sie nicht in eine Küchenmaschine investieren möchten – mit deren Hilfe auch Unmengen anderer Arbeiten erledigt werden können und die Ihrem Teig zu einer homogeneren und mürberen Konsistenz verhelfen wird. Der beste Tipp zur Teigherstellung, den ich je bekommen habe, lautete: Warme Hände sind der schlimmste Feind. Ich finde jedenfalls, dass meine Teige mithilfe der »coolen« Küchenmaschine richtig gut werden. Falls die Zeit knapp ist, können Sie natürlich auf gekauften Mürbeteig zurückgreifen.

Einen guten glutenfreien Teig erhalten Sie durch die Mischung von 100 g glutenfreiem Mehl und 100 g Buchweizenmehl.

FÜR 6 PERSONEN ALS HAUPT-MAHLZEIT, FÜR 8 ALS BEILAGE

FÜR DEN TEIG
125 g Weizenmehl

125 g helles Dinkelmehl oder Vollkornmehl

1 TL Meersalz

einige Zweige Thymian, Blättchen grob gehackt

125 g kühlschrankkalte Butter

4–6 EL eiskaltes Wasser

etwas verquirltes Ei

FÜR DIE FÜLLUNG
Olivenöl

1 rote Zwiebel, geschält und in dünne Scheiben geschnitten

1 Butternusskürbis (etwa 850 g), geschält, Kerne entfernt, geraspelt

200 g Grünkohl, Mittelrippe entfernt, Blätter in Streifen geschnitten

Meersalz und frisch gemahlener schwarzer Pfeffer

3 Bio- oder Freilandeier

etwa 400 ml Vollmilch oder Mandelmilch

Muskatnuss zum Reiben

100 g Gruyère

• Den Teig von Hand oder mithilfe der Küchenmaschine zubereiten. Zuerst die Mehle, das Salz und den Thymian vermischen, dann mit dem Mixbehälter der Küchenmaschine oder mit einem Holzlöffel weiterarbeiten. Als Nächstes die Butter hinzufügen und entweder im Mixbehälter unter die anderen Zutaten arbeiten oder von Hand so unter die Zutaten reiben, dass grobe Brösel entstehen. Nun esslöffelweise das Wasser zugeben, nach jeder Zugabe den Intervallschalter der Küchenmaschine betätigen oder mit dem Holzlöffel vermischen, bis sich die Zutaten zu einem Teig verbinden. Zu einer Scheibe formen, in Backpapier wickeln und etwa 30 Minuten in den Kühlschrank legen. Den Backofen auf 210 °C (190 °C Umluft/Gas Stufe 7) vorheizen und eine Tasse Tee trinken.

• Wenn er ausreichend gekühlt ist, den Teig auf der bemehlten Arbeitsfläche zu einem knapp 5 mm dicken großen Kreis ausrollen, der etwas größer ist als eine Tarteform mit 24 cm Durchmesser, Hebeboden und gewelltem Rand. Den Teigkreis über das Rollholz legen und über der Tarteform ausbreiten. Mit den Fingerspitzen den Teig passgenau in die Tarteform drücken, am oberen Rand überstehen lassen. Falls Zeit ist, nochmals 10 Minuten in den Kühlschrank stellen.

• Den Teig mit Backpapier belegen und Backbohnen, rohen Reis oder getrocknete Bohnen zum Blindbacken einfüllen. Den Rand brauchen Sie noch nicht in Form zu schneiden, das mache ich immer am Schluss, da ich dann sicher sein kann, dass er nicht mehr schrumpft. Den Teig 15 Minuten im Ofen backen, dann herausnehmen, Backbohnen und Papier entfernen, den Teigboden mit etwas verquirltem Ei bestreichen und nochmals 10 Minuten in den Ofen stellen. Wenn er fertig gebacken ist, den Teig aus dem Ofen nehmen, den Ofen nicht ausschalten.

• Inzwischen die Füllung zubereiten. Eine große Pfanne erhitzen, erst einen Spritzer Olivenöl, dann die Zwiebel hineingeben und 10 Minuten anbraten, bis sie weich und süß geworden ist. Die Kürbisraspel, die Grünkohlstreifen und eine kräftige Prise Salz und Pfeffer hinzufügen, einige Minuten anbraten, dann zum Abkühlen beiseitestellen.

• Die Eier in einen Messbecher geben und gut verquirlen. Die Milch zugießen, bis die 500-ml-Markierung erreicht ist, dann eine kräftige Prise Salz und Pfeffer, reichlich Muskatnuss (etwa eine viertel Muskatnuss) und den geriebenen Käse unterrühren.

• Sobald der Kürbis abgekühlt ist, die Eimischung zugießen und sorgfältig vermischen. Alles auf den vorgebackenen Teigboden geben und die Oberfläche glatt streichen. Im Ofen 35 Minuten backen, bis die Füllung gerade eben gestockt ist.

• Ich serviere dazu gern den Salat mit karamellisiertem Lauch und neuen Kartoffeln (siehe Seite 108).

Süßkartoffellasagne mit Ricotta und Thymian

Ein wärmender Auflauf für den Winter: geröstete Süßkartoffeln, klebrige Karamellzwiebeln, sanfter, intensiv grüner Blattspinat und eine tolle cremige Sauce, die alles verbindet. Eins von diesen Gerichten, die besser werden, wenn man sie im Voraus zubereitet und einige Stunden ruhen lässt, bevor sie im Ofen aufgewärmt werden.

Meistens lasse ich die Lasagneblätter weg und verwende die gerösteten Süßkartoffelscheiben als Trennschicht zwischen süßer Tomate und Blattspinat. Falls ich jedoch völlig ausgehungert bin oder es draußen schrecklich kalt ist oder ich eine Horde hungriger Jungs zu bekochen habe, gibt es einen zusätzlichen Energiekick in Form von Lasagneblättern. Entscheiden Sie selbst, was Ihnen besser gefällt.

Das lange Herumgeköchel für eine weiße Sauce entfällt – diese hier ist in weniger als 2 Minuten fertig und schmeckt ganz wunderbar.

Toll für eine große Runde, da sich das Rezept problemlos verdoppeln und in zwei Auflaufformen vorbereiten lässt.

....

- Den Backofen auf 240 °C (220 °C Umluft/Gas Stufe 9) vorheizen.

- Die Süßkartoffelscheiben nebeneinander auf Backbleche verteilen, mit Salz und Pfeffer bestreuen, mit Olivenöl beträufeln und 30 Minuten im Ofen rösten, bis sie gerade gar sind und an den Rändern anzubräunen beginnen.

- Während die Süßkartoffeln rösten, die Tomatensauce zubereiten. Dazu den Knoblauch bei mittlerer Temperatur in wenig Olivenöl anbraten, bis er am Rand zu bräunen anfängt, dann den Rosmarin hinzufügen und einige Sekunden umrühren. Die stückigen Tomaten schnell zugießen und mit der Rückseite eines Holzlöffels etwas zerdrücken. Zum Simmern bringen, etwa 10 Minuten leise köcheln lassen, bis die Sauce etwas eingedickt ist und ein süßes Aroma bekommen hat. Großzügig mit Salz und Pfeffer würzen und beiseitestellen.

- Die Zwiebeln mit dem Thymian in wenig Olivenöl anbraten, bis sie weich und süß geworden sind, was etwa 10 Minuten dauert. Den Blattspinat hinzufügen und zusammenfallen lassen (ich gebe erst ein Drittel hinein, lasse es zusammenfallen und gebe dann den Rest dazu, da die Menge sonst nicht in die Pfanne passt). Wenn die Süßkartoffeln fertig geröstet sind, die Bleche aus dem Ofen nehmen und die Temperatur auf 220 °C (200 °C/Gas Stufe 7) reduzieren.

FÜR 6 PERSONEN

FÜR DEN AUFLAUF
4 mittelgroße Süßkartoffeln, geschrubbt und in 1 cm dicke Scheiben geschnitten

Meersalz und frisch gemahlener schwarzer Pfeffer

Olivenöl

4 Knoblauchzehen, geschält und in dünne Scheiben geschnitten

einige Zweige Rosmarin, Nadeln abgezupft

2 Dosen gute stückige Tomaten (à 400 g)

2 rote Zwiebeln, geschält und in dicke Scheiben geschnitten

1 kleines Bund Thymian

400 g Blattspinat, gewaschen

200 g Ricotta

100 g Parmesan oder Pecorino (siehe Seite 140)

8 Lasagneblätter ohne Vorkochen (nach Belieben)

FÜR DIE BOHNENSAUCE
1 Dose Limabohnen (400 g)

abgeriebene Schale und Saft von 1 unbehandelten Zitrone

3 EL Olivenöl

- Weiter geht's mit der Bohnensauce. Dazu die Limabohnen mitsamt der Flüssigkeit mit der Zitronenschale und dem Zitronensaft, dem Olivenöl und etwas Salz und Pfeffer in den Mixer füllen und zu einer Sauce pürieren, die geschmeidig und gerade so flüssig ist, dass sie sich als Schicht auf den Auflauf streichen lässt. Falls sie zu dick geraten ist, ein paar Esslöffel Wasser hinzufügen und erneut pürieren.

- Sobald die einzelnen Bestandteile fertig sind, den Auflauf in eine große ofenfeste Form schichten. Mit einer Schicht Tomatensauce beginnen, darauf eine Lage Blattspinat geben, die Hälfte des Ricottas in kleinen Portionen darüber verteilen, dann eine dicke Schicht Parmesan darüberreiben. Falls gewünscht, nun eine Lage Lasagneblätter drauflegen, diese mit einigen Süßkartoffelscheiben bedecken. Die Hälfte der Bohnensauce daraufstreichen, dann dieselben Lagen nochmals in die Form einschichten und mit der zweiten Hälfte Bohnensauce und einer letzten Lage geriebenem Parmesan abschließen. Mit Olivenöl beträufeln und mit Thymianblättchen bestreuen.

- Im Ofen 30 Minuten backen, bis die Oberfläche eine goldbraune Färbung angenommen hat. Mit einem knackigen grünen Blattsalat genießen.

Tomaten-Kokos-Cassoulet

Dieses köstliche Rezept vereint viele meiner Lieblingszutaten: geröstete Tomaten, cremige Kokosmilch und süße kleine weiße Bohnen, bedeckt von einer Kruste aus Sauerteigbrot. Lassen Sie sich nicht von der Kokosnuss abschrecken – sie bringt eine mild cremige Note ins Spiel, die alles verbindet (der Rest kann eingefroren und in einem Curry verwendet werden).

Falls frische Tomaten gerade nicht die beste Wahl sein sollten, nehmen Sie eine zweite Dose stückige Tomaten. Im Winter verwende ich Thymian anstelle des Basilikums. Ich koche meine Bohnen gern selbst, ab und zu nehme ich jedoch ein Glas hochwertige gegarte spanische Bohnen – Dosenware ist auch in Ordnung, ich habe jedoch den Eindruck, dass die im Glas mit mehr Sorgfalt gekocht wurden.

Ich liebe Sauerteigbrot. Es wird unter Verwendung eines natürlich fermentierten Sauerteigstarters hergestellt. Als ich als Bäckerin arbeitete, liebte ich den Gedanken, dass jemand alle paar Tage den Starter fütterte und am Leben erhielt. Diesem Starter ist es auch zu verdanken, dass das Brot leichter verdaulich ist.

FÜR 4 BIS 6 PERSONEN

Olivenöl

1 Stange Lauch, gewaschen, geputzt und in dicke Scheiben geschnitten

1 Knoblauchzehe, geschält und fein gehackt

1 roter Chili, Samen entfernt, fein gehackt

1 Stück Ingwer (1 cm), geschält und grob gehackt

Meersalz und frisch gemahlener schwarzer Pfeffer

1 Dose stückige Tomaten (400 g)

4 EL Kokosmilch

1 Dose oder 1 Glas weiße Bohnen (400 g), abgetropft

500 g Rispen- oder Kirschtomaten, halbiert

1 Bund Basilikum

4 Scheiben Sauerteigbrot

- Den Backofen auf 200 °C (180 °C Umluft/Gas Stufe 6) vorheizen.

- Zuerst einen ofenfesten Topf bei mittlerer Temperatur erhitzen und einen Spritzer Olivenöl hineingeben. Lauch, Knoblauch, Chili, Ingwer, eine Prise Salz und etwas Pfeffer hineingeben, die Temperatur senken und alles 10 Minuten anbraten, bis der Lauch weich und süß geworden ist. Danach stückige Tomaten, Kokosmilch und Bohnen hinzufügen und einige Minuten simmern lassen, dann vom Herd nehmen. Probieren und bei Bedarf mit etwas mehr Salz und Pfeffer nachwürzen.

- Die frischen Tomaten darüber verteilen, gefolgt vom Basilikum, dann das Brot in Stücke zupfen und zwischen die Tomaten drücken. Am Ende soll die gesamte Oberfläche aus Tomaten und Brot bestehen.

- Alles mit Olivenöl beträufeln und 30 Minuten in den Ofen stellen, bis die Tomaten geschrumpft sind und eine süße Note entwickelt haben und das Brot knusprig und goldbraun geworden ist. Vor dem Austeilen einige Minuten ruhen lassen. Mit einem zitronigen grünen Blattsalat anrichten.

Rote-Bete-Bourguignon mit Lorbeer

Ich stehe oft vor der Herausforderung, dass Fleischesser zu Besuch sind und ich ihnen gern ein deftiges Abendessen bieten möchte. Einige von ihnen sind überzeugt, dass eine Mahlzeit ohne Fleisch nicht mal den Teller wert ist, auf dem sie serviert wird. Herausforderungen waren schon immer mein Ding, und ich liebe es, widerstrebende Gemüseesser zu bekochen und mir extra für sie etwas auszudenken, von dem dann alle Nachschlag verlangen.

Um genau so ein Gericht handelt es sich hier, wobei es inzwischen auch unter der Woche in mein festes Abendessensrepertoire gehört, da es wirklich einfach zuzubereiten ist – in nur 20 Minuten ist alles im Topf, danach blubbert es alleine fröhlich vor sich hin. Ein Seelenwärmer für Winterabende, wunderbar auf einem Bett zerdrückter und mit Olivenöl beträufelter Kartoffeln, dazu ein Glas kräftiger Rotwein.

Ich esse den Schmortopf aber auch gern, wenn es wieder wärmer wird. Dann tausche ich die intensiv Rote Bete gegen ihre farbenfrohe Schwester Tonda di Chioggia (Ringelbete) und die Pastinaken gegen Möhren aus und serviere dazu einen grünen Salat und Brot zum Auftunken des neonrosa Saftes.

FÜR 4 BIS 6 PERSONEN

Oliven- oder Rapsöl

2 mittelgroße Zwiebeln, geschält und grob gehackt

4 Knoblauchzehen, geschält und grob gehackt

8 kleine bis mittelgroße Rote Beten, geschält und geviertelt

4 Pastinaken, geschält und in fingerlange Stücke geschnitten

4 Lorbeerblätter

einige kräftige Thymianzweige

250 ml guter Rotwein (Bordeaux, falls vorhanden)

1 l Gemüsebrühe von guter Qualität

2 EL Tomatenmark

50 g Perlgraupen

6 Schalotten oder kleine Zwiebeln, geschält und halbiert

3 Riesenchampignons, in dicke Scheiben geschnitten

• Einen großen Topf auf dem Herd erhitzen und einen Schuss Öl hineingeben. Die Zwiebeln und den Knoblauch bei mittlerer Temperatur 10 Minuten anbraten, bis sie weich und süß geworden sind.

• Die Roten Beten und Pastinaken hinzufügen und einige Minuten umrühren, dann Kräuter, Wein, Brühe, Tomatenmark und Perlgraupen zugeben und etwa 30 Minuten sanft köcheln lassen, bis die Roten Beten weich sind. Vom Herd nehmen und den Deckel auflegen.

• In einer großen Pfanne nochmals einen großzügigen Spritzer Öl erhitzen und die Schalotten hineingeben. Bei mittlerer bis hoher Temperatur 10 Minuten anbraten, bis sie weicher geworden sind und zu bräunen beginnen, dann die Pilze hinzufügen und einige Minuten anbraten, bis sie rundherum gebräunt sind.

• Die Schalotten und die Pilze in den Topf zum Schmorgemüse geben und mit zerdrückten Kartoffeln und knackigem Grünzeug servieren. Und mit mehr Rotwein natürlich.

Kernige Pistazien-Galette mit Kürbis

Ein Gericht, das ich an einem Sonntag gern für eine große Runde zubereite. Eine Galette lässt sich irgendwo zwischen einer Tarte und einer Pizza einordnen, wobei der Galette-Boden mit einigen Vorteilen glänzt: Er ist weniger zeitaufwendig und auch einfacher im Handling als Tarte- oder Pizzateig.

Ich nehme den Teigboden als feste Basis und variiere den Belag je nach Jahreszeit. Im Frühling verwende ich Bärlauch anstelle des Blattspinats, grille ein paar Spargelstangen in einer Grillpfanne und richte ihn dann statt des Butternusskürbisses darauf an. Im Sommer ersetze ich ein Viertel des Blattspinats durch frisches Basilikum und belege die Galette statt mit Kürbis mit gerösteten Tomaten.

Das große Geheimnis: Auch wenn sie absolut köstlich schmeckt, ist sie durch und durch gesund – keine Milchprodukte, kein Gluten, kein Zucker. Aber pssst, nicht verraten …

FÜR 6 PERSONEN

FÜR DEN GALETTE-TEIG
100 g geschälte Pistazienkerne
100 g Sonnenblumen- oder Kürbiskerne
100 g gegarte vakuumverpackte Maronen
2 EL Olivenöl
1 EL Ahornsirup
abgeriebene Schale von 1 unbehandelten Zitrone
1 kleines Bund Thymian, Blättchen abgezupft
Meersalz und frisch gemahlener schwarzer Pfeffer

FÜR DAS SPINAT-TOPPING
75 g Cashewkerne, über Nacht in Wasser eingeweicht (falls Sie daran denken; siehe Seite 344)
1 reife Avocado, halbiert und vom Stein befreit
2 große Handvoll Blattspinat
Saft von ½ Zitrone

ZUM FERTIGSTELLEN
½ kleiner Butternusskürbis, Kerne entfernt, in ½ cm dicke Scheiben geschnitten
Olivenöl
1 rote Zwiebel, geschält und in dünne Scheiben geschnitten
1 roter Chili, in Ringe geschnitten

• Den Backofen auf 200 °C (180 °C Umluft/Gas Stufe 6) vorheizen.

• Die Kürbisscheiben auf einem Backblech verteilen, mit Salz und Pfeffer bestreuen, mit etwas Olivenöl beträufeln und 20 bis 25 Minuten im Ofen goldgelb rösten.

• Während der Kürbis im Ofen ist, den Rest vorbereiten. Zuerst den Galette-Teig zubereiten. Dazu die Pistazien mit den Sonnenblumen- oder Kürbiskernen auf einem Backblech verteilen und 5 Minuten zum Kürbis in den heißen Ofen schieben.

• Danach das Blech mit den Kernen aus dem Ofen nehmen (den Kürbis weiter rösten lassen). Die Kerne mit den Maronen, dem Olivenöl, dem Ahornsirup, der Zitronenschale, dem Thymian und einer kräftigen Prise Salz und Pfeffer in den Mixbehälter der Küchenmaschine geben. Pürieren, bis eine feine krümelige Paste entstanden ist, die zusammenhält, wenn sie zusammengedrückt wird. Sollte die Paste zu krümelig sein, noch etwas Öl einarbeiten, damit sie sich am Ende zu einem Teig verbindet, wenn sie mit den Händen zusammengedrückt wird.

• Einen Bogen Backpapier auf die Arbeitsfläche legen, dann die Paste daraufgeben und von Hand zu einem Kreis formen.

- Mit einem weiteren Bogen Backpapier bedecken und mithilfe eines Rollholzes zu einem etwa ½ cm dicken pizzagroßen Teigboden ausrollen. Auf ein Backblech legen, dann den oberen Bogen Backpapier abziehen, den Teigboden mehrmals mit einer Gabel einstechen und 15 bis 20 Minuten zum Kürbis in den Ofen schieben. Aus dem Ofen nehmen und kurz abkühlen lassen. Falls der Kürbis vor dem Teigboden fertig sein sollte, diesen aus dem Ofen nehmen und beiseitestellen.

- Inzwischen die rote Zwiebel mit einer Prise Salz in wenig Olivenöl anbraten, bis sie sich tief violett gefärbt, eine süße Note angenommen hat und gerade eben zu bräunen beginnt (was etwa 10 Minuten dauert).

- Alle Zutaten fürs Topping – die eingeweichten Cashewkerne, das Avocadofruchtfleisch, den Blattspinat und den Zitronensaft – mit einer nicht zu kleinen Menge Salz und Pfeffer in den Mixer geben und zu einer geschmeidigen grasgrünen Paste pürieren.

- Sobald der Teigboden etwas abgekühlt ist, das Spinattopping darauf streichen, die rote Zwiebel, den Kürbis und den roten Chili darauf verteilen. Ab und zu krümele ich etwas Feta darüber.

- Im Sommer serviere ich die Galette mit einer Schüssel knackigem Blattsalat und ein paar gerösteten neuen Kartoffeln, im Winter mit geröstetem Wurzelgemüse und kurz angebratenem zitronigem Grünkohl.

Cashew-Maronen-Würstchen

Perfekt für ein Frühstück am Wochenende oder auf Wurzelgemüsepüree mit Sauce (siehe Seite 253 und Seite 347). Und eine gute Option, wenn man bei Grillpartys, bei denen sich sonst alles ums Fleisch dreht, auch etwas Gutes essen möchte. Cashewkerne, Tofu, winterliche Kräuter und etwas Cheddar ergeben eine richtig gute vegetarische Wurst. Sie können auch den Käse weglassen und stattdessen eine geraspelte Karotte untermischen.

Dies ist ein sehr einfaches Rezept für so viele Würstchen, dass Sie locker die Hälfte einfrieren können. Eine feine Sache, da sie sich bestens einfrieren und direkt aus dem Tiefkühler bei niedriger Temperatur anbraten lassen (sie brauchen dann etwas länger).

Tofu ist für viele ein No-go. Soja hatte nicht immer die beste Presse. Man sollte jedoch seine zahlreichen gesundheitlichen Vorteile nicht außer Acht lassen, und ich denke, eine kleine Menge gutes Soja in seine Ernährung einzubauen ist der richtige Weg. Viele lehnen Tofu ab, da sie denken, er sei schwierig in der Zubereitung. Was so nicht ganz stimmt – Sie müssen nur immer den richtigen Tofu auswählen. Seidentofu eignet sich für Desserts und Dessertsaucen – wird er angebraten, kann das nur in einer Katastrophe enden, egal, wie gut Sie kochen können. Nur fester Tofu eignet sich zum Anbraten und als Bindemittel für Patties und Pfannküchlein. Die noch festere geräucherte Sorte lässt sich in Scheiben schneiden und als Belag für Sandwiches verwenden oder angebraten zu asiatischen Nudeln, Reis oder Suppen servieren.

Viele Supermärkte und Lebensmittelhändler haben mittlerweile Tofu im Angebot. Ich achte darauf, Bio-Tofu von einem Hersteller zu kaufen, mit dem ich gute Erfahrungen gemacht habe – ich kaufe meinen Tofu am liebsten in meinem Bioladen um die Ecke.

FÜR 16 STÜCK

200 g ungesalzene Cashewkerne, über Nacht in Wasser eingeweicht, falls Zeit ist (siehe Seite 344)

200 g gegarte vakuumverpackte Maronen

250 g fester Tofu

1 kleine rote Zwiebel, geschält und gerieben

1 roter Chili, Samen entfernt, grob gehackt

abgeriebene Schale und Saft von 1 unbehandelten Zitrone

150 g Semmelbrösel (ich nehme Vollkornsemmelbrösel)

einige Zweige Thymian, Blättchen abgezupft und grob gehackt

100 g Cheddar, gerieben

1 EL Sojasauce oder Tamari

1 Bio- oder Freilandei, verquirlt (oder siehe Anmerkungen zu Chiasamen auf Seite 46)

Olivenöl zum Frittieren

• Zuerst die Cashewkerne und die Maronen im Mixbehälter der Küchenmaschine so pürieren, dass das Ergebnis die Konsistenz mittelfeiner Semmelbrösel hat. Den Tofu in einer großen Schüssel zerdrücken, die Nuss-Maronen-Brösel und danach alle anderen Zutaten außer dem Olivenöl hinzufügen und sehr gründlich vermischen.

- Die Hände anfeuchten, von der Masse golfballgroße Portionen abnehmen und zu 16 Würstchen oder Patties formen oder in eine andere beliebige Form bringen. Auf ein mit Backpapier ausgelegtes Backblech setzen und zum Festwerden etwa 5 Minuten in den Tiefkühler stellen.

- Etwas Olivenöl bei niedriger Temperatur in einer Pfanne erhitzen und die Würstchen darin 5 bis 7 Minuten unter Wenden anbraten, bis sie rundherum schön gebräunt sind. Sie können auch 12 Minuten bei 220 °C (200 °C Umluft/Gas Stufe 7) im Ofen gebacken oder einige Minuten pro Seite auf dem Grill gegart werden.

- Mit einem pochierten Ei zum Frühstück genießen oder zum Abendessen auf Wurzelgemüsepüree mit Grünzeug. Oder auch beim Grillfest mit etwas Tomatenketchup zwischen zwei Scheiben gutes Brot gepackt.

Filo-Pie mit zweierlei Grünzeug

Diese Pie ist etwas an die griechische Spanakopita angelehnt, wobei sie deutlich schneller und einfacher zuzubereiten ist. Dieses Rezept war eins der ersten, die den unbezähmbaren Appetit meines Freundes John stillen konnten, nachdem wir aufgehört hatten, Fleisch zu essen.

Mit ein paar Tricks können Sie die Pie in einer halben Stunde auf dem Tisch haben.

Ich verwende Grünkohl (oder Frühkohl) und Mangold und nicht ausschließlich Blattspinat, da ihre etwas robustere Konsistenz gut passt und ich ihre zitronige Frische in Kombination mit dem Feta gern mag. Blattspinat solo geht hier natürlich auch. Ich variiere das grüne Blattgemüse je nachdem, was gerade Saison hat.

Ich verwende gern Schafskäse und mag seinen Geschmack meistens sogar lieber als den von Kuhmilchkäse. Feta ist einer meiner Lieblinge – er harmoniert einfach gut mit dem, was ich gern koche, und ich habe immer ein Päckchen im Kühlschrank, um ihn über geröstete Karotten oder in einen schnellen Avocadosalat zu krümeln. Schafsmilch besitzt doppelt so viel Kalzium wie Kuhmilch, und Feta ist zudem für Menschen geeignet, die Kuhmilch nicht vertragen, da sich ein Großteil der Laktose in der Molke befindet, die nach dem Formen des Fetas nicht mitverzehrt wird.

Den besten Feta finden Sie in griechischen und türkischen Geschäften. Mein Stammladen hat ein großes Fass im Kühlschrank, aus dem ich mir mit einer Schöpfkelle wunderbare reine weiße Taler heraushole, die viel weicher und cremiger sind als das, was man eingeschweißt kaufen kann.

....

FÜR 4 BIS 6 PERSONEN

Olivenöl

1 Bund (etwa 8 Stück) Frühlingszwiebeln, geputzt und grob gehackt

Meersalz und frisch gemahlener schwarzer Pfeffer

250 g Frühkohl oder Grünkohl, Mittelrippen entfernt, Blätter in Streifen geschnitten

250 g Mangold oder Blattspinat, Blätter in Streifen geschnitten, Mangoldstängel klein geschnitten

abgeriebene Schale von ½ unbehandelten Zitrone

3 Bio- oder Freilandeier

200 g Feta

1 kleines Bund Petersilie, Blätter abgezupft und grob gehackt

1 kleines Bund Dill, ohne Stängel gehackt

4 große oder 8 kleinere Blätter Filoteig

1 EL Mohnsamen

- Den Backofen auf 220 °C (200 °C Umluft/Gas Stufe 7) vorheizen.

- Eine antihaftbeschichtete ofenfeste Pfanne von 26 cm Durchmesser bei mittlerer Temperatur erhitzen und wenig Olivenöl hineingeben. Die Frühlingszwiebeln mit einer Prise Salz hinzufügen und ein paar Minuten anbraten, bis sie weich geworden sind.

- Als Nächstes einige Handvoll Frühkohl oder Grünkohl zugeben und anbraten, bis er etwas zusammengefallen ist. Auf diese Weise nach und nach den gesamten Kohl in die Pfanne geben und anbraten, bis er gerade eben zusammengefallen ist. Den Mangold oder den Blattspinat hinzufügen und ebenfalls zusammenfallen lassen. Mit der Zitronenschale, etwas Pfeffer und, falls nötig, etwas mehr Salz bestreuen. In eine Schüssel umfüllen und kurz zum Abkühlen beiseitestellen.

- Die Eier in eine Rührschüssel aufschlagen, den Feta hineinkrümeln und die gehackten Kräuter zugeben. Wenn das grüne Blattgemüse abgekühlt ist, dieses ebenfalls hinzufügen. Die Pfanne mit Küchenpapier säubern.

- Einen großen, etwa 50 cm langen Bogen Backpapier auf die Arbeitsfläche legen. Mit wenig Olivenöl beträufeln, dann das Papier zu einer Kugel zusammenknüllen, sodass es am Ende vollständig mit Öl überzogen ist (wodurch verhindert wird, dass es im Ofen verbrennt). Nun wieder flach auf der Arbeitsfläche ausbreiten.

- Den Filoteig in zwei Lagen auf dem Backpapier ausbreiten. Er wird stellenweise überlappen, aber das ist in Ordnung so. Alles mit etwas Öl beträufeln. Das Backpapier mit dem Filoteig anheben und vorsichtig so in die Pfanne setzen, dass der Teig gleichmäßig über den Pfannenrand hängt.

- Die Eier-Gemüse-Mischung hineingießen und mit einem Löffel glatt streichen. Die überstehenden Teigränder nach innen klappen, sodass die Füllung bedeckt ist. Es ist nicht nötig, hier besonders genau zu arbeiten, da die Pie durch eine unregelmäßige Optik erst richtig gut aussieht. Die Oberfläche mit den Mohnsamen bestreuen und die Pie 20 Minuten im Ofen backen.

- Ich serviere dazu gerne einen Gurkensalat mit einem einfachen Dressing aus Dill und Zitrone und ein bisschen grünen Salat.

Rösti-Pie mit Pilzen und Pastinaken

Eine unkomplizierte, deftige und wärmende Winter-Pie, die Gaumen und Seele mit ihrer Fülle verwöhnt und dabei so leicht ist, dass man nach ihrem Genuss nicht gleich in den Tiefschlaf fällt.

Dadurch, dass die Pilze separat angebraten werden, ziehen sie später beim Backen keine Flüssigkeit und werden nicht zu weich. Das Pastinaken-Topping ist leichter und hat mehr Biss als der traditionelle Kartoffelpüreebelag. Ab und zu bereite ich das Topping auch aus einem Pastinaken-Kartoffel-Püree und Olivenöl zu – ein sättigendes Abendessen, das fast schon für acht Personen reicht. Oft mache ich die Pie auch ohne Crème fraîche, dann nur ein paar Minuten länger einköcheln lassen.

FÜR 6 PERSONEN

Oliven- oder Rapsöl

750 g Pilze (ich nehme eine Mischung aus Riesenchampignons, Egerlingen und Wildpilzen, falls ich welche bekomme), grob zerkleinert

Meersalz und frisch gemahlener schwarzer Pfeffer

3 Knoblauchzehen, geschält und in Scheiben geschnitten

1 kleines Bund Thymian, Blättchen abgezupft

2 rote Zwiebeln, geschält und in Scheiben geschnitten

2 Karotten, geschält und fein gehackt

½ Steckrübe (250 g), geschält und fein gehackt

200 ml Weißwein oder Gemüsebrühe

1 EL Worcestershiresauce (ich nehme die vegetarische Variante namens Henderson's)

1 EL Dijonsenf

2 EL körniger Senf

1 kleines Bund Petersilie, grob gehackt

2–4 EL Crème fraîche (nach Belieben)

4 Pastinaken, sorgfältig abgeschrubbt

• Die größte Pfanne bei hoher Temperatur erhitzen (ich verwende eine gusseiserne Pfanne, die ich auch in den Ofen stellen kann) und einen guten Schuss Öl zugeben. So viele Pilze hineingeben, dass der Boden bedeckt ist, mit Salz und Pfeffer würzen und anbraten, bis sie sich appetitlich braun färben und beginnen, am Rand trocken zu werden. In eine Schüssel geben und den Rest portionsweise anbraten, bis alle Pilze goldbraun gebraten sind.

• Wenn alle Pilze in der Schüssel sind, die Pfanne zurück auf den Herd stellen und nochmals einen Schuss Öl zugeben. Knoblauch, Thymian, Zwiebeln, Karotten und Steckrübe hinzufügen, mit einer kräftigen Prise Salz und Pfeffer würzen und 10 Minuten bei mittlerer Temperatur anbraten, bis alles weich geworden ist und zu bräunen beginnt. Den Backofen auf 200 °C (180 °C Umluft/Gas Stufe 5) vorheizen.

• Die gebratenen Pilze und Wein oder Brühe zugeben und köcheln lassen, bis die Flüssigkeit fast komplett eingekocht ist. Die Worcestershiresauce, die beiden Senfsorten, die Petersilie und, falls verwendet, die Crème fraîche hinzufügen. Alles einige Minuten sanft köcheln lassen, bis eine üppige Sauce entstanden ist. Probieren und nach Bedarf mit mehr Salz und Pfeffer abschmecken. Die Pastinaken in eine Schüssel raspeln, mit Salz und Pfeffer würzen.

• Die Pilzmischung, falls nötig, in eine ofenfeste Form umfüllen und die Pastinaken so darüber verteilen, dass rundherum ein kleiner Rand frei bleibt. Großzügig mit Öl beträufeln und 40 Minuten im Ofen goldbraun und knusprig backen. Mit Blattgemüse servieren – ich sautiere gern etwas Mangold mit wenig Chili und abgeriebener Zitronenschale.

Linsen-Pie mit Süßkartoffelhaube

Verwöhnprogramm für Leib und Seele – diese supereinfache Pie macht satt und glücklich. Ein leuchtend orangefarbenes Süßkartoffelpüree krönt eine sanft geschmorte Mischung aus Linsen, mild süßem Knoblauch und kräftigen Gewürzen, die den Linsen eine indische Note verleihen, die ich sehr mag. Wunderbar wärmend an einem kalten Wintertag.

Ein tolles Essen für eine große Runde, da viele davon satt werden und die Pie gut im Voraus zubereitet und später aufgewärmt werden kann. Eine Mahlzeit-aus-einem-Topf, die ich gern mit einer Schüssel Erbsen oder winterlichem Blattgemüse serviere.

Ich verwende hier Puy-Linsen, die auch unter dem Namen »der Kaviar des armen Mannes« bekannt sind. Sie haben durch ihr süßes, fast erdiges Aroma etwas Raffiniertes an sich. Im Gegensatz zu roten, grünen und braunen Linsen behalten sie beim Garen ihre Form. Auch vom ernährungswissenschaftlichen Standpunkt aus können sie punkten: Sie enthalten sehr viel Folsäure, die wichtig für Knochen und Nervensystem ist, und sind daher besonders empfehlenswert für schwangere Frauen.

FÜR 6 PERSONEN

FÜR DIE LINSENMISCHUNG
Olivenöl
2 Karotten, grob gehackt
2 Stangen Staudensellerie, grob gehackt
2 rote Zwiebeln, geschält und grob gehackt
2 Knoblauchzehen, geschält und grob gehackt
1 TL Kreuzkümmelsamen, zerstoßen
1 TL Zimt
½ TL Piment
1 kleines Bund Thymian, Blättchen abgezupft
1 Dose geschälte Tomaten (400 g)
400 g Puy-Linsen
Meersalz und frisch gemahlener schwarzer Pfeffer

FÜR DAS PÜREE
5 mittelgroße Süßkartoffeln, sorgfältig abgeschrubbt
2 EL Olivenöl
4 Frühlingszwiebeln, geputzt und in dünne Ringe geschnitten
abgeriebene Schale von ½ unbehandelten Zitrone

• Den Backofen auf 220 °C (200 °C Umluft/Gas Stufe 7) vorheizen.

• Nun das Püree zubereiten. Dazu die Süßkartoffeln 15 bis 20 Minuten in kochendem gesalzenem Wasser kochen, bis sie gar sind. Ich verwende die Süßkartoffeln mit Schale, Sie können sie aber gern schälen, wenn Sie möchten.

• Während die Süßkartoffeln kochen, die Linsen zubereiten. Eine große Pfanne mit schwerem Boden (ich verwende eine flache gusseiserne Pfanne, die ich auch in den Ofen stellen kann, das macht weniger Abwasch) bei mittlerer Temperatur erhitzen. Einen guten Schuss Olivenöl hineingeben, dann die Karotten, den Staudensellerie, die Zwiebeln und den Knoblauch hinzufügen und 10 Minuten brutzeln lassen, bis alles etwas weicher geworden ist.

• Alle Gewürze und die Thymianblättchen hinzufügen und nochmals einige Minuten anbraten. Die Tomaten zugeben, dann die leere Dose zweimal mit kaltem Wasser füllen und zusammen mit den Linsen dazugeben.

- Die Mischung 15 Minuten leise köcheln lassen, bis die Linsen gar sind und die Sauce eingekocht ist. Falls nötig, ab und zu etwas heißes Wasser nachfüllen. Und nicht vergessen, bei Bedarf mit Salz und Pfeffer nachzuwürzen.

- Sobald sie fertig sind, die Süßkartoffeln abgießen und mit dem Olivenöl, den Frühlingszwiebeln, der Zitronenschale und einer kräftigen Prise Salz und Pfeffer zu Püree verarbeiten. Auf die Linsenmischung streichen, mit etwas Thymian bestreuen und 25 bis 30 Minuten im Ofen backen, bis die Oberfläche eine goldbraune Färbung angenommen hat.

Süß-klebrige Tomaten und Zwiebeln vom Blech

Dieses Gericht ist weitaus mehr als die Summe seiner Teile. Etwas Erstaunliches geschieht, wenn Zwiebeln und Tomaten geröstet werden: Die Tomaten verwandeln sich in saftige, dunkelrote süßsaure Kugeln, und die vormals scharfen kleinen Zwiebeln werden süß und mild. Doch der wahre Star bei diesem Gericht ist die üppige süße Sauce aus den Zwiebeln und Tomaten, in der die Kartoffeln und Bohnen schmurgeln, sodass kein Tropfen verschwendet wird. Glauben Sie mir, das hier ist wirklich ein vollständiges Abendessen. Perfekt mit einem knackigen grünen Beilagensalat mit Zitronendressing.

Außerdem eine ausgezeichnete Art und Weise, aus den letzten Tomaten der Saison noch einmal das Beste herauszuholen, da ihnen das Rösten ein noch intensiveres Aroma verleiht. Im Winter habe ich es mit ein paar Dosen abgetropften Kirschtomaten zubereitet, was auch ganz köstlich war.

FÜR 4 PERSONEN

500 g Babyzwiebeln

750 g große Kirschtomaten

750 g neue Kartoffeln, gewaschen und halbiert

Meersalz und frisch gemahlener schwarzer Pfeffer

Olivenöl

1 Dose Cannellini-Bohnen (400 g), abgetropft

1 kleines Bund Basilikum

....

- Den Backofen auf 210 °C (190 °C Umluft/Gas Stufe 7) vorheizen.

- Die Zwiebeln in eine Schüssel legen und mit kochendem Wasser übergießen. Mit einem Sieblöffel herausfischen und die Schalen abziehen. Größere Exemplare halbieren.

- Die geschälten Zwiebeln auf das größte Backblech, z. B. in die Fettpfanne geben, die Tomaten und die halbierten Kartoffeln hinzufügen. Möglicherweise müssen Sie alles etwas zusammendrücken, aber keine Sorge, die Zutaten schrumpfen beim Garen ohnehin. Sie müssen sogar eng zusammengedrückt werden, damit die Kartoffeln auch richtig im Tomatensaft baden können. Großzügig mit Salz und Pfeffer würzen und mit etwas Olivenöl beträufeln. Alles gut vermischen, dann 1 Stunde im Ofen rösten und etwa alle 15 Minuten durchrühren.

- Nach 1 Stunde sollte sich ein köstlicher Duft verbreitet haben, die Zwiebeln sollten weich und stellenweise leicht angebräunt sein und die Tomaten glänzen und Blasen haben. Das Blech aus dem Ofen nehmen, die Bohnen und das Basilikum hinzufügen und alles nochmals 15 Minuten im Ofen rösten.

- Auf vorgewärmten Tellern anrichten und bis zum allerletzten Tropfen Sauce genießen.

Pilz-Lorbeer-Biryani

Dieses durch Zimt, Lorbeer, Gewürznelken und Kardamom intensiv aromatische Biryani ist eine supereinfach zubereitete Mahlzeit aus einem Topf.

Ich esse es gern mit Raita, Mango-Chutney und Chapati, das Biryani macht sich aber auch gut als Reisgericht mit einer Auswahl Curries. Ab und zu gebe ich auch Granatapfelkerne dazu – das ist nicht typisch, aber das Knackige und die Frische der Kerne harmonieren perfekt mit den Gewürzen. Reste lassen sich knusprig anbraten und mit einem gebratenen Ei und gehacktem Koriandergrün genießen.

FÜR 6 PERSONEN

FÜR DIE PILZE

500 g Pilze (ich nehme eine Mischung aus Egerlingen, Riesenchampignons und ein paar Wildpilzen), grob zerkleinert

2 Knoblauchzehen, geschält und grob gehackt

1 daumengroßes Stück Ingwer, geschält und grob gehackt

½ TL gemahlene Kurkuma

½ TL gemahlener Koriander

½ TL gemahlener Kreuzkümmel

2 EL Öl (ich nehme kaltgepresstes Rapsöl)

½ Bund Koriandergrün, Blätter abgezupft und grob gehackt

Meersalz und frisch gemahlener schwarzer Pfeffer

FÜR DAS BIRYANI

300 g Basmatireis

Ghee oder Öl zum Anbraten

2 Zwiebeln, geschält und in dünne Scheiben geschnitten

3 Lorbeerblätter

5 Gewürznelken

5 Kardamomkapseln, aufgebrochen

1 Zimtstange

1 TL Kreuzkümmelsamen

1–2 grüne Chilis

½ Bund Koriandergrün

2 Tomaten oder 200 g stückige Tomaten (aus der Dose)

1 Zitrone

• Zuerst die Pilze in eine Schüssel geben und Knoblauch, Ingwer, die Gewürze, den Koriander und eine kräftige Prise Salz zugeben. Für 30 Minuten beiseitestellen.

• Als Nächstes den Reis in kaltem Wasser einweichen. Eine große Pfanne bei mittlerer Temperatur erhitzen, 1 Teelöffel Ghee oder Öl hineingeben. Die Zwiebeln hinzufügen und 10 Minuten anbraten, bis sie sich gerade eben goldgelb gefärbt haben. Lorbeerblätter, Gewürznelken, Kardamomkapseln, Zimtstange und Kreuzkümmelsamen unterrühren und nochmals einige Minuten anbraten.

• Die grünen Chilis mit dem Koriandergrün und den Tomaten im Mixbehälter der Küchenmaschine pürieren und in die Pfanne geben. 5 Minuten erhitzen, bis die Flüssigkeit fast vollständig eingekocht ist, dann die Pilze hinzufügen und 5 Minuten bei hoher Temperatur kochen, bis sie etwas weicher geworden sind.

• Wasser in einem Wasserkocher zum Kochen bringen. Den Reis abgießen und unter fließendem kaltem Wasser abspülen. In die Pfanne geben und unter behutsamem Rühren kurz anbraten. Das kochende Wasser zugießen, bis es 1 cm hoch über dem Reis steht. Den Deckel auflegen und den Pfanneninhalt 2 Minuten bei hoher Temperatur garen, dann den Herd auf niedrige Temperatur einstellen und alles 5 Minuten köcheln, ohne den Deckel anzuheben. Den Herd ausschalten und das Biriyani bei aufgelegtem Deckel 10 Minuten quellen lassen.

• Den Deckel abnehmen und den Reis mit einer Gabel sorgfältig auflockern. Die Zitronenschale darüberreiben und den Saft darüberträufeln.

Ratatouille mit Safran

Ratatouille ist in letzter Zeit etwas ins Abseits geraten, und ich möchte es wieder ins Rampenlicht und zurück auf die Speisekarten holen – denn wenn es gut zubereitet ist, lässt es sich kaum toppen. Meine Mutter ist eine treue Ratatouille-Anhängerin, die ihre geniale Version – solange ich denken kann – wöchentlich auf den Tisch gebracht hat. Hier ist sie nun inklusive einiger Sonnenstrahlen in Form von Safran, und sie versetzt mich schon mit der ersten Gabel von Hackney direkt ins hochsommerliche Antibes.

Ich brate alle Gemüsesorten getrennt voneinander in Olivenöl an, was für mehr Aroma sorgt und dafür, dass sie ihre jeweilige Form behalten. Ich habe mich entschieden, danach alles im Ofen zu rösten; das entspricht zwar nicht der traditionellen provenzalischen Methode, aber ich finde es viel einfacher. Das Großartige an Ratatouille ist, dass es mit der Zeit immer besser wird – ich bereite es zu und esse es dann erst am nächsten Tag, wenn die Aromen miteinander verschmolzen und intensiver geworden sind.

FÜR 4 PERSONEN

2 rote Paprika, Samen entfernt, in Achtel geschnitten

Olivenöl zum Anbraten

Meersalz und frisch gemahlener schwarzer Pfeffer

2 Zwiebeln, geschält und in Scheiben geschnitten

2 Knoblauchzehen, geschält und in dünne Scheiben geschnitten

6 Zweige Thymian, Blättchen abgezupft

6 reife Tomaten, grob gehackt, oder 1 Dose aromatische Tomaten (400 g)

1 kräftige Prise Safranfäden

1 EL Rotweinessig oder Sherryessig

2 Auberginen, in 1 cm dicke Scheiben geschnitten

3 Zucchini, in 1 cm dicke Scheiben geschnitten

1 kleines Bund Basilikum

• Den Backofen auf 200 °C (180 °C Umluft/Gas Stufe 6) vorheizen.

• Die roten Paprikas auf ein Backblech legen, mit etwas Olivenöl beträufeln, mit Salz und Pfeffer bestreuen und 25 Minuten im Ofen rösten.

• Als Nächstes einen kräftigen Schuss Olivenöl in einer großen Pfanne erhitzen und die Zwiebeln und eine Prise Salz hineingeben. 10 Minuten anbraten, bis sie weich und goldgelb sind, dann Knoblauch und Thymian hinzufügen und nochmals einige Minuten anbraten.

• Tomaten, Safran und Essig zugeben und einige Minuten garen, bis die Flüssigkeit fast vollständig eingekocht ist. Die Sauce in eine hohe ofenfeste Form oder in die Fettpfanne geben.

• Die Pfanne zurück auf den Herd stellen, noch etwas Olivenöl hineingeben und die Auberginenscheiben portionsweise von beiden Seiten goldgelb anbraten, dabei bei Bedarf immer wieder Öl zugießen, da Auberginen dazu neigen, Öl aufzusaugen. Nach dem Anbraten die Auberginenscheiben auf der Tomaten-Zwiebel-Sauce verteilen. Die Zucchinischeiben auf dieselbe Weise anbraten und ebenfalls in die Form oder die Fettpfanne schichten.

Sobald die Paprikas lange genug im Ofen waren und am Rand dunkel zu glänzen beginnen, diese zum anderen Gemüse in die Form geben. Die Paprikas, Auberginen und Zucchini auf der Sauce vermischen, mit etwas mehr Salz und Pfeffer würzen und 40 Minuten im Ofen durchgaren.

• Danach alles vermischen, das Basilikum zerzupfen und darüberstreuen, nach Bedarf mit etwas Salz und Pfeffer abschmecken und mit etwas Olivenöl beträufeln.

• Ich serviere mein Ratatouille gern mit einem gebratenen Spiegelei und einem schönen Baguette oder Fladenbrot.

Schwarzes Dal

Schwarzes Dal gehört schon lange zu meinen kulinarischen Favoriten. Hocharomatisch gewürzt, cremig, fast schon rauchig – für mich wie eine Mischung aus Bostoner Barbecuebohnen und cremig-würzigem Masala.

In meiner Nähe gibt es ein Restaurant namens *Dishoom*, das ein richtig gutes Dal zubereitet, das – wenn ich mich recht erinnere – mit einem nicht zu kleinen Schuss Sahne fertiggestellt wird. Hier geht es ganz ohne Sahne: Ich zerdrücke die Linsen zu einem Mus, was das Dal schön cremig macht. Falls Sie jedoch gerade in dekadenter Stimmung sind, können Sie durchaus einen Schuss süße Sahne oder dicken Naturjoghurt unterrühren.

Das Dal ist übrigens leicht zu Hause nachzukochen: Auch wenn es einige Stunden vor sich hinköchelt, sind nur 10 Minuten aktiver Einsatz nötig, ansonsten geht es lediglich darum, bei Bedarf ab und zu mal Wasser nachzufüllen oder umzurühren. Mutters alter Freund, der Schnellkochtopf, leistet beim Kochen von Hülsenfrüchten übrigens gute Dienste. Falls Sie einen besitzen, können Sie ihn hier einsetzen. Machen Sie alles so, wie im Rezept angegeben, bis zu dem Schritt, an dem Sie die Linsen und Bohnen hinzugefügt haben – nun den Deckel aufschrauben und 20 Minuten kochen, bis die Bohnen gar sind.

Die Urdbohnen bekommen Sie im Asialaden oder in einem großen Supermarkt. Falls Sie es einplanen können, wäre es hilfreich, die Bohnen über Nacht in Wasser einzuweichen, falls Sie es vergessen sollten, kein Problem – dann einfach etwas länger kochen.

FÜR 4 BIS 6 PERSONEN

200 g ganze getrocknete schwarze Urdbohnen (auch *Urad dhal* oder Linsenbohne genannt)

100 g getrocknete Kidneybohnen

Erdnussöl, Kokosöl oder Ghee zum Anbraten

2 Zwiebeln, geschält und fein gehackt

1 TL Kreuzkümmelsamen

2 Kardamomkapseln, aufgebrochen

1 TL gemahlene Kurkuma

½ TL rotes Chilipulver

1 TL Fenchelsamen

3 Knoblauchzehen, geschält und fein gehackt

1 daumengroßes Stück Ingwer, geschält und fein gehackt

2 EL Tomatenmark

2 Tomaten, fein gehackt (oder 200 g stückige Tomaten aus der Dose)

1 kleines Bund Koriandergrün, Blätter abgezupft und grob gehackt

• Die Urd- und die Kidneybohnen in eine große Schüssel geben und in reichlich kaltem Wasser einweichen – über Nacht wäre ideal, es reichen jedoch auch ein paar Stunden.

• Als Nächstes etwas Olivenöl in einer großen Pfanne erhitzen und die Zwiebeln 10 bis 15 Minuten sanft darin anbraten, bis sie süß, weich und leicht angebräunt sind. Die Kreuzkümmelsamen, die Kardamomkapseln, die Kurkuma, das Chilipulver, die Fenchelsamen, den Ingwer und das Tomatenmark hinzufügen und einige Minuten unterrühren.

- Die Bohnen abgießen und mit den gehackten Tomaten und 2 Liter kaltem Wasser in die Pfanne geben. Zum Kochen bringen, dann die Temperatur so reduzieren, dass der Pfanneninhalt nur noch leise köchelt. Den Deckel auflegen und die Bohnen 2 bis 2½ Stunden kochen, bis sie gar sind und die Flüssigkeit zu einer dicken, dunklen und hocharomatischen Sauce eingekocht ist. Dabei ab und zu umrühren und etwas Wasser zugießen, falls das Dal zu trocken erscheint.

- Sobald die Bohnen gar sind, die Hälfte davon mithilfe eines Kartoffelstampfers in der Pfanne zu einer Paste zerdrücken, dann alles miteinander verrühren, um ein supercremiges Dal zu erhalten.

- Das Dal in Schüsseln verteilen und nach Belieben mit etwas Naturjoghurt und reichlich gehacktem Koriandergrün garnieren. Mit weichen, fluffigen Naans oder Chapati anrichten und warm servieren.

Artischocken-Paella mit Fenchelsamen

Ich habe festgestellt, dass ich dieses Gericht besonders gern im tiefsten Winter zubereite: Die großen Aromen von sonnendurchflutetem Safran und geräucherter Paprika sorgen für Wärme und »kulinarische Erleuchtung« an den kalten und bisweilen grauen Londoner Wintertagen. Allerdings schmeckt es auch im Sommer köstlich. Ich serviere die Paella gern mit einem Salat aus hauchdünn gehobeltem Fenchel.

Auch dieses Gericht gehört zu den sehr schnell zubereiteten Abendessen aus einem Topf. Ein Großteil der Zutaten lässt sich einfach aus dem Vorrats-schrank nehmen, daher ist es ein tolles Rezept für Tage, an denen man sich nicht zu einer Einkaufstour aufraffen kann.

Der Trick bei einer Paella ist, stark zu bleiben und dem Drang zu widerste-hen, nach Zugabe der Brühe den Reis umzurühren. Der Reis setzt sich im Topf ab, und die Brühe blubbert sich in kleinen Kanälen ihren Weg nach oben, sodass alles gleichmäßig gart. Wirklich clever.

FÜR 4 PERSONEN

Olivenöl

2 Zwiebeln (die süßen spanischen sind die besten), geschält und fein gehackt

2 grüne Paprika, Samen und Trennwände entfernt, klein geschnitten

4 Knoblauchzehen, geschält und fein gehackt

½ TL Fenchelsamen

1 TL Safranfäden

1 l Gemüsebrühe

250 g Paella-Reis (der Sorte Bomba, auch unter dem Namen Calasparra bekannt)

200 ml trockener Sherry oder Weißwein

1 kleines Bund Petersilie, Blätter abgezupft und grob gehackt

1 TL geräuchertes Paprikapulver (Pimentón de la Vera dulce)

Meersalz und frisch gemahlener schwarzer Pfeffer

1 Glas Artischockenherzen (300 g), die Herzen geviertelt

2 große Handvoll Blattspinat, gewaschen

1 Glas eingelegte Piquillo-Paprika (220 g)

1 Zitrone

• Eine große Pfanne bei mittlerer Temperatur auf dem Herd erhitzen. Erst Olivenöl, dann die Zwiebeln und Paprikas hineingeben und 10 Minuten anbraten, bis sie weich und süß geworden sind.

• Als Nächstes den Knoblauch und die Fenchelsamen hinzufügen und 5 Minuten anbraten, bis die Zwiebeln leicht anzubräunen beginnen. Inzwi-schen die Safranfäden in die Gemüsebrühe rühren und ziehen lassen.

• Etwas mehr Öl in die Pfanne geben und die Temperatur erhöhen. Den Reis zugeben und einige Minuten anbraten, bis er rundherum mit Öl überzogen ist, dann den Sherry oder Weißwein zugießen und kochen lassen, bis der Alkohol verdampft ist. Die Hälfte der gehackten Petersilie und das Paprikapulver zugeben, mit Salz und Pfeffer würzen und unter-rühren.

• Die Brühe zugießen und den Herd auf mittlere Temperatur einstellen. Die Paella nun ganz in Ruhe lassen – bitte nicht umrühren, da sich der Reis nun setzen und die Brühe ihn mit kleinen Kanälen durchziehen wird. Wenn Sie den Reis umrühren, gart er nicht gleichmäßig.

- 10 Minuten köcheln lassen, bis sich die Brühe etwa 1 cm hoch über dem Reis abgesetzt hat. Die Artischocken darauf verteilen und in die Flüssigkeit hineindrücken, um sie zu erwärmen. Mit dem Blattspinat bedecken und diesen ebenfalls in die Flüssigkeit drücken. Weitere 5 Minuten ohne Umrühren garen, dann den Herd ausschalten und den Deckel auflegen oder die Pfanne mit Folie abdecken. 5 Minuten quellen lassen.

- Zum Schluss die Piquillo-Paprikas, die restliche Petersilie und den Zitronensaft unterrühren.

- Mit einem grünen Salat und einem Gläschen Sherry servieren.

Makkaroni mit grüner Knusperkruste –
Mac and Greens

Das ist meine Version des beliebten Gerichts *Mac and Cheese* (Makkaroni mit Käsesauce). Ich bereite dafür ein cremiges Pesto aus Kirschtomaten, gerösteten Mandeln und Basilikum zu – inspiriert vom sizilianischen *Pesto alla trapanese* –, das die mit Kürbisscheiben gespickten Makkaroni umschmeichelt. Manchmal rühre ich auch 100 g Käse unter die Tomatenmischung, bevor ich die Pasta hinzufüge – Manchego, Pecorino oder Parmesan passen gut. Die Brokkolikruste sorgt für Knuspereffekt und gegensätzliche Konsistenzen.

Besonders gut wird das Rezept mit glutenfreier Pasta, da reichlich Sauce vorhanden ist, sodass die Pasta nicht trocken wird.

FÜR 6 PERSONEN

1 großes Bund Basilikum

50 g Haferflocken

½ Kopf Brokkoli (200 g), grob zerkleinert

Olivenöl

300 g Kirschtomaten

150 g blanchierte Mandeln, geröstet

Meersalz und frisch gemahlener schwarzer Pfeffer

300 g Makkaroni (ich nehme gern glutenfreie Bio-Makkaroni, aber normale oder Vollkorn-Makkaroni eignen sich auch)

400 g Kürbis (Butternuss, Delicata o.ä.), Kerne entfernt, in dünne Scheiben geschnitten

....

- Den Backofen auf 200 °C (180 °C Umluft/Gas Stufe 6) vorheizen und einen großen Topf mit stark gesalzenem Wasser zum Kochen bringen.

- Inzwischen die Hälfte des Basilikums mit den Haferflocken, dem Brokkoli, einem guten Schuss Olivenöl, Salz und Pfeffer in den Mixbehälter der Küchenmaschine füllen und zu feinen Bröseln verarbeiten. Diese sind leicht feucht. In eine kleine Schüssel umfüllen und den Mixbehälter ausspülen. Die Kirschtomaten mit den Mandeln, dem restlichen Basilikum und 2 Esslöffeln Olivenöl in den Mixbehälter geben und zu einer fast homogenen Masse pürieren, mit Salz und Pfeffer würzen und erneut pürieren.

- Sobald das Wasser kocht, die Pasta und die Kürbisscheiben hineingeben und halb so lange kochen, wie die Packungsanweisung besagt – die Makkaroni sollen deutlich untergart sein. Abgießen, dabei eine große Tasse Kochwasser auffangen und beiseitestellen.

- Die abgetropfte Pasta zurück in den Topf geben, die Tomatenmischung hinzufügen und gut unterrühren. Das Kochwasser in kleinen Portionen unterrühren, bis die Sauce die Konsistenz von Crème double erreicht hat. Sie sollte eher dünnflüssig sein, da die Pasta im Ofen die Sauce aufsaugen wird.

- Alles in eine große Back- oder Auflaufform geben. Die Brösel gleichmäßig darauf verteilen und den Auflauf 20 bis 25 Minuten im Ofen backen, bis die Brösel knusprig geworden sind. Aus dem Ofen nehmen und 10 Minuten ruhen lassen.

Frühlingsrisotto mit Bärlauch und Zitrone

In diesem Rezept ist das beste junge Gemüse vereint, um den Frühling anzukündigen! Ich liebe es, dass mit dem Frühling eine ganz neue Palette an Aromen und Farben ins Spiel kommt, und ganz clever darin versteckt auch die Nährstoffe, die wir für den Jahreszeitenwechsel benötigen.

Das Problem mit den meisten Risotti ist, dass sie Unmengen an Käse und Butter enthalten, um sie cremig zu machen. Ich finde sie manchmal zu reichhaltig und massiv, als dass ich sie jeden Tag genießen möchte.

Dieses Risotto ist anders. Hier wird ein schnell gezaubertes Püree aus Bärlauch oder Blattspinat verwendet und geschmorte Zwiebeln anstelle von Butter und Käse. Auf die Idee kam ich beim Genuss eines köstlichen Risottos, das ich in Daylesford gegessen hatte. Dieses Risotto kann man tatsächlich jeden Tag genießen.

Ab und zu verwende ich auch Perlgraupen – sie brauchen etwas länger als Reis, aber die Wartezeit lohnt sich. Sie müssen die Garzeit auf 40 Minuten erhöhen und bei Bedarf noch etwas Wasser angießen.

FÜR 4 PERSONEN

FÜR DAS BÄRLAUCHPÜREE
1 Zwiebel, geschält und grob gehackt
Olivenöl
1 Schöpfkelle Gemüsebrühe, erhitzt (siehe Risotto-Zutatenliste unten)
einige Handvoll Bärlauch oder Blattspinat

FÜR DAS RISOTTO
1 Stange Staudensellerie
1 Stange Lauch, gewaschen, geputzt und klein gewürfelt
2 Knoblauchzehen, geschält und grob gehackt
1 Bund grüner Spargel, holzige Enden abgebrochen, Spitzen ganz lassen, Stangen in dünne Scheiben geschnitten
200 g Risottoreis
1 Glas Weißwein
1,5 l Gemüsebrühe, erhitzt
2 große Handvoll frisch gepalte Erbsen
2 große Handvoll frisch gepalte Dicke Bohnen

ZUM SERVIEREN
abgeriebene Schale und Saft von 1 unbehandelten Zitrone
frisch geriebener Pecorino
1 Bund Minze, Blätter abgezupft und grob gehackt
einige Handvoll Erbsensprossen oder anderes junges grünes Blattgemüse

....

• Die Zwiebeln bei niedriger Temperatur in etwas Olivenöl langsam anbraten, bis sie weich, aber nicht zu dunkel geworden sind. Eine Schöpf-kelle Gemüsebrühe hinzufügen, den Bärlauch oder Blattspinat unterrühren und zusammenfallen lassen, dann vom Herd nehmen. Kurz abkühlen lassen, dann im Mixbehälter der Küchenmaschine pürieren und beiseite-stellen.

• Etwas Olivenöl in einer großen Pfanne erhitzen und den Staudensellerie, den Lauch und den Knoblauch darin 10 bis 15 Minuten anbraten, bis das Gemüse weich geworden ist und eine süße Note angenommen hat. Die in Scheiben geschnittenen Spargelstangen zugeben und etwa 1 Minute mitbraten. Die Temperatur erhöhen, den Reis hinzufügen und einige Minuten umrühren. Den Wein zugießen und einkochen lassen.

• Sobald der Wein vollständig eingekocht ist, den Herd auf mittlere bis niedrige Temperatur schalten und die Gemüsebrühe schöpfkellenweise so zugeben, dass die nächste Portion erst hinzugefügt wird, wenn die vorherige untergerührt und eingekocht ist. So viel Brühe zugeben, bis der Reis fast gar ist, was etwa 25 Minuten dauern wird.

- Wenn der Reis fast fertig gegart ist, die Spargelspitzen, die Erbsen und die Dicken Bohnen hinzufügen und 5 Minuten erhitzen, bis sie gar sind.

- Das Risotto vom Herd nehmen, das Bärlauchpüree und den Zitronensaft zugeben und kräftig rühren, bis alles gut vermischt ist. Den Deckel auflegen und das Risotto einige Minuten ruhen lassen.

- Zum Servieren mit der abgeriebenen Zitronenschale und dem geriebenen Pecorino bestreuen, dann mit etwas gehackter Minze und einigen Erbsensprossen garnieren.

Zucchini-Polpette mit Minze und Pistazienpesto

Diese Klößchen sind irgendwo in der Nähe von Falafel anzusiedeln. Viel leichter, aber nicht weniger lecker. Sie können sie auch mit Spaghetti und Tomatensauce genießen oder als sättigendes Mittagessen mit etwas eingelegter Roter Bete, Hummus und einigen Kapernäpfeln in ein Pitabrot stecken.

Die Polpette lassen sich prima einfrieren und dann direkt aus dem Tiefkühler bei niedriger Temperatur in etwas Olivenöl in einer Pfanne anbraten. Hier werden sie im Ofen gebacken, damit sie etwas weniger üppig werden.

Falls Sie keine Küchenmaschine besitzen: Ein Kartoffelstampfer tut es auch – und ein im Mörser zubereitetes Pesto ist immer fein.

FÜR 4 PERSONEN

FÜR DIE POLPETTE

250 g gekochte Puy-Linsen (oder 400 g Puy-Linsen aus der Dose, abgetropft)

2 Zucchini

100 g Semmelbrösel (ich nehme Vollkornsemmelbrösel)

125 g Ricotta

1 Knoblauchzehe, geschält und fein gehackt

abgeriebene Schale von 1 unbehandelten Zitrone

40 g Pecorino oder Parmesan, fein gerieben (siehe Anmerkung zu Parmesan auf Seite 140)

1 roter Chili, gehackt, oder 1 Prise Chiliflocken

1 Stängel Petersilie, Blätter abgezupft und grob gehackt

1 Bund Minze, Blätter abgezupft und grob gehackt

Olivenöl

FÜR DAS PISTAZIENPESTO

1 Handvoll Pistazienkerne (40 g)

1 kleines Bund Basilikum, Blätter abgezupft

4 EL Olivenöl

Saft von ½ Zitrone

1 Handvoll geriebener Pecorino (nach Belieben)

Meersalz und frisch gemahlener schwarzer Pfeffer

• Die Linsen in den Mixbehälter der Küchenmaschine füllen und mehrmals den Intervallschalter betätigen, um ein grobes Püree zu erhalten. In eine Schüssel umfüllen, die Zucchini dazuraspeln, dann alle anderen Polpette-Zutaten hinzufügen (nur die Hälfte der Minze für später aufbewahren) und gut verkneten. Salz und Pfeffer zugeben – hier ist kräftiges Würzen angesagt. Etwa 20 Minuten ziehen lassen. Inzwischen den Backofen auf 220 °C (200 °C Umluft/Gas Stufe 7) vorheizen.

• Die Masse in vier Portionen teilen und aus jeder Portion sechs kleine Kugeln formen. Die 24 Kugeln auf ein Backblech legen und großzügig mit Olivenöl beträufeln. Im heißen Ofen garen, bis sie knusprig goldbraun gebacken sind.

• Inzwischen alle Pestozutaten sowie die übrige Minze in den Mixbehälter der Küchenmaschine geben. 2 Esslöffel Wasser hinzufügen und alles zu einer stückigen Paste pürieren. Falls Sie etwas mehr Öl im Pesto wünschen, können Sie es nun zugeben – ich selbst mag gerade das frische Aroma ohne allzu viel Öl. Probieren und nach Bedarf mit Zitrone, Salz und Pfeffer und, falls verwendet, mit Pecorino abschmecken.

• Die Polpette aus dem Ofen nehmen. Für eine sättigende Mahlzeit auf einem Berg Quinoa anrichten, mit einer ordentlichen Portion Pesto beträufeln und mit etwas Grünzeug servieren.

Die Am-liebsten-jeden-Abend-Pizza

Das ist keine Pizza von der Stange – für den Boden werden Blumenkohl, Haferflocken und gemahlene Mandeln vermischt, was eine knusprige, herzhafte und köstliche Unterlage für den Belag aus Mozzarella, Tomate und Fenchel bildet.

Ich will jetzt gar nicht so tun, als wäre das eine normale Pizza und als würden Sie nie mehr eine dieser herrlichen Margheritas mit Sauerteigboden essen wollen – was Sie sicher tun werden, da sie einfach zu lecker sind. Aber ein richtig guter Pizzateig kann für einen Abend unter der Woche etwas zu aufwendig sein. Dieser Boden ist derart simpel und gesund, dass Sie ihn wirklich jeden Abend mit Freude genießen könnten. Klingt seltsam, schmeckt aber genial. Probieren Sie's aus!

FÜR 1 PIZZA, 2 BIS 3 PERSONEN

FÜR DEN PIZZATEIG

1 mittelgroßer Blumenkohl, in große Stücke geschnitten
100 g gemahlene Mandeln
100 g Haferflocken
1 kräftige Prise Oregano
Meersalz und frisch gemahlener schwarzer Pfeffer
2 Bio- oder Freilandeier, verquirlt
Olivenöl

FÜR DEN BELAG

200 g stückige Tomaten (aus der Dose)
1 großes Bund Basilikum
1 Kugel Bio-Mozzarella (125 g)
2 große Handvoll grünes Blattgemüse (ich nehme Blattspinat oder Rucola)
½ Fenchelknolle, mit einem Sparschäler in dünne Scheiben geschnitten
Pecorino zum Bestreuen

• Den Backofen auf 220 °C (200 °C Umluft/Gas Stufe 7) vorheizen. Ein Backblech mit Backpapier auslegen.

• Den Blumenkohl im Mixbehälter der Küchenmaschine zu einer reiskorngroßen Konsistenz zerkleinern. In eine Schüssel geben, dann Mandeln, Haferflocken, Oregano, Salz und Pfeffer hinzufügen und von Hand vermischen. In die Mitte eine Mulde drücken und die Eier hineingeben. Alles vermischen und von Hand zu einer Kugel formen. Der Teig ist etwas feuchter und weniger fest als normaler Pizzateig.

• Das Backpapier mit etwas Olivenöl bestreichen, dann die Teigkugel mittig daraufsetzen und mit den Händen so ausbreiten, dass ein etwa ½ cm dicker Boden entsteht, der am Rand etwas höher ist. Im Ofen 20 Minuten backen, bis er gerade eben goldgelb gefärbt ist. Inzwischen die Tomaten mit der Hälfte des Basilikums, einer kräftigen Prise Salz und Pfeffer und einem großzügigen Schuss Olivenöl im Mixbehälter der Küchenmaschine pürieren.

• Den Boden aus dem Ofen nehmen. Den Ofen auf 240 °C (220 °C Umluft/ Gas Stufe 9) hochschalten. Die Tomatensauce gleichmäßig auf dem Boden verteilen, mit dem Mozzarella, dem Blattgemüse und den Fenchelscheibchen belegen, mit etwas Öl beträufeln und 8 Minuten im Ofen backen.

• Nach dem Backen mit dem restlichen Basilikum bestreuen, mit Öl beträufeln und etwas Pecorino darüberreiben.

ABENDESSEN MIT ALLEM DRUM UND DRAN

Bei einem richtigen Dinner dreht sich alles ums richtige Timing und ums Jonglieren mit den Backofenzeiten. Dies ist mein liebstes Sonntagsessen. Ich habe die Rezepte ausgesucht und einen einfachen Ablaufplan erstellt, damit Sie genau sehen, wann was zu tun ist… Und es bleibt sogar genug Zeit für eine Tasse Tee.

DIE MENGEN REICHEN FÜR 6 PERSONEN

SIE BENÖTIGEN DIE FOLGENDEN REZEPTE:

GERÖSTETER KÜRBIS (SIEHE SEITE 254)

KNUSPRIGES GRÜNZEUG (SIEHE SEITE 250)

YORKSHIRE PUDDINGS MIT MOHN UND SESAM (SIEHE SEITE 321)

GERÖSTETE ROTE BETE (SIEHE SEITE 254)

UND HIER NOCH EINIGE SCHNELLE EXTRAS:

Schnelle Meerrettichsauce
6 Esslöffel geriebenen Meerrettich (frisch oder aus dem Glas) mit 2 Esslöffeln Olivenöl und einer kräftigen Prise Salz und Pfeffer vermischen. Nach Belieben etwas Naturjoghurt oder Crème fraîche unterrühren.

Ofenkartoffeln
1 kg mehligkochende Kartoffeln (wie die Sorte Maris Piper) schälen und halbieren. 12 Minuten blanchieren, bis sie fast gar sind. Abgießen und zum Aufrauen in einem Sieb hin und her rütteln. In einen Bräter legen, 2 Esslöffel Olivenöl, Salz, Pfeffer, 6 leicht zerdrückte Knoblauchzehen und 2 Zweige Rosmarin hinzufügen. Dann 1½ Stunden im Ofen rösten.

2 STUNDEN VOR DEM ABENDESSEN

| 2 Std. | Backofenkartoffeln vorbereiten |
| | Gerösteten Kürbis vorbereiten |

1 Std. 45 Min.	Rote Bete vorbereiten
	Backofenkartoffeln > Ofen
	Rote Bete > Ofen
	Gerösteter Kürbis > Ofen

1 Std. 30 Min.	Teig für Yorkshire Puddings zubereiten
	Grünzeug vorbereiten
	Meerrettichsauce zubereiten

| 1 Std. 15 Min. | Tisch decken und Teller herrichten |
| | Röstgemüse kontrollieren und wenden |

1 STUNDE VOR DEM ABENDESSEN

| 45 Min. | kurze Teepause |

30 Min.	Kürbis aus dem Ofen nehmen > warm stellen
	Rote Bete aus dem Ofen nehmen > warm stellen
	Kartoffeln aus dem Ofen nehmen > warm stellen

| | Teller vorwärmen |

15 Min.	Blech für die Yorkshire Puddings vorwärmen
	Yorkshire Puddings in den Ofen schieben
	Grünzeug fertigstellen
	Yorkshire Puddings aus dem Ofen nehmen

ALLE ZU TISCH BITTEN UND SERVIEREN

Grüne Lauch-Pie

Das ist genau die Art von herzhaftem Abendessen, nach der ich jahrelang vegetarische Kochbücher abgesucht habe. Etwas Besonderes, das meinen immer hungrigen Freund genauso zufriedenstellt wie meine gesundheitsbewusste Schwester. Die Pie ist deftig, cremig, aromatisch und sehr britisch. Im Frühling und im Sommer bereite ich sie mit Lauch, grünem Spargel und Erbsen zu, während ich in den kälteren Monaten rote Zwiebeln, Brokkoli und Blattgemüse verwende.

Einen einfacheren Teig gibt es nicht. Ich liebe den nussigen Geschmack von Dinkelmehl, Vollkornweizenmehl eignet sich jedoch auch gut. Ich verwende Olivenöl im Teig, dadurch wird die Krume lockerer als bei der Verwendung von Butter. Durch die Streusel ähnelt die Pie einem herzhaften Crumble, zudem entfällt das mühselige Teigausrollen für den sonst üblichen Teigdeckel.

FÜR 6 PERSONEN

FÜR DEN TEIG

200 g Vollkornmehl oder helles Dinkelmehl

einige Zweige Thymian oder Majoran

abgeriebene Schale von 1 unbehandelten Zitrone

1 Prise Salz

50 ml Olivenöl

FÜR DIE FÜLLUNG

1 kräftiger Schuss Olivenöl

3 große Stangen Lauch, gewaschen, geputzt und in Scheiben geschnitten

2 Bund grüner Spargel, holzige Enden abgebrochen, Spitzen ganz lassen, Stangen klein geschnitten

200 g Tiefkühlerbsen

1 EL Vollkornmehl oder helles Dinkelmehl

400 ml Gemüsebrühe

3 EL Ricotta (nach Belieben)

abgeriebene Schale von ½ unbehandelten Zitrone

Meersalz und frisch gemahlener schwarzer Pfeffer

FÜR DIE STREUSEL

2 Handvoll Haferflocken

1 Handvoll Kürbiskerne

abgeriebene Schale von ½ unbehandelten Zitrone

1 kräftige Prise Salz

1 EL Olivenöl

· Den Backofen auf 210 °C (190 °C Umluft/Gas Stufe 7) vorheizen.

· Nun für den Teig das Mehl mit den Kräutern, der Zitronenschale und dem Salz in den Mixbehälter der Küchenmaschine füllen. Einige Male den Intervallschalter betätigen, dann das Öl zugießen und erneut vermischen, bis das Ergebnis Semmelbröseln ähnelt. Etwa 75 ml kaltes Wasser hinzufügen, bis sich der Teig zu einer Kugel formen lässt. (Falls keine Küchenmaschine vorhanden ist, geht das genauso gut von Hand.)

· Eine Pieform von 22 cm Durchmesser oder eine Tarteform mit Hebeboden und hohem Rand bereitstellen. Den Teig aus dem Mixbehälter schaben und auf die bemehlte Arbeitsfläche geben. Zu einem Kreis ausrollen, der etwas größer als die Pieform ist, dann vorsichtig um das Rollholz wickeln und so wieder abwickeln, dass der Teig in der Form landet. Sanft in die Form drücken. Den Teigboden mehrmals mit einer Gabel einstechen und 12 Minuten im Ofen blindbacken (bei diesem Teig braucht man dafür keine Backbohnen).

· Während der Teig im Ofen ist, die Füllung zubereiten. Dazu einen Schuss Olivenöl in einer Pfanne erhitzen, den Lauch hineingeben und bei niedriger Temperatur etwa 15 Minuten anbraten, bis er weich und süß ist. Den Spargel und die Erbsen hinzufügen und 5 Minuten anbraten, bis die Erbsen aufgetaut sind und der Spargel nicht mehr roh ist.

- Als Nächstes einen Löffel Mehl zugeben und etwa 1 Minute unterrühren, dann die Brühe zugießen und simmern lassen, bis eine dickflüssige Sauce entstanden ist. Vom Herd nehmen und den Ricotta, falls verwendet, und die Zitronenschale unterrühren. Probieren und mit Salz und Pfeffer abschmecken, abkühlen lassen. Inzwischen die Streusel zubereiten.

- Alle Streuselzutaten in den Mixbehälter der Küchenmaschine geben und zu Streuseln verarbeiten.

- Den Teigboden aus dem Ofen nehmen und kurz abkühlen lassen; den Ofen nicht ausschalten. Die Lauch-Spargel-Füllung auf dem Teigboden verteilen und die Haferflockenstreusel gleichmäßig darüberstreuen. 20 Minuten im heißen Ofen backen.

- In große Stücke schneiden und mit Kartoffelpüree und gedämpftem grünem Blattgemüse servieren.

Bunte Regenbogen-Pie

Der mit winterlichen Kräutern gewürzte Teig umschmeichelt das raffiniert aromatisierte und liebevoll geschichtete Wintergemüse, während der krümelige Käse beim Schmelzen alles verbindet. Eine sensationelle Pie, die tatsächlich noch besser schmeckt, als sie aussieht!

In die Regenbogen-Pie muss man schon etwas Zeit und Liebe investieren – ich bereite sie zu besonderen Anlässen und an Feiertagen zu, außerdem ist sie fast immer der Mittelpunkt unserer Weihnachtstafel. Die Pie sieht nach viel Arbeit aus, aber im Grunde lässt sich alles gleichzeitig erledigen: Das Röstgemüse röstet im Ofen vor sich hin, während Sie sich den Lauch und das Blattgemüse vornehmen.

Der Teig besteht aus etwas Butter und ziemlich viel kaltem Wasser, was ihn leicht und knusprig macht. Falls Sie wirklich keine Zeit haben, können Sie einen guten Mürbeteig kaufen.

Ich backe diese Pie oft für meine veganen Geschwister. Dann nehme ich anstelle der Butter Pflanzenfett oder Kokosöl und lasse den Käse weg. Für den Teig wird Backpulver verwendet, daher ist die Zugabe von Ei nicht erforderlich. Zum Bestreichen des Teigdeckels können Sie auch Sojamilch nehmen.

FÜR 8 BIS 10 PERSONEN

200 g krümelig-trockener Hartkäse aus Kuhmilch (z. B. Lancashire)
1 Bio- oder Freilandei, verquirlt, oder Sojamilch zum Bestreichen

FÜR DEN TEIG
600 g Weizenmehl plus etwas mehr zum Ausrollen
1 TL feines Meersalz
½ TL Backpulver
1 kleines Bund Thymian, Blättchen abgezupft und sehr fein gehackt
200 g Butter oder Pflanzenfett
etwa 250 ml eiskaltes Wasser

FÜR DIE SÜSSKARTOFFELN
3 Süßkartoffeln, gründlich abgeschrubbt
etwas Butter oder Olivenöl
einige Prisen frisch geriebene Muskatnuss

FÜR DIE ROTEN BETEN
5 mittelgroße Rote Beten, geschält und grob würfelig geschnitten
Olivenöl
1 Spritzer Rotweinessig
2 Zweige Majoran oder Oregano, Blätter abgezupft
Meersalz und frisch gemahlener schwarzer Pfeffer

FÜR DIE PASTINAKEN
4 Pastinaken, geschält und in kleine Stifte geschnitten
einige Zweige Salbei, Blätter abgezupft
abgeriebene Schale von 1 unbehandelten Orange
1 EL Honig

WEITERE ZUTATEN AUF SEITE 238

• Zuerst für den Teig das Mehl mit dem Salz und dem Backpulver in eine Schüssel sieben, den gehackten Thymian zugeben. Die Butter oder das Pflanzenfett in kleine Stückchen schneiden und mit den trockenen Zutaten verreiben, bis eine semmelbröselartige Mischung entstanden ist. Das Wasser zugießen und alles rasch zu einem geschmeidigen Teig verkneten; den Teig nicht zu lange bearbeiten. Das können Sie auch mithilfe des Mixbehälters der Küchenmaschine tun: Erst zu Semmelbröseln verarbeiten, dann das Wasser zugießen und den Intervallschalter so oft betätigen, dass sich alle Zutaten zu einem Teig verbinden. Den Teig in Frischhaltefolie einwickeln und kalt stellen.

• Nun mit dem Gemüse weitermachen – das kann alles gleichzeitig geschehen. Den Backofen auf 220 °C (200 °C Umluft/Gas Stufe 7) vorheizen.

• Die Süßkartoffeln 1 Stunde im Ofen rösten, bis sie weich sind. Inzwischen die Roten Beten und die Pastinaken vorbereiten.

FÜR DEN LAUCH

25 g Butter oder Olivenöl

2 dicke Stangen Lauch, gewaschen, geputzt und in Scheiben geschnitten

3 Zweige Thymian, Blättchen abgezupft

FÜR DAS BLATTGEMÜSE

2 Köpfe winterliches grünes Blattgemüse, Mittelrippen entfernt, in breite Streifen geschnitten

abgeriebene Schale und Saft von ½ unbehandelten Zitrone

1 roter Chili, fein gehackt

- Die Roten Beten mit einem Schuss Olivenöl, dem Essig und dem Majoran oder Oregano in einen Bräter legen und mit Salz und Pfeffer würzen. Mit Folie abdecken und mit den Süßkartoffeln 1 Stunde in den Ofen stellen, für die letzten 15 Minuten die Folie entfernen.

- Die Pastinaken mit dem Salbei, der Orangenschale, dem Honig und etwas Olivenöl in einen Bräter legen, gut vermischen, sodass alles rundherum damit überzogen ist, dann mit Folie abdecken. Zusammen mit dem anderen Gemüse 45 Minuten hell goldbraun rösten, für die letzten 5 bis 10 Minuten die Folie entfernen. Wenn das gesamte Gemüse gar ist, alles aus dem Ofen nehmen und die Ofentemperatur auf 200 °C (180 °C Umluft/Gas Stufe 6) senken.

- Inzwischen den Lauch zubereiten. Dazu die Butter oder das Öl in einer großen antihaftbeschichteten Pfanne erhitzen. Den Lauch und den Thymian hineingeben und 20 Minuten bei niedriger Temperatur anbraten, bis der Lauch eine süße Note angenommen hat und weich geworden ist, dann beiseitestellen.

- Etwas mehr Olivenöl in die Pfanne geben, das grüne Blattgemüse hinzufügen und ein paar Minuten bei niedriger Temperatur anbraten, bis es gerade eben zusammengefallen ist. Mit Salz und Pfeffer würzen, die Zitronenschale und den Chili zugeben. Beiseitestellen.

- Sobald die Süßkartoffeln so weit abgekühlt sind, dass man sie anfassen kann, das Fruchtfleisch aus den Schalen lösen und mit einem walnussgroßen Stück Butter oder 1 Esslöffel Olivenöl und einigen Prisen Muskatnuss zu Püree verarbeiten. Bei jeder Gemüsemischung probieren, ob nachgewürzt werden muss.

- Den Teig aus dem Kühlschrank nehmen und einige Minuten bei Raumtemperatur liegen lassen. Dann auf der leicht bemehlten Arbeitsfläche knapp 5 mm dick ausrollen und eine Springform von 20 cm Durchmesser damit so auskleiden, dass der Teig rundherum über den Rand hängt.

- Nun wird die Pie in die Form geschichtet. Zuerst die gesamte Lauchmenge auf dem Boden verteilen, dann eine Lage Käse darüberreiben, dann eine Schicht Rote Bete, anschließend das grüne Blattgemüse und eine weitere Lage Käse, danach die Pastinaken und mit dem Süßkartoffelpüree abschließen.

• Zum Schluss den überhängenden Teig über die Füllung klappen, dabei die Ränder auf lockere, ungeordnete Weise in der Mitte zusammenbringen und verschließen – kleine abstehende Teigteile werden beim Backen knusprig und sehen hübsch aus. Möglicherweise wird nicht die gesamte Oberfläche von Teig bedeckt, und hier und da blitzt ein Fleckchen intensiv orangefarbenes Süßkartoffelpüree auf, aber das ist in Ordnung. Mit dem verquirlten Ei oder der Sojamilch bestreichen.

• Die Pie 35 bis 40 Minuten auf der untersten Schiene im Backofen goldbraun backen. 15 bis 20 Minuten abkühlen lassen, aus der Backform nehmen und auf den Tisch stellen. Mit Sauce aus Röstgemüse (siehe Seite 347) servieren.

Gemüse als Begleitung

Rot, gelb, orange, grün – Gemüse in all seiner Pracht. Jedes Rezept in diesem Buch steckt ohnehin voller Gemüse, in diesem Kapitel stelle ich Ihnen jedoch meine Favoriten vor, die dahingehend vereinfacht wurden, dass sie als Beilage zu anderen Gerichten serviert werden können. Ob es sich dabei um eine Pizza oder eine Pie oder auch um eine schöne bunte Gemüsemischung handelt – hier finden Sie einige meiner bevorzugten Methoden, wie man Gemüse auf einfache Art zum Glänzen bringen kann. Von den Außenseitern der Gemüsewelt bis zu meinen bewährten Lieblingen – hier wird kein Gemüse vernachlässigt.

Mit Balsamico gegriller Chicorée · Brokkoli mit Ahornsirup · perfekt knusprige Süßkartoffel-Pommes frites · golden gerösteter Safran-Blumenkohl · mildsüßer geschmorter Fenchel · neonrosa geröstete Radieschen · strahlend orangefarbenes Püree · Regenbogen-Wurzelgemüse aus dem Backofen

Geröstete Honig-Radieschen

Radieschen gehören zu meinen Lieblingen. Ich liebe die pinkfarbenen Akzente, die sie in Salaten setzen, und ihren pfeffrigen Biss, nur mit etwas Meersalz genossen. Durch Rösten werden sie jedoch zu etwas völlig Neuem – es mildert die Schärfe und verleiht ihnen eine wunderschöne Farbe. Ich röste sie hier mit Honig und etwas Zitronensaft.

Radieschen sind die stillen Stars der Küche. Sie hatten in den vergangenen Jahren so etwas wie ein Mini-Comeback, als sie in Begleitung von feiner Butter und Salz auf den Tellern von Restaurants als frischer Einstieg in ein Menü auftauchten. Ich habe fast immer welche im Kühlschrank. Ihr Grün kann ebenfalls gegessen werden und enthält sogar noch mehr Vitamine als die Wurzeln selbst. Ich sautiere es gern mit Blattspinat, Zitrone und Olivenöl oder mische es unter einen grünen Blattsalat. Am liebsten mag ich die zweifarbige Sorte *French Breakfast*, aber hier eignet sich jede andere Sorte genauso gut.

Werfen Sie das Radieschengrün nicht weg, Sie können damit die gerösteten Radieschen aufpeppen, was einen attraktiven Kontrast zum Neonrosa ergibt.

FÜR 4 PERSONEN

2 Bund Radieschen mit Grün
1 kräftige Prise Meersalz
Olivenöl
1 EL Honig oder Agavendicksaft
Saft von 1 Zitrone

• Den Backofen auf 200 °C (180 °C Umluft/Gas Stufe 7) vorheizen.

• Das Grün von den Radieschen abschneiden, beides gründlich waschen. Das Grün für später beiseitelegen. Die Radieschen halbieren oder vierteln, mit einer kräftigen Prise Salz und etwas Olivenöl auf ein Backblech geben und mit Honig und Zitronensaft beträufeln. 15 Minuten im Ofen rösten, bis sie weich sind und anzubräunen beginnen.

• Aus dem Ofen nehmen und mit dem Grün und etwas gutem Olivenöl vermischen, probieren und nach Bedarf mit Salz und Pfeffer abschmecken.

• Perfekt zu einer sommerlichen Tarte.

Lorbeer-Safran-Blumenkohl aus dem Backofen

Etwas Magisches geschieht mit dem Blumenkohl, wenn man ihn im Ofen röstet. Gewöhnlich denke ich bei Blumenkohl automatisch an indische Gewürze, doch eines schönen Maifeiertages dachte ich plötzlich an die sonnengelbe Wärme von Safran. Mein Lorbeerbaum stand in voller Blüte, und so kam es, dass das sanfte, aber temperamentvoll aromatisierte Gemüse den Weg in meinen Ofen fand.

Ich nehme noch eine Handvoll Sultaninen für eine süße Note und ein paar Mandeln für den Biss dazu. Reste schmecken ganz wunderbar mit etwas Olivenöl unter Pasta gemischt – Conchiglie (Muschelnudeln) passen hier gut.

Ich liebe schon den Anblick von Blumenkohl – in meinen Augen ein wirklich hübsches Gemüse mit seinen in blasse Blätter gehüllten milchigen Röschen und den winzigen grünen Blättchen, die sich in einer schützenden Geste eng an die Seiten schmiegen. Entfernen Sie diese kleinen Blätter nicht, sie bringen Farbe und Aroma ins Spiel und sehen attraktiv aus. Falls Sie farbigen Blumenkohl bekommen (kräftig violett und orange gefallen mir am besten), profitieren Sie von den zusätzlichen Antioxidanzien und einer herrlichen Optik. Ich bereite das Rezept auch gern mit Romanesco zu, wenn ich ihn bekommen kann – sein zartes Grün bildet einen äußerst attraktiven Kontrast zum Safran.

FÜR 4 PERSONEN

2 Prisen Safranfäden

1 großer oder 2 kleine Blumenkohl (etwa 1 kg), Blätter entfernt, Kopf in Röschen geteilt, Stängel grob zerkleinert

2 mittelgroße Zwiebeln, geschält und in dünne Scheiben geschnitten

1 EL *pul biber* (türkische Chiliflocken; siehe Seite 26) oder 1 kräftige Prise Chiliflocken

3 Lorbeerblätter

Meersalz und frisch gemahlener schwarzer Pfeffer

1 Handvoll Rosinen (ich nehme die hellen Sultaninen)

1 Handvoll Mandeln, grob gehackt

1 Bund Petersilie, grob gehackt

• Den Backofen auf 200 °C (180 °C Umluft/Gas Stufe 6) vorheizen. Den Safran in eine kleine Schüssel geben, mit einigen Teelöffeln kochendem Wasser bedecken und ziehen lassen.

• Auf einem großen Backblech mit hohem Rand Blumenkohl, Zwiebeln, Chiliflocken und Lorbeerblätter verteilen, mit Salz und Pfeffer würzen. Wenn der Safran lange genug gezogen hat, die Safranfäden samt Wasser, die Rosinen und Mandeln hinzufügen, danach alles vermischen. Mit Folie abdecken und 20 Minuten im Ofen rösten.

• Die Folie abnehmen und alles nochmals 10 bis 15 Minuten rösten, bis sich die Spitzen bräunlich gefärbt haben und der Blumenkohl zart ist. Die gehackte Petersilie untermischen und das Gericht servieren.

Knusprige Süßkartoffel-Pommes frites mit Chipotle-Dip

Ich habe eine große Schwäche für orangefarbene Süßkartoffel-Pommes frites und ihre Knusprigkeit. Damit sie richtig knackig werden, wende ich einen kleinen Trick an, mit dessen Hilfe man auch Röstkartoffeln knusprig bekommt. Ich selbst bin kein Fan der Kombination Polenta–Röstkartoffel, aber mit Süßkartoffeln liegt der Fall ganz anders – Mais plus Süßkartoffel ist einfach perfekt.

Durch die Polenta erhält man superknusprige Backofen-Pommes frites, ganz ohne Vorkochen. Sie passen ausgezeichnet zu diesem Chipotle-Dip, schmecken aber auch sehr gut zu einer feurigen Salsa (siehe Seite 68) oder einfach nur mit Ketchup und etwas Mayo.

Süßkartoffeln enthalten eine große Menge von sogenanntem Speicherprotein, was bedeutet, dass sie voller natürlicher Antioxidanzien stecken, die die Selbstheilungskräfte des Körpers aktivieren. Sie besitzen ebenfalls einen hohen Beta-Karotin- und Vitamingehalt, deshalb esse ich sie häufig anstelle von normalen Kartoffeln. Das sind also gewissermaßen die gesündesten Pommes frites der Welt.

FÜR 4 PERSONEN

FÜR DIE POMMES FRITES
3 große oder 4 kleine Süßkartoffeln, abgeschrubbt und in 1 cm dicke, lange Stifte geschnitten
2 EL feines Maismehl oder Polenta
Meersalz und frisch gemahlener schwarzer Pfeffer
Oliven- oder Rapsöl

FÜR DEN CHIPOTLE-DIP
4 EL dicker griechischer Naturjoghurt (oder Kokosnussjoghurt)
1 EL Chipotle-Paste
1 Handvoll getrocknete Tomaten, grob gehackt
1 EL Ahornsirup

- Den Backofen auf 220 °C (200 °C Umluft/Gas Stufe 7) vorheizen.

- Die Süßkartoffelstifte in ein Sieb geben und unter fließendem kaltem Wasser abspülen, um sie von einem Teil der Stärke zu befreien. Mit einem sauberen Geschirrtuch trocken tupfen und auf zwei Backblechen verteilen.

- Die Polenta gleichmäßig darüberstreuen, danach mit einigen Prisen Salz und ein paar kräftigen Umdrehungen Pfeffer aus der Mühle würzen. Mit Öl beträufeln und auf beiden Blechen alles vermischen, bis die Süßkartoffelstifte rundherum überzogen sind. 30 bis 40 Minuten im Ofen backen, bis die Polenta knusprig geworden ist und die Pommes frites eine appetitlich goldbraune Färbung anzunehmen beginnen.

- Alle Dipzutaten vermischen, probieren und nach Bedarf mit wenig Salz und Pfeffer abschmecken.

- Diese Pommes frites können zu allem serviert werden.

Paprika-Pommes frites

Ich mag Außenseiter. Hier wollte ich das Beste aus einem der unscheinbarsten Küchenhelden der Gemüsewelt herausholen. Immer, wenn ich bei meinem Gemüsehändler vorbeiging, landeten ein paar plumpe Steckrüben oder einige weiße Rübchen in meinem Einkaufskorb. Irgendwie tun sie mir leid, da sie die Aufmerksamkeit, mit der sie früher einmal bedacht wurden, heute nicht mehr bekommen. Ich versuche, sie auf besondere Arten zuzubereiten, damit ihre Chancen wieder steigen.

Dies ist eins meiner richtig gelungenen Experimente. Einige ungewöhnliche, aber einfache Zutaten, die sich zu etwas verbinden, das alle Erwartungen übertrifft. Die milde Süße der gerösteten Steckrübe mit ihrem intensiv herzhaften Aroma harmoniert hervorragend mit dem pikanten Chilikick. Diese Pommes frites sind wirklich gut!

Was mir besonders an diesen Pommes gefällt: Ohne Vorkochen bekommt man eine superknusprige Oberfläche mit herrlich fluffigem Inneren. Ich esse sie als leichtes Abendessen oder samstags als Mittagessen zu einem Wrap oder Sandwich oder aber mit Ketchup und Mayo, wenn ich es mir bei einem guten Film gemütlich mache.

Ich bereite diese Pommes auch oft mit Süßkartoffeln und sogar mit normalen Kartoffeln zu, wobei normale Kartoffeln zuerst einige Minuten vorgekocht werden müssen.

FÜR 4 PERSONEN

3 mittelgroße oder 2 große Steckrüben, großzügig geschält und in 1 cm dicke, lange Stifte geschnitten

1 kräftige Prise Meersalz und frisch gemahlener schwarzer Pfeffer

1 TL mildes geräuchertes Paprikapulver *(Pimentón de la Vera dulce)*

einige Esslöffel Oliven- oder Rapsöl

- Den Backofen auf 220 °C (200 °C Umluft/Gas Stufe 7) vorheizen.

- Die Steckrüben-Pommes in ein Sieb geben und unter fließendem kaltem Wasser abspülen, dann mit Küchenpapier trocken tupfen (dadurch wird ein Teil der Stärke entfernt, wodurch die Pommes frites knuspriger werden). Auf ein Backblech legen, großzügig mit Salz und Pfeffer würzen, mit dem geräucherten Paprikapulver bestreuen und mit etwas Öl beträufeln. Gut vermischen, sodass alles mit Öl und Gewürzen überzogen ist.

- Im Ofen 25 Minuten backen, bis die Pommes außen golden und innen weich sind. Ich esse sie gern mit Ketchup und einer guten Mayo oder mit dem Burger auf Seite 190.

DIE AUSSENSEITER DER GEMÜSEWELT

WAS TUN MIT ALL DEM EIGENARTIGEN ZEUG?

WEISSE RÜBEN

SCHMECKEN MIT
Thymian, Rosmarin, Lorbeer, Knoblauch, Petersilie, Brunnenkresse, Karotten, Lauch, Cheddar, Kartoffeln, Blauschimmelkäse

IM SALAT
Babyrübchen in dünne Scheiben hobeln und mit Zitrone und Öl als originellen Salat servieren.

IN DER SUPPE
Schälen und mit Lauch, Thymian und Lorbeer als Suppe kochen. Mit Petersilie und Gorgonzola garnieren.

GERÖSTET
Schälen, in gleich große Stücke schneiden und mit Salz, Pfeffer, Öl, Knoblauch und Zitrone 45 Minuten bei 180 °C (160 °C Umluft/Gas Stufe 4) rösten.

SCHNELLE PICKLES
In dünne Scheiben hobeln und in Cidre, Essig, Fenchelsamen und etwas Honig einlegen.

TIPP
Ältere Exemplare müssen geschält werden, junge können mit Schale und sogar roh verzehrt werden.

(REGENBOGEN-) MANGOLD

SCHMECKT MIT
weißen Bohnen, Linsen, Pasta, Knoblauch, Thymian, Zitrone, Kreuzkümmel, Muskatnuss, Essig, Tahini, Parmesan

SCHNELL ANGEBRATEN
Stiele und Blätter trennen – Stiele mit Knoblauch und Öl 3 Minuten anbraten, Blätter zugeben, würzen und servieren.

IN DER SUPPE
Gegen Ende der Garzeit wie Blattspinat in eine Suppe geben; die Stiele brauchen länger als das Grün.

NUR DIE STIELE
In 8 cm lange Stücke schneiden, 4 Minuten blanchieren und mit einem Dressing aus 2 Esslöffeln Tahini und dem Saft von ½ Zitrone servieren.

SCHNELLE PUFFER
Blanchierte Blätter und Stiele unter Kartoffelpüreereste ziehen, aus der Masse kleine Küchlein formen und beidseitig anbraten, mit Naturjoghurt und Zitrone servieren.

TIPP
Stiele und Blätter müssen separat gegart werden, da die Blätter schneller gar sind.

BLUMENKOHL, ROMANESCO

SCHMECKT MIT
Butter, Senf, Meerrettich, Knoblauch, grünen Oliven, Petersilie, Kreuzkümmel, Koriander, Safran, Kümmel, Kokosmilch, Curry

IM SALAT
Blumenkohl blanchieren, mit einem Dressing aus Zitrone, Öl, Senf und Kapern und einer Garnitur aus Petersilie und Ziegenkäse servieren.

IN DER SUPPE
Dem Rezept auf Seite 82 folgen, zusätzlich Kurkuma zugeben und die Hälfte der Brühe durch Kokosmilch ersetzen.

GERÖSTET
Siehe Rezept auf Seite 244. Reste schmecken gut mit Pasta vermischt.

ROH
Sehr fein gehobelt und mit Kreuzkümmel, Chili und Limettensaft vermischt.

TIPP
Kaufen Sie einen schönen weißen Blumenkohl ohne braune Flecken. Die Röschen sollten fest und eng zusammenstehen.

ROSENKOHL

SCHMECKT MIT
geräuchertem Paprikapulver, Wacholder, Senf, Kartoffeln, Datteln, Essig, Maronen, Walnüssen

ALS PÜREE
Kochen, sehr fein hacken und mit Salz, Pfeffer, Muskatnuss und Öl oder Butter vermischen.

GERÖSTET
Halbierten oder geviertelten Rosenkohl mit Öl, Salz und Pfeffer 20 bis 30 Minuten bei 200 °C (180 °C Umluft/Gas Stufe 6) im Ofen rösten. Mit Kräuter-Senf-Vinaigrette servieren.

ROH
Putzen und in dünne Scheiben hobeln, mit Olivenöl und Salz vermischen.

RESTE
Gekochte Rosenkohlreste in Scheiben schneiden und mit gekochten Kartoffeln in Öl anbraten, würzen und mit Zitronensaft beträufeln, mit Pickles (Essiggemüse) und Cheddar servieren.

TIPP
Rosenkohl nicht übergaren – dies ist der Grund, warum er einen so schlechten Ruf hat. Er soll gerade eben weich sein und eine kräftig grüne Farbe haben.

KNOLLENSELLERIE

SCHMECKT MIT
Petersilie, Thymian, Estragon, Zitrone, Trüffel, Haselnüssen, Salbei, Butter, Brunnenkresse, Äpfeln, Birnen

IM SALAT
In streichholzgroße Stifte schneiden, mit Apfel und in Streifen geschnittenem Grünkohl vermischen. Mit einem Dressing aus Zitrone, Öl und Senf servieren, mit Salz und Pfeffer würzen.

RÖSTI/PUFFER
Anstelle von Kartoffeln in Rösti bzw. Puffern verwenden. Raspeln und zu gleichen Teilen mit Kartoffeln verwenden, Zwiebeln zugeben.

PÜREE
Mit Kokos- oder Kuhmilch und reichlich schwarzem Pfeffer zu Püree zerdrücken, zum Schluss etwas Selleriegrün untermischen.

IN DER SUPPE
Das Selleriesuppenrezept auf Seite 92 zubereiten, dabei die Kräuter nach den Vorschlägen auf obiger Liste austauschen.

TIPP
Gründlich schälen und nach dem Zerkleinern in Zitronenwasser legen, damit sich der Sellerie nicht verfärbt.

TOPINAMBUR

SCHMECKT MIT
Butter, Saaten, Walnüssen, Zitrone, Radicchio, Knollensellerie, Artischocken, Lorbeer, Thymian, Rosmarin, Petersilie

IM SALAT
Siehe Rezept für Topinambursalat auf Seite 112.

IN DER SUPPE
Das Suppenrezept auf Seite 82 zubereiten. Lorbeer zum Würzen verwenden, am Ende mit Kürbiskernen und Croûtons garnieren.

GERÖSTET
Falls nötig, schälen und mit Rosmarin, Zitrone, Salz und Pfeffer 40 bis 50 Minuten im Ofen rösten, bis die Knollen gar sind.

PÜREE
20 bis 30 Minuten gar kochen und mit Estragon, Zitrone und einem Spritzer Essig und Öl oder etwas Butter zu Püree zerdrücken.

TIPP
Topinambur gart von Natur aus ungleichmäßig. Manche sind hart und andere weich – keine Sorge, das ist einfach so.

RADIESCHEN

SCHMECKT MIT
Brot, Butter, Salz, Thymian, Essig, Sesam, Chili, Sojasauce, Saaten

IM SALAT
In dünne Scheiben geschnittene Radieschen, weiße Rübchen und Karotten vermischen und mit Zitronensaft und Dill oder Schnittlauch servieren.

ALS FRÜHLINGSGERICHT
Ein paar geviertelte Radieschen einige Minuten in einen Topf mit simmernden Erbsen geben, wenn diese fast fertig gegart sind. Mit Öl beträufeln und mit Minze, Salz und Pfeffer vermischt servieren.

IM COLESLAW-SALAT
Unter einen Coleslaw-Salat aus Weißkohl, Apfel und Karotte mischen, mit Limettensaft und Koriandergrün würzen.

GRÜN VERWENDEN
Das Radieschengrün mit Knoblauch, Salz, Pfeffer und Olivenöl sautieren, so wird das gesamte Gemüse verwendet.

TIPP
Nehmen Sie kleinere Radieschen, sie sind milder.

STECKRÜBE

SCHMECKT MIT
Muskatnuss, Petersilie, geräuchertem Paprikapulver, Kümmel, Lorbeer, Rosmarin, Äpfeln, Kartoffeln, Karotten, weißen Rüben

IN DER SUPPE
Anstelle von Knollensellerie im Rezept auf Seite 92 verwenden. Salbei gegen Rosmarin austauschen.

STECKRÜBEN-POMMES-FRITES
Das Rezept auf Seite 247 zubereiten – für mich die beste Art, Steckrübe zu genießen.

GERÖSTET
Mit Salz, Pfeffer, Olivenöl und Kümmelsamen rösten, bis sie innen weich und außen gebräunt ist. Reste lassen sich prima unter Pasta mischen.

PÜREE
Weich kochen, dann mit Petersilie und geröstetem Kümmel zu Püree zerdrücken.

EINTOPF
Im Eintopfrezept auf Seite 89 anstelle von Süßkartoffeln verwenden.

TIPP
Großzügig schälen, da die grobe Schale nicht angenehm zu essen ist.

Süß-salziges Knuspergemüse mit Tahini

Ein Rezept, das sich den Jahreszeiten anpasst. Ich habe an den meisten Abenden gern einen Teller mit Grünzeug auf dem Tisch stehen. Normalerweise blanchiere ich es kurz und richte es mit einem einfachen Dressing aus Zitronenschale, Olivenöl, Salz und Pfeffer an.

In diesem Fall ist das Grünzeug von kräftiger Farbe, süß und salzig, die Nüsse und Kerne geben ihre unterschiedlichen Aromen und ihre knusprige Konsistenz dazu, während das Dressing aus der glücklichen Verbindung von intensiv erdiger Tahini, erfrischender Zitrone und holzig warmer Ahornsüße besteht. Dieses Gericht beglückt auf ganzer Linie. Ich bereite oft die doppelte Menge der Nussmischung zu und knabbere dann tagsüber immer wieder davon – so gut ist sie!

Am Ende der Zutatenliste habe ich einige Gemüsesorten vorgeschlagen, die je nach Saison verwendet werden können, aber improvisieren Sie ruhig. Ich mag es, wenn mein Gemüse knallig grün bleibt und noch etwas Biss hat – ich finde, es ruiniert seinen Charakter, wenn es länger als eine Minute gekocht wird. So gehen auch weniger Nährstoffe im Kochwasser verloren. Folgen Sie einfach den unten angegebenen Garzeiten für die jeweiligen Gemüsesorten.

FÜR 4 PERSONEN

FÜR DAS GEMÜSE
4 EL Kürbiskerne
4 EL Pistazienkerne
1 EL Ahornsirup
Meersalz und frisch gemahlener schwarzer Pfeffer
500 g gemischtes grünes Saisongemüse (siehe unten)

FÜR DAS TAHINI-DRESSING
2 EL Tahini
Saft von 1 Zitrone
2 EL Ahornsirup
1 EL natives Olivenöl extra

GEMÜSE NACH JAHRESZEIT
Winter: (violetter) Brokkoli (40 Sekunden) und Grünkohl (30 Sekunden)
Frühling: (violetter) Brokkoli (40 Sekunden) und grüner Spargel (60 Sekunden)
Sommer: grüne Bohnen (40 Sekunden) und Brokkoli (40 Sekunden)
Herbst: in Streifen geschnittener Rosenkohl (30 Sekunden) und winterliches grünes Blattgemüse (30 Sekunden)

• Den Backofen auf 200 °C (180 °C Umluft/Gas Stufe 6) vorheizen.

• Die Kerne auf einem Backblech verteilen, mit dem Ahornsirup beträufeln und mit einer großzügigen Prise Salz und Pfeffer bestreuen. Alles vermischen, sodass die Kerne rundherum mit Sirup überzogen sind, dann 10 Minuten im Ofen rösten. Aus dem Ofen nehmen und leicht abkühlen lassen.

• Während des Röstens für das Dressing alle Zutaten in eine kleine Schüssel oder einen kleinen Krug geben und mit einer kräftigen Prise Salz und Pfeffer verrühren.

• Das Gemüse in einem großen Topf mit kochendem Wasser blanchieren. Die Garzeiten finden Sie am Ende der Zutatenliste.

• Sobald es blanchiert ist, das Gemüse abtropfen lassen und auf einer Platte anrichten. Mit dem Dressing beträufeln und gut vermischen, mit den gerösteten Kernen bestreuen und sofort servieren.

Mein Lieblingswurzelgemüse

So esse ich Wurzelgemüse am liebsten, und so lässt es sich auch bestens als Beilage zum typischen Sonntagsbraten reichen – allerdings bei uns ohne den Braten. Alles wird auf einem einzigen großen Blech zubereitet, simpel und unaufwendig. Im Winter die sommerliche Minze einfach durch ein paar Zweige gehackten Thymian oder Rosmarin ersetzen.

FÜR 4 PERSONEN

FÜR DAS GEMÜSE
1 Butternusskürbis
4 Rote Beten
2 Pastinaken
8 Karotten
8 Knoblauchzehen
einige Zweige Thymian
Olivenöl
Meersalz und frisch gemahlener
schwarzer Pfeffer

FÜR DAS DRESSING
1 kleines Bund Minze
1 EL Rotweinessig
2 EL Honig
½ roter Chili, fein gehackt
4 EL Olivenöl

ZUM SERVIEREN
Naturjoghurt
1 Handvoll Kürbiskerne, geröstet

- Den Backofen auf 220 °C (200 °C/Gas Stufe 7) vorheizen.

- Vom Kürbis das untere und obere Ende abschneiden, den Kürbis halbieren und die Samen herausschaben. Längs in dicke Spalten schneiden. Die Schale muss nicht entfernt werden, da sie nach dem Rösten sehr gut schmeckt. Das restliche Gemüse kräftig abschrubben, dann ebenfalls beide Enden abschneiden. Rote Beten und Pastinaken vierteln, Karotten längs halbieren.

- Das gesamte Gemüse mit den ungeschälten Knoblauchzehen auf ein großes Backblech legen. Thymian zugeben, mit Olivenöl beträufeln, kräftig salzen und pfeffern. Alles kurz vermischen, dann das Blech in den Ofen schieben und das Gemüse 40 bis 50 Minuten rösten, bis es goldbraun ist.

- Inzwischen für das Dressing die Minze fein hacken und in einer Schüssel mit den restlichen Zutaten verrühren.

- Das fertige Gemüse aus dem Ofen nehmen und die Knoblauchzehen herausfischen. Diese kurz abkühlen lassen, dann das weiche Innere aus den Schalen drücken und zum Dressing geben. Gründlich vermischen, dann das Röstgemüse mit dem Dressing beträufeln und gut untermischen.

- Eine große Portion Röstgemüse auftürmen, obenauf ein paar Löffel Naturjoghurt und einige Kürbiskerne geben und, falls gewünscht, mit Röstbrot zum Auftunken servieren.

- Auch sehr fein: Ein bisschen Feta oder Ziegenkäse darüberkrümeln.

Gegrillter süßer Balsamico-Chicorée

Ich liebe dieses Dressing – es passt zu jedem robusteren Salat oder Gemüse und ergänzt hier ausgezeichnet die durchs Grillen gezähmte Bitternote des Chicorées. Süßer Balsamico, Zitruskick und milde Chilischärfe: ungewöhnlich, einfach und köstlich.

FÜR 4 PERSONEN

1 Zweig Rosmarin, Nadeln abgezupft und gehackt
2 rote Chilis, Samen entfernt, fein gehackt
2 EL guter Balsamico
Saft von ½ Orange
2 EL natives Olivenöl extra
Meersalz und frisch gemahlener schwarzer Pfeffer
8 rote Chicorée oder 4 kleine Radicchio

• Den Rosmarin mit Chilis, Balsamico, Orangensaft, Öl, Salz und Pfeffer in eine Schüssel geben und gut verrühren.

• Eine gerillte Grillpfanne sehr stark erhitzen, den Chicorée oder Radicchio rundherum darin grillen, bis er Grillspuren aufweist und gerade eben weich ist.

• Den Chicorée im Dressing wenden und sofort servieren. Wunderbar mit gegrilltem Halloumi oder auf einer Scheibe mit Ziegenfrischkäse bestrichenem Sauerteigröstbrot.

Mein farbenfrohes Wurzelgemüse-Püree

Alle lieben Püree. Dieses hier ist kräftig orangefarben, wunderbar und besitzt reichlich innere Werte – außerdem sinke ich danach nicht aufs Sofa, wie es nach derselben Portion Kartoffelpüree durchaus vorkommen könnte.

FÜR 4 PERSONEN

400 g Pastinaken oder weiße Rübchen, geschält
400 g Süßkartoffeln, geschält
2 Karotten, geschält
1 guter Spritzer Olivenöl
abgeriebene Schale von 1 unbehandelten Zitrone
Meersalz und frisch gemahlener schwarzer Pfeffer

• Sie wissen ja, wie es geht, aber ich sag's Ihnen trotzdem noch mal. Das Gemüse in einen Topf legen, mit kochendem Wasser bedecken und 10 bis 15 Minuten simmern lassen, bis es durchgegart ist (durch Einstechen mit einem spitzen Messer prüfen). Vom Herd nehmen, in ein Sieb abgießen und einige Minuten ausdampfen lassen.

• Das Gemüse zurück in den Topf geben, mit Öl und Zitronenschale zerdrücken. Mit wenig Salz und Pfeffer abschmecken. Ich rühre gern mit einem Spatel, so sieht das Püree schön glatt aus.

WURZELGEMÜSE AUS DEM OFEN

All diese Wurzelgemüse können nach Belieben kombiniert und mit einem der vorgestellten Dressings fertiggestellt werden. Sie müssen nur an die unterschiedlichen Garzeiten denken. Auch eine gute Idee: Gemüse mit längerer Garzeit in kleinere Stücke schneiden.

ROTE BETEN

VORBEREITEN
Schälen und je nach Größe halbieren oder vierteln.

RÖSTEN
Mit Öl, Salz, Pfeffer und einem Spritzer Essig mit Folie abgedeckt 1 Stunde bei 180 °C (160 °C Umluft/Gas Stufe 4) im Ofen rösten, dann Folie entfernen und nochmals 30 Minuten rösten.

WÜRZEN MIT
Thymian, Majoran oder Oregano

KÜRBIS

VORBEREITEN
Halbieren, dann die Samen herausschaben und Fruchtfleisch in 3 cm große Stücke schneiden.

RÖSTEN
Mit Öl, Salz und Pfeffer auf einem Blech verteilen, mit Folie abdecken und 30 Minuten rösten, die Folie entfernen, 20 Minuten bei 180 °C (160 °C/Gas Stufe 4) rösten.

WÜRZEN MIT
Rosmarin, Zimt, Chili, Koriander oder Salbei

PASTINAKEN

VORBEREITEN
Schälen und halbieren oder vierteln. Bis zum Kochen in Wasser legen.

RÖSTEN
5 Minuten blanchieren, dann mit Öl, Salz, Pfeffer und etwas Honig 45 Minuten bei 200 °C (180 °C/Gas Stufe 6) im Ofen rösten.

WÜRZEN MIT
Honig, Thymian, Rosmarin, Kreuzkümmel oder geräuchertem Paprikapulver

KARTOFFELN

VORBEREITEN
Schälen und halbieren oder vierteln. Bis zum Kochen in Wasser legen.

RÖSTEN
12 Minuten blanchieren, bis sie fast gar sind. In ein Sieb abgießen, kräftig rütteln, dann mit Öl, Salz und Pfeffer 1 Stunde 20 Minuten bei 200 °C (180 °C Umluft/Gas Stufe 6) rösten.

WÜRZEN MIT
geräuchertem Paprikapulver, Kreuzkümmel, Chipotle-Chili, Thymian oder Limette

SÜSSKARTOFFELN

VORBEREITEN
Abschrubben und in Spalten schneiden.

RÖSTEN
Mit Salz und Pfeffer würzen, mit Öl beträufeln. 1 Stunde bei 200 °C (180 °C/Gas Stufe 6) goldgelb rösten.

WÜRZEN MIT
geräuchertem Paprikapulver, Kreuzkümmel, Chipotle-Chili, Thymian oder Limette

KAROTTEN

VORBEREITEN
Schälen und längs halbieren.

RÖSTEN
Mit Salz, Pfeffer und Öl 45 Minuten bei 200 °C (180 °C/Gas Stufe 6) im Ofen rösten, bis sie am Rand gebräunt sind.

WÜRZEN MIT
Honig, Thymian, Miso, Orange, Kreuzkümmel oder Koriander

5 DRESSINGS

CHILI-MINZE

1 kleines Bund Minze hacken und mit 1 Esslöffel Rotweinessig, 2 Esslöffeln Honig,
½ gehacktem rotem Chili und 4 Esslöffeln Olivenöl mischen, mit Salz und Pfeffer würzen
und das Röstgemüse damit beträufeln.

ESTRAGON-ZITRONE

1 kleines Bund Estragon mit je 1 Prise Salz und Pfeffer pürieren, den Saft von 1 Zitrone und
4 Esslöffel Olivenöl zugeben, mit Salz und Pfeffer würzen und das Röstgemüse damit beträufeln.

KREUZKÜMMEL-THYMIAN-RAUCH

2 Esslöffel Kreuzkümmelsamen rösten, die abgezupften Blättchen von 1 kleinen Bund Thymian,
1 Esslöffel mildes geräuchertes Paprikapulver und 4 Esslöffel Olivenöl hinzufügen. Die Mischung erhitzen,
bis der Thymian knusprig zu werden beginnt, vom Herd nehmen und das Röstgemüse damit beträufeln.

HONIG-ORANGE-ROSMARIN

Die Nadeln von ein paar Zweigen Rosmarin fein hacken, 1 Esslöffel Honig, den ausgepressten Saft
von 1 Orange und 4 Esslöffel Olivenöl zugeben, gut verrühren, mit Salz und Pfeffer würzen
und über das Röstgemüse träufeln.

SOJA-MISO-SESAM

2 Esslöffel Sesamsamen rösten, in einer Schüssel mit 1 Esslöffel Misopaste,
1 Esslöffel Sojasauce und 3 Esslöffeln Olivenöl vermischen und über das
Röstgemüse träufeln.

Süßer geschmorter Fenchel

Ich bin ein großer Fenchelfan. Je nach Zubereitung erhält man zwei völlig verschiedene Gemüse. Im Rohzustand dünn gehobelt ist er frisch, geradlinig und mit einem reinen Anisaroma. Dicker aufgeschnitten und gegart ist er intensiv süß, weich, Wohlfühlessen pur. Wenn er wie hier sanft geschmort wird, schmeckt er ganz köstlich unter Pasta gemischt und auf Toast mit einem Löffel Ziegenkäse als Vorspeise oder Snack.

Das Rezept erinnert mich immer an Italien, ich habe es oft in der Küche des Restaurants *Fifteen* zubereitet. Es ist zwar sicher nicht das innovativste Rezept der Welt, aber jedesmal, wenn ich es serviere, gibt es Begeisterungsstürme und Komplimente quer über den Esstisch (sogar von Leuten, die von sich behaupten, Fenchelhasser zu sein).

....

FÜR 4 PERSONEN

4 kleine Fenchelknollen

4 EL Olivenöl

1 TL Fenchelsamen

1 kräftige Prise Chiliflocken oder ½ zerkrümelter getrockneter Chili

Meersalz und frisch gemahlener schwarzer Pfeffer

1 EL Agavendicksaft oder unraffinierter Zucker

1 Knoblauchzehe, geschält und sehr fein gehackt

1 kleines Bund Dill oder Fenchelgrün, grob gehackt

abgeriebene Schale von 1 unbehandelten Zitrone

• Mit den Fenchelknollen beginnen. Zuerst das Fenchelgrün abschneiden, ein paar Wedel für später weglegen. Danach den Wurzelansatz abschneiden und die zähen äußeren Blätter entfernen, dabei aufpassen, dass der Fenchel an der Basis noch zusammenhält. Die Knollen längs in 2 cm dicke Scheiben schneiden.

• Das Olivenöl in einer großen Pfanne bei hoher Temperatur erhitzen und eine Portion Fenchelscheiben nebeneinander hineinlegen, nicht zu viel Fenchel auf einmal. Einige Minuten anbraten, bis der Fenchel auf der Unterseite goldbraun ist. Mit einer Küchenzange wenden und wieder einige Minuten goldbraun anbraten, dann aus der Pfanne nehmen. Falls nötig, noch etwas Olivenöl zugeben und den restlichen Fenchel auf dieselbe Weise anbraten.

• Wenn der gesamte Fenchel goldbraun angebraten und aus der Pfanne genommen ist, die Temperatur senken und Fenchelsamen, getrockneten Chili und reichlich Salz und Pfeffer hineingeben. Agavendicksaft oder Zucker hinzufügen und brutzeln lassen, dabei 1 bis 2 Minuten rühren und bei Bedarf noch etwas Öl zugeben. Den gesamten Fenchel hineingeben und bei mittlerer Temperatur sanft karamellisieren lassen. Sobald er karamellisiert und gar ist (was etwa 5 Minuten dauert), den Herd ausschalten und den Knoblauch unterrühren.

• Auf einer Platte anrichten und mit Dill, gehacktem Fenchelgrün und Zitronenschale bestreuen.

Kürbis-Kartoffel-Auflauf mit Salbei

Dieser Kartoffel-Kürbis-Auflauf erinnert mich an die Besuche im Restaurant *River Café*, die ich als Jungköchin machte, als Essen neu, aufregend und alles war, wofür ich lebte … so viel hat sich also nicht geändert. Wir sparten unseren Lohn und gönnten uns ein Mittagsmenü an einem Wochentag, wenn es am günstigsten war, und fühlten uns einfach großartig. Am liebsten gehe ich im Herbst ins *River Café*, wenn Kürbis und Pilze auf der Speisekarte stehen.

Im Sommer bereite ich den Auflauf anstelle von Kürbis mit Radicchio zu und im Frühling mit grünem Spargel. Ich genieße den Auflauf als einfaches Abendessen mit einem Blattsalat mit süßem Balsamicodressing. Für ein sättigenderes Essen backe ich während der letzten 20 Minuten noch etwas Ricotta, gewürzt mit Salz, Pfeffer, Chili und zerstoßenen Fenchelsamen, im Ofen.

FÜR 4 PERSONEN ALS HAUPT-GERICHT, FÜR 6 ALS BEILAGE

1,5 kg festkochende Kartoffeln

1 Stück Kürbis (1 kg) oder
1 Butternusskürbis, geschält und Kerne entfernt

3 Knoblauchzehen, geschält und in dünne Scheiben geschnitten

1 kleines Bund Salbei, Blätter abgezupft

Meersalz und frisch gemahlener schwarzer Pfeffer

Olivenöl

1 l heiße Gemüsebrühe

- Den Backofen auf 200 °C (180 °C/Gas Stufe 6) vorheizen.

- Die Kartoffeln in ½ cm dicke Scheiben schneiden – ich verwende dafür eine Mandoline (dabei vorsichtig sein!) oder die Küchenmaschine mit eingesetzter Schneidscheibe für dicke Scheiben. Die Kartoffelscheiben sofort in eine große Schüssel mit kaltem Wasser legen und 10 Minuten wässern, um einen Teil der Stärke herauszuspülen. Den Kürbis in etwa gleich dicke Scheiben schneiden.

- Die Kartoffeln abgießen und mit Küchenpapier trocken tupfen. Mit dem Kürbis, Knoblauch und Salbei auf einem großen Backblech verteilen und großzügig salzen und pfeffern. Einige Esslöffel Olivenöl zugeben und alles vermischen. Die Mischung gleichmäßig auf dem Blech verteilen, dabei die Oberfläche glatt streichen. Die heiße Brühe angießen, alles mit Folie abdecken und 40 Minuten im Ofen backen.

- Die Folie entfernen. Alles nochmals 25 Minuten im Ofen backen, bis sich die Oberfläche appetitlich goldbraun gefärbt hat und alles weich und vollständig durchgegart ist.

- Als leichtes Abendessen mit einem knackigen Salat oder grünen Bohnen servieren oder als sättigenderes Essen mit einer Pie oder Tarte.

MEINE FAVORITEN

LANGSTIELIGER VIOLETTER BROKKOLI

SCHMECKT MIT Butter, Olivenöl, Knoblauch, Zitrone, Senf, Kapern, Oliven, Ingwer, Sojasauce, Feta, Blauschimmelkäse

VORBEREITUNG Die Enden kürzen, größere Stängel längs halbieren. Dicke Stängel einschneiden, um gleichmäßiges Garen zu gewährleisten.

IN DER SUPPE Suppenrezept von Seite 82 mit Brokkoli und Kartoffeln zubereiten, mit Kürbiskernen und nach Belieben mit zerkrümeltem Feta oder Blauschimmelkäse garnieren.

SCHNELLE PASTA Die Stängel in Scheiben schneiden, mit Knoblauchscheiben, Chili und Olivenöl anbraten, Röschen und Blättchen zugeben, mit gegarten Orecchiette vermischen, mit Zitronenschale und Pecorino fertigstellen.

SCHNELLES ABENDESSEN MIT INGWER Brokkoli gar dämpfen. 2 Knoblauchzehen mit 1 in Scheiben geschnittenen daumengroßen Stück Ingwer anbraten. 1 gehackten Chili, 2 Esslöffel Sojasauce, 1 EL Honig und den Saft von 1 Limette zugeben. Den Brokkoli damit übergießen und mit Naturreis servieren.

TIPP Nicht übergaren, sonst wird Brokkoli matschig und verliert sein Aroma – nicht länger als 3 Minuten garen.

GRÜNER SPARGEL

SCHMECKT MIT Fenchel, Eiern, Minze, Kartoffeln, Erbsen, Dicken Bohnen, Erdnüssen, Zitrone, Estragon, Parmesan

IM SALAT Siehe Seite 120

MIT ASIATISCHEN NUDELN In Scheiben geschnittenen blanchierten Spargel mit knapp gegarten Eiernudeln und ein paar Löffeln der schnellen Satay-Sauce von Seite 177 servieren.

MIT WEICH GEKOCHTEM EI Stangen blanchieren und mit weich gekochtem Ei und Sauerteigbrot, Butter und Salz servieren.

IM KARTOFFELAUFLAUF Im Rezept auf Seite 257 den Kürbis durch grünen Spargel ersetzen.

FRÜHLINGSGEMÜSE Blanchieren und mit blanchierten Erbsen und Dicken Bohnen, gehackter Minze, Zitrone, Salz und Pfeffer vermischen.

GEGRILLT Eine gerillte Grillpfanne erhitzen und den Spargel 2 Minuten pro Seite darin grillen, mit Zitronensaft und Olivenöl mischen und mit Mozzarella anrichten.

TIPP Die holzigen Enden abbrechen, da sie nicht zum Verzehr geeignet sind. Sie können aber zum Aromatisieren von Gemüsebrühe verwendet werden.

ERBSEN

SCHMECKEN MIT Minze, Zitrone, Feta, Mozzarella, Panir-Käse, Kopfsalat, Brunnenkresse, Basilikum, Spargel, Dicken Bohnen, Estragon, Petersilie

VORBEREITUNG Tiefgekühlte Erbsen einige Minuten in kochendem Wasser auftauen, frische nur palen, junge süße Erbsen können roh verzehrt werden, größere 2 Minuten blanchieren.

ZERDRÜCKT AUF RÖSTBROT Blanchierte oder junge rohe Erbsen mit einer Handvoll Basilikum und Minze, abgeriebener Schale und Saft von 1 Zitrone und einem guten Schuss Olivenöl zerdrücken. Mit Mozzarella und gegrilltem Brot servieren. Schmeckt auch warm.

MIT PANIR-KÄSE SAUTIERT Panir würfeln, Kreuzkümmel- und Koriandersamen in einer Pfanne rösten. Zerstoßen, über den Panir streuen. Den Käse goldgelb anbraten. Blanchierte Erbsen und Koriandergrün hinzufügen und mit etwas Zitronensaft beträufeln.

EXPRESS-SUPPE Suppenrezept auf Seite 82 mit Lauch und Erbsen zubereiten. Am Ende Blattspinat oder Sauerampfer (falls Sie welchen bekommen) zugeben. Mit rohen Erbsen, Kräutern, Öl und schnellen Croûtons garnieren.

TIPP Frische Erbsen innerhalb von ein bis zwei Tagen zubereiten.

GRÜNKOHL

SCHMECKT MIT Knoblauch, Mandeln, Rosinen, Zitrone, Essig, Radieschen, Semmelbröseln, pochiertem Ei, Kartoffeln, Chili, weißen Bohnen

VORBEREITUNG Junge Blätter inklusive Mittelrippe in Streifen schneiden; bei größeren, älteren Blättern Mittelrippe entfernen, da diese mit der Zeit holzig werden.

KURZ ANGEBRATEN Ähnlich wie die berühmten knusprigen Algen aus der chinesischen Küche. Öl in einer Pfanne erhitzen, Grünkohl darin anbraten, bis er glänzt und knusprig ist, zum Weichwerden mit dem Saft von 1 Zitrone beträufeln, mit Reis oder pochiertem Ei und etwas Chili verzehren.

ROH IM SALAT Roher Grünkohl schmeckt ausgezeichnet. Mit dem Saft von ½ Zitrone und 1 Prise Salz in eine Schüssel geben und weich kneten. Geröstete Mandeln, Rosinen und Rotweinessig hinzufügen.

GEBACKENE EIER Eine Auflaufform mit Grünkohl füllen, Naturjoghurt in kleinen Portionen darauf verteilen, mit Zitronenschale bestreuen, 4 Eier aufschlagen und hineinsetzen, mit gehackter roter Chili bestreuen und 15 Minuten bei mittlerer Temperatur im Ofen backen. Mit Fladenbrot servieren.

TIPP Gelbe Blätter entfernen, sie schmecken bitter.

ZUCCHINI

SCHMECKEN MIT Basilikum, Zitrone, Knoblauch, Eiern, Tomate, Oregano, Dill, Minze, Kapern, Oliven, Olivenöl, Pinienkernen, Pistazien

VORBEREITUNG Junge, kleine Exemplare waschen, oberes und unteres Ende abschneiden, Fruchtfleisch zerkleinern. Bei größeren eventuell das Innere entfernen, es kann schwammig und bitter werden.

ROH MIT ZIEGENQUARK Mit einem Sparschäler in Streifen abschälen, mit Zitrone, Chili und Olivenöl vermischen und zu Toast und Ziegenweichkäse oder -quark servieren.

SCHNELL SAUTIERT Zucchini in Scheiben schneiden und in Olivenöl anbraten, bis sie sich am Rand goldbraun färben, mit Zitrone und Öl beträufeln, salzen und pfeffern. Minze oder Dill zerzupfen und darüberstreuen. Als schnelles Essen mit Pasta oder Naturreis servieren.

SCHNELLE PUFFER Geraspelte Zucchini mit Ricotta mischen, salzen und pfeffern. Zerstoßene Koriandersamen, abgeriebene Zitronenschale und etwas Koriandergrün zugeben und in Olivenöl beidseitig knusprig anbraten. Mit Dill und anderen Kräutern bestreut servieren.

TIPP Halten Sie Ausschau nach Zucchini mit Blüten – die Blütenblätter unter Pasta mischen oder Pizza damit garnieren.

KAROTTEN

SCHMECKEN MIT Koriander, Kreuzkümmel, Senfsamen, Orange, Tomate, Fenchel, Apfel, Staudensellerie, Zimt, Kokos, Petersilie, Erdnüssen

IM SALAT Mit einem Sparschäler in dünnen Streifen abschälen, mit gerösteten Kreuzkümmelsamen, etwas Orangensaft, Olivenöl, Salz und Pfeffer vermischen.

SCHNELLES INDISCHES GERICHT 2 Karotten raspeln und mit in Streifen geschnittenem Spitzkohl, einigen Senfsamen, 1 Prise braunem Zucker, einem großzügigen Spritzer Zitronensaft, Salz und Pfeffer sautieren.

IN DER SUPPE Eine Karotten-Tomaten-Suppe zubereiten, dann 1 Dose Kokosmilch unterrühren. Suppenrezept siehe Seite 82.

KAROTTENPÜREE Karotten weich kochen und mit ein wenig Orangensaft und etwas Olivenöl zu Püree zerdrücken. Anstelle von Kartoffelpüree servieren.

TIPP Halten Sie nicht nur Ausschau nach orangefarbenen Karotten, sondern auch nach lilafarbenen, weißen und gelben.

VIOLETTE ARTISCHOCKEN

SCHMECKEN MIT Minze, Zitrone, Kartoffeln, Erbsen, Parmesan, Olivenöl, Pasta, Chili, Mandeln, Petersilie

VORBEREITUNG Von den Babyartischocken die äußeren Blätter abziehen, bis die blassen, hellen zum Vorschein kommen, dann halbieren und das innenliegende Heu mit einem Teelöffel entfernen. In einen Topf legen, knapp mit Wasser bedecken. Einige Knoblauchzehen und einen Spritzer Zitronensaft zugeben und kochen, bis die Stielansätze weich sind.

IM SALAT Rohe Artischocken mit einer Mandoline in feine Scheiben hobeln, mit Zitrone, Olivenöl, Salz und Pfeffer und etwas Rucola und geriebenem Parmesan vermischen.

ARTISCHOCKEN-DIP Ein Glas Artischocken mit einer Dose Limabohnen, etwas Zitronensaft, wenig Olivenöl, Petersilie, etwas Parmesan, Salz und Pfeffer glatt pürieren.

SCHNELLES SOMMERGEMÜSE Gekochte Artischocken mit Erbsen, Dicken Bohnen, Zitronensaft, Öl, Salz und Pfeffer vermischen.

BRUSCHETTA Gekochte Artischocken auf Toast verteilen, mit gehackter Minze, Olivenöl und Pecorino oder Parmesan garnieren.

AUBERGINEN

SCHMECKEN MIT Pfeffer, Chili, Ingwer, Knoblauch, Muskatnuss, Weichkäse, Tomate, Granatapfel, geräuchertem Paprikapulver.

BABA GHANOUSH Rezept siehe Seite 170.

AUF JAPANISCHE ART In Würfel geschnittene Auberginen einige Minuten in Erdnussöl anbraten, dann je 1 Esslöffel gehackten Ingwer, Sojasauce, Misopaste und etwas Wasser zugeben und abgedeckt 30 Minuten simmern lassen.

BRUSCHETTA Dünne Auberginenscheiben in einer gerillten Grillpfanne grillen, bis sie gebräunt und gar sind, mit Basilikum und gehackter Tomate mischen und auf gutem Brot mit etwas Mozzarella genießen.

MIT MUSKATNUSS UND SALZ Auberginenscheiben in Olivenöl goldbraun anbraten, bis sie gar sind, mit frisch geriebener Muskatnuss und Salz bestreuen. Sofort essen.

TIPP Die meisten Auberginen müssen vor dem Garen nicht mehr eingesalzen werden. Entfernen Sie Stücke mit vielen deutlich ausgebildeten Samen.

Ofenkürbis mit Chili, Dukkah und Limette

Ganz klar meine bevorzugte Art, Kürbis zu essen. Das Dukkah-Rezept ergibt mehr, als Sie für dieses Rezept benötigen. Füllen Sie den Rest in ein Glas und streuen Sie das Gewürz auf mit Olivenöl beträufeltes gegrilltes Fladenbrot oder auf Röstgemüse jeder Art.

FÜR 4 PERSONEN

1 Butternusskürbis oder 2 kleinere Kürbisse (wie Eichelkürbis), halbiert, Kerne entfernt und in 1 cm dicke Spalten geschnitten

Meersalz und frisch gemahlener schwarzer Pfeffer

Olivenöl

1 roter Chili, gehackt

abgeriebene Schale und Saft von 2 unbehandelten Limetten

FÜR DAS DUKKAH

1 Handvoll Haselnüsse

4 EL Koriandersamen

3 EL Sesamsamen

2 EL Kreuzkümmelsamen

1 TL Fenchelsamen

1 EL schwarze Pfefferkörner

1 TL getrocknete Minze

1 TL Meersalz

• Den Backofen auf 220 °C (200 °C Umluft/Gas Stufe 7) vorheizen.

• Den Kürbis mit einer kräftigen Prise Salz und Pfeffer und etwas Olivenöl auf ein Backblech geben, vermischen und im Ofen 25 bis 30 Minuten rösten.

• Inzwischen das Dukkah zubereiten. Dazu die Haselnüsse mit den Koriander-, Sesam-, Kreuzkümmel-, Fenchelsamen und Pfefferkörnern auf einem Backblech verteilen und 10 Minuten zum Kürbis in den Ofen schieben. Sobald die Haselnüsse angebräunt sind und alles wunderbar zu duften beginnt, aus dem Ofen nehmen und abkühlen lassen.

• Nach dem Abkühlen mit der getrockneten Minze und Salz vermischen, dann alles in den Mixbehälter der Küchenmaschine geben und zerkleinern oder im Mörser zu einer körnigen Paste zerstoßen.

• Sobald er fertig geröstet ist, den Kürbis auf eine Platte legen und mit Dukkah und gehacktem Chili bestreuen. Die Hälfte der Limettenschale darüberstreuen und den Saft beider Limetten darüberträufeln.

Noch mehr Ideen für Dukkah

· zusammen mit einem Esslöffel Naturjoghurt über Suppe streuen
· warmes Fladenbrot mit Olivenöl beträufeln und mit Dukkah bestreuen
· mit beliebigem Wurzelgemüse im Ofen rösten
· Grillgemüse oder -Tofu vor dem Grillen damit einreiben
· über einen deftigen Salat streuen
· als Garnitur für Hummus verwenden

Süßes Finale

Das Dessert ist für mich immer etwas besonders Aufregendes. Ob Chocolate-Chip-Eiscreme mit Minzschokolade oder *Banana Cream Pie* (Bananencreme-Pie mit Sahne) – ich war schon immer eine Naschkatze. Während meine Vorliebe für Süßes mit mir gewachsen ist, ist auch mein Bedürfnis gewachsen, außergewöhnliche, köstliche und zudem auch noch nährstoffreiche Nachspeisen zuzubereiten. In meinen Desserts werden unraffinierter Zucker, Honig, Ahornsirup, Getreide und Früchte verwendet, wodurch sie etwas leichter und sogar noch besser werden.

Tarte mit braunem Zucker · Minze-Stracciatella-Joghurteis · gebackene Erdbeeren mit Knusperkruste · Baisers mit braunem Zucker und weichem Kern · Blutorangen-Sorbet · dunkle Schokoladenlocken · pochierte Gewürzbirnen · Bananen-Toffee-Pie mit Kokoswölkchen-Creme · Makronen-Tarte · Bananen-Kokos-Eiscreme · Granola-Milch-Tarte

Zartschmelzende Ahornsirup-Schokoküchlein

Es geht doch nichts über geschmolzene Schokolade. Sobald ich eins dieser Schokoküchlein mit flüssigem Kern auf einer Dessertkarte entdecke, hat das restliche Angebot keine Chance mehr. Meine ersten Lebensjahre wohnte ich in direkter Nachbarschaft zur Cadbury-Schokoladenfabrik in Bournville. Wir waren eine Cadbury-Familie. Von den elf Geschwistern meines Vaters arbeiteten mindestens sechs bei Cadbury's.

Meine Tanten und Onkel kamen mit großen Taschen voller Schokolade vom Fabrikverkauf und brachten immer die leicht deformierten Riegel mit, die aussortiert worden waren. Ihre unregelmäßige Form machte sie für mich nur noch attraktiver. Abendessen bei meiner Oma bedeutete: irgendwie die Zeit herumbringen, bis wir endlich an das alte Teakholz-Sideboard durften, in dem die Schokoladenvorräte lagerten. Ich bin Schokoladenliebhaber mit Leib und Seele, und diese Küchlein sind ein Volltreffer.

FÜR 4 STÜCK

75 g Butter oder Kokosöl
4 EL Kakaopulver (ich nehme gern rohes Kakaopulver)
1 Prise Meersalz
3 EL Ahornsirup
3 zimmerwarme Bio- oder Freilandeier

• Den Backofen auf 200 °C (180 °C Umluft/Gas Stufe 6) vorheizen.

• Die Butter oder das Kokosöl bei mittlerer Temperatur in einer Pfanne schmelzen lassen. Vom Herd nehmen, Kakao, Salz, Vanille und Ahornsirup hinzufügen, gründlich verrühren und abkühlen lassen. Nach dem Abkühlen in eine Rührschüssel umfüllen.

• Die Eier trennen, Eiweiße beiseitestellen. Die Eigelbe unter die abgekühlte Schokoladenmischung rühren, sie dickt dadurch etwas ein.

• In einer sauberen Schüssel die Eiweiße steif schlagen, bis weiche Spitzen stehen bleiben, dann behutsam unter die Schokomasse heben (ein Teigspatel funktioniert hier gut). Nicht zu lange vermischen, da sonst die Fluffigkeit des Eischnees verlorengeht.

• Vier kleine ofenfeste Förmchen mit Butter einfetten und die Masse gleichmäßig verteilen. Auf ein Backblech setzen und exakt 12 Minuten in den vorgeheizten Ofen stellen.

• Mit einem Löffel Naturjoghurt (ich mag hier besonders Kokosnussjoghurt) und Obst der Saison genießen.

Erdbeer-Mohn-Crisp

Das ist eine Art Crumble. Federleichte, knusprige Haferflocken-Mandel-Mohn-Streusel ruhen auf einem Bett von konfitüreartig eingekochten Erdbeeren mit Vanille-Zitronen-Note. Ein Crisp ist die amerikanische Version eines Crumbles, die ich liebe, da sie leichter und sommerlicher schmeckt als ein buttriges Crumble (auch wenn beides seinen Platz in meiner Küche hat).

Ich bereite das Crisp das ganze Jahr über zu und tausche dann je nach Jahreszeit Erdbeeren gegen Pfirsiche, Zwetschgen, Rhabarber und Birnen aus und variiere auch die Zuckermenge entsprechend der jeweils enthaltenen Säure.

FÜR 4 PERSONEN

800 g entkelchte Erdbeeren, in Viertel geschnitten

100 g unraffinierter heller Rohrzucker plus 3 EL extra

abgeriebene Schale von 1 unbehandelten Zitrone

ausgekratztes Mark von 1 Vanilleschote

100 g gemahlene Mandeln

100 g feine Haferflocken

2 EL Mohnsamen

abgeriebene Schale von 1 unbehandelten Orange

100 g kalte Butter oder Kokosöl

- Den Backofen auf 200 °C (180 °C Umluft/Gas Stufe 6) vorheizen.

- Die Erdbeeren mit 3 Esslöffeln Zucker, der Zitronenschale und dem Vanillemark in eine ofenfeste Form geben.

- Die gemahlenen Mandeln mit den Haferflocken, dem Mohn und dem restlichen Zucker in eine Schüssel geben, die Orangenschale hinzufügen.

- Die Butter in kleine Stücke schneiden und in die Schüssel geben oder das Kokosöl zugießen. Alles von Hand zu Streuseln verreiben, diese dabei immer wieder anheben und in die Schüssel zurückfallen lassen, um das Topping aufzulockern. Wenn die Mischung feinen Semmelbröseln ähnelt und keine größeren Butterklümpchen mehr zu sehen sind, kann's weitergehen.

- Das Topping auf den Erdbeeren verteilen und das Crisp 25 Minuten im vorgeheizten Ofen backen, bis sich die Oberfläche goldbraun gefärbt hat und die Erdbeeren geschrumpft und am Rand karamellisiert sind.

- Ich serviere das Erdbeer-Crisp gern mit einem großen Löffel Kokosnussjoghurt, aber Sahne, Eiscreme oder Vanillesauce schmecken auch gut dazu.

Braune Baisers mit Apfel-Birnen-Gewürz-Kompott

Ein Dessert für kühlere Tage. Ich liebe diese Baisers, für die ich braunen Zucker verwende, was etwas ungewöhnlich ist, jedoch ausgezeichnet funktioniert. Ich gebe zu, die Spitzen werden nicht ganz so fest wie mit weißem Zucker, dafür haben die Baisers eine kernig-feuchte Konsistenz und ein intensiveres Karamellaroma.

Im Sommer serviere ich die Baisers mit Himbeeren und mit Honig gesüßtem griechischem Naturjoghurt, ab und zu mische ich ein wenig Basilikum oder Minze unter. Oder ich ziehe etwas geschmolzene Schokolade oder einen Esslöffel Kakaopulver unter die Baisermasse.

FÜR 8 PERSONEN

4 Bio- oder Freilandeiweiß
200 g heller Rohrzucker
3 EL flüssiger Honig
abgeriebene Schale von
1 unbehandelten Limette
250 g griechischer Naturjoghurt
oder Kokosnussjoghurt

FÜR DAS GEWÜRZKOMPOTT
100 g unraffinierter heller Rohrzucker
100 ml Rotwein
3 Äpfel (Cox oder Spartan),
geschält, vom Kerngehäuse befreit
und in Achtel geschnitten
3 Williams-Christ-Birnen, geschält,
vom Kerngehäuse befreit und
in Achtel geschnitten
1 Lorbeerblatt
1 Zimtstange
1 Sternanis
Schale von 1 unbehandelten
Limette, mit dem Sparschäler
in Streifen abgeschält

• Den Backofen auf 150 °C (130 °C Umluft/Gas Stufe 2) vorheizen und ein Backblech mit Backpapier auslegen.

• Die Eiweiße in eine blitzsaubere Schüssel geben und mit dem elektrischen Handrührer oder der Küchenmaschine auf mittlerer Stufe steif schlagen, bis feste Spitzen stehen bleiben. Nach und nach den Zucker einrieseln lassen, dazu auf höchster Stufe schlagen, bis eine dicke, glänzende Masse entstanden ist. Sie ist fertig, wenn beim Zerdrücken keine Zuckerkörnchen mehr zu spüren sind. 2 Esslöffel flüssigen Honig rasch unterziehen, sodass noch feine Wellen im Eischnee sichtbar bleiben.

• Acht gleiche Portionen auf das Backblech streichen und 1½ bis 2 Stunden backen (je nachdem, wie feucht Sie das Innere mögen: Kürzere Backzeit bedeutet saftigeres Inneres). Die Baisers sind fertig, wenn sie fest und problemlos anzuheben sind. Zum Abkühlen beiseitestellen.

• Für das Kompott den Zucker mit dem Wein in einem Topf bei mittlerer Temperatur erhitzen. Sobald es blubbert, Früchte, Lorbeerblatt, Gewürze und Limettenschale hinzufügen. Auf niedrige Temperatur herunterschalten und etwa 10 Minuten simmern lassen, bis die Früchte weich sind. Vollständig abkühlen lassen.

• Die Limettenschale und den restlichen Honig unter den Joghurt rühren. Zum Servieren den Joghurt auf den Baisers verteilen, darauf das Kompott anrichten und alles mit dem Früchte-Gewürz-Sirup beträufeln.

Bananen-Toffee-Pie mit Kokoswölkchen-Creme

Bananen. Toffee. Aufgeschlagene Kokoscreme. Halb Tarte, halb Pie, halb Kuchen, was nach meiner Rechnung anderthalb ergibt und mir für ein solches Dessert durchaus angemessen erscheint: Es ist wirklich sensationell.

Wenn ich meinen Bruder frage, was er sich zum Geburtstag wünscht, bekomme ich jedes Jahr dieselbe Antwort: »Deine Banoffee-Pie.« Owen ist Veganer geworden, noch bevor allen anderen Familienmitgliedern klar wurde, wie wichtig es ist, sich bewusst zu ernähren.

Diese Pie ist von Natur aus vegan, also umso besser. Klebrige Süße und schwere Schlagsahne werden ersetzt durch einen schnellen ungebackenen Teigboden, einen gelingsicheren Bananenkaramell und eine flaumig leichte Kokoscreme, die ich zu einfach allem essen könnte. In meinen Augen der Stoff, aus dem die Träume sind. Eine Banoffee-Pie (Bananen-Toffee-Pie), die auch noch gut für uns ist.

Für die Kokoscreme benötigen Sie eine Dose vollfette Kokosmilch, mit der fettreduzierten Variante funktioniert es nicht. Sie müssen sie eine gute Stunde vor der Zubereitung der Creme in den Kühlschrank stellen, damit sich die Kokosmilch trennt – die dicke Kokoscreme setzt sich oben ab, während sich das dünnflüssige Kokoswasser unten sammelt. Die dicke Creme wird dann abgeschöpft und wie Sahne aufgeschlagen – sie schmeckt wie eine Mischung aus Marshmallows und Wolken. Das hier nicht verwendete Kokoswasser kann gut in Smoothies und Suppen verwertet werden.

Falls Sie keine Medjool-Datteln auftreiben können, nehmen Sie eine andere entsteinte Sorte – weichen Sie sie zuerst in Wasser ein und verwenden Sie davon ein paar mehr.

FÜR 6 BIS 8 PERSONEN

FÜR DEN BODEN
75 g Mandeln
75 g Pecannüsse
120 g Datteln der Sorte Medjool (6 große Exemplare), entsteint
1 EL fester Honig oder Agavendicksaft
1 kräftige Prise gemahlener Ingwer

FÜR DEN BANANENKARAMELL
12 EL unraffinierter heller Demerarazucker
3 reife Bananen, geschält und gründlich zerdrückt

FÜR DIE KOKOSWÖLKCHEN-CREME
2 Dosen nicht fettreduzierte Kokosmilch (à 400 g)
1 EL fester Honig oder Agavendicksaft
ausgekratztes Mark von 1 Vanilleschote

ZUM FERTIGSTELLEN
2 Bananen
Saft von 1 Limette

• Zuerst die Kokosmilch in den Kühlschrank stellen.

• Als Nächstes für den den Teigboden die Nüsse im Mixbehälter der Küchenmaschine zu groben Bröseln verarbeiten. Die Datteln, den Honig und den gemahlenen Ingwer zugeben und einige Male den Intervallschalter betätigen, bis sich alle Zutaten verbinden.

- Die Mischung in eine Springform mit 20 cm Durchmesser füllen und mit den Fingerspitzen so in die Form drücken, dass ein etwa 1 cm hoher Rand entsteht. In den Kühlschrank stellen.

- Nun den Bananenkaramell zubereiten. Dazu den Zucker mit den zerdrückten Bananen in eine Pfanne geben, bei mittlerer Temperatur blubbern lassen, bis der Karamell eingedickt ist und eine tiefbraune Färbung angenommen hat. Das dauert zwischen 3 und 5 Minuten.

- Die ganzen Bananen schälen und in dünne Scheiben schneiden. Mit dem Limettensaft vermischen und gleichmäßig auf dem Teigboden verteilen.

- Sobald der Karamell abgekühlt ist, die Bananenscheiben damit übergießen, glatt streichen und zum Festwerden in den Kühlschrank stellen.

- Die Kokosmilchdosen vorsichtig öffnen, die dicke weiße Creme, die sich oben abgesetzt hat, abschöpfen und in eine Schüssel geben. Den Honig und das Vanillemark hinzufügen und alles aufschlagen, bis die Creme die Konsistenz von Schlagsahne angenommen hat. Für 20 Minuten in den Kühlschrank stellen.

- Unmittelbar vor dem Servieren die Kokoscreme nochmals umrühren, dann auf die Bananenkaramellschicht streichen und mithilfe eines umgedrehten Löffels hübsche Wirbel in die Oberfläche zaubern.

- Nach Belieben mit geraspelter dunkler Schokolade oder, ganz extravagant, mit Schokoladenlocken garnieren.

Tarte mit braunem Zucker

Diese Pie mit ihrer Füllung aus braunem Zucker rangiert irgendwo zwischen einer *treacle tart* (Siruptarte) und einer Pecan-Pie – und ist mindestens genauso köstlich.

Ich serviere sie mit Früchten der Saison und einem Löffel Naturjoghurt, Crème fraîche oder Eiscreme – das Extra sollte nicht zu süß sein.

FÜR 8 PERSONEN

FÜR DEN BODEN
130 g Haferflocken
100 g Dinkelmehl
¼ TL Meersalz
3 EL Butter oder Kokosöl, geschmolzen
4 EL Honig oder Agavendicksaft

FÜR DIE FÜLLUNG
2 EL Butter oder Kokosöl
ausgekratztes Mark von
1 Vanilleschote
125 g unraffinierter dunkler Rohrzucker
2 EL Honig
1 EL Maisstärke
1 Prise Backpulver
einige Prisen Meersalz
100 g Pecannüsse, grob gehackt

- Den Backofen auf 190 °C (170 °C Umluft/Gas Stufe 5) vorheizen.

- Für den Teigboden die Haferflocken im Mixer auf hoher Stufe zerkleinern, bis ein krümeliges Mehl entstanden ist. In eine große Rührschüssel füllen, Dinkelmehl und Salz untermischen.

- Die Butter oder das Kokosöl und den Honig in einen kleinen Topf geben und bei niedriger Temperatur schmelzen lassen. Zur Mehlmischung in die Schüssel gießen und rühren, bis sich alles verbunden hat. Eventuell von Hand verkneten, damit sich alles zu einem Teig verbindet.

- Den Teig auf dem Boden einer Springform von 20 cm Durchmesser verteilen und so andrücken, dass ein Teigrand entsteht, der bis zur Hälfte des Formrandes reicht – je dünner, desto besser, daher ist sorgfältiges Andrücken nötig. Den Boden 10 Minuten im Ofen backen, bis er sich am Rand gerade eben leicht golden zu färben beginnt. Herausnehmen und abkühlen lassen.

- Inzwischen für die Füllung in einem kleinen Topf bei niedriger Temperatur die Butter schmelzen oder das Kokosöl erwärmen, das Vanillemark zugeben. Zucker und Honig in eine mittelgroße Rührschüssel füllen, die geschmolzene Butter oder das Kokosöl zugießen, dann Maisstärke, Backpulver und Salz zugeben und gründlich aufschlagen. Die Pecannüsse unterheben. Die Füllung auf den Teigboden gießen und 20 Minuten im Ofen backen. Während des Backens blubbert die Füllung nach oben und karamellisiert, was hübsch aussieht (sie wird beim Abkühlen fester).

- Wenn die Tarte abgekühlt ist, mit einem Messer zwischen Teigrand und Backform entlangfahren und den Springformrand lösen. Mit einem Klecks Crème fraîche servieren.

Makronentarte mit Kirschen und Rosenwasser

Diese Tarte hat die Leichtigkeit und die Frische, die man sich von einem sommerlichen Dessert wünscht. Der Kokosteig wird von einer Makronenfüllung gekrönt, auf der Kirschen verteilt werden.

Sie können diese Tarte das ganze Jahr über zubereiten, dann ersetzen Sie einfach die Kirschen durch das, was gerade Saison hat: Erdbeeren im Sommer, in Scheiben geschnittene reife Birne im Herbst, Blutorangen (und Orangenblütenwasser anstelle von Rosenwasser) im Winter.

FÜR 8 BIS 10 PERSONEN

FÜR DEN KOKOSTEIG
200 g Mehl (ich nehme 100 g Kokosmehl und 100 g Dinkelmehl, aber Weizenmehl geht auch, dann jedoch nur 75 g Butter/Kokosöl verwenden)

100 g extrafeiner Vollrohrzucker

160 g Butter oder Kokosöl, geschmolzen

FÜR DIE FÜLLUNG
4 große Bio- oder Freilandeiweiß

70 g extrafeiner Vollrohrzucker

2 TL Rosenwasser

140 g Kokosraspel

300 g Kirschen, gewaschen, entsteint und halbiert

50 g Pistazienkerne, grob gehackt

• Den Backofen auf 200 °C (180 °C Umluft/Gas Stufe 6) vorheizen. Eine Springform von 23 cm Durchmesser mit Backpapier auskleiden.

• Für den Teigboden Mehl und Zucker in eine große Rührschüssel geben, geschmolzene Butter oder Kokosöl hinzufügen und vermischen, bis sich Streusel bilden. Die Mischung in die vorbereitete Form drücken, dabei einen hohen Rand formen, und 10 Minuten backen. Vollständig abkühlen lassen.

• Inzwischen für die Makronenfüllung die Eiweiße mit Zucker und Rosenwasser schaumig aufschlagen, entweder mit einem Schneebesen oder einem elektrischen Handrührer. Sobald steife Spitzen stehen bleiben, vorsichtig die Kokosraspel unterheben, damit möglichst wenig Luft entweicht.

• Den Großteil der halbierten Kirschen auf dem Teigboden verteilen, die Makronenmasse darübergeben und gleichmäßig bis zum Rand in die Form drücken. Einige Kirschen der Optik wegen aus der Makronenmasse herausschauen lassen.

• Etwa 15 Minuten backen, bis die Spitzen der Makronenfüllung eine tief goldene Färbung angenommen haben. Die Tarte abkühlen lassen, mit den restlichen Kirschen und den gehackten Pistazien garnieren.

Granola-Milch-Tarte

Mürber Teig, eine pure, schnelle und einfache Vanillemilchcreme und Ahornsirup-Granola-Topping mit geröstetem Trockenobst, Nüssen und Haferflocken.

Als ich diese Tarte zubereitete, fiel mir auf, dass ich ein Dessert machte, das nach Frühstück klingt. So habe ich meine beiden Favoriten – Frühstück und Dessert – auf einen gemeinsamen Nenner gebracht.

Besonders empfehlenswert, wenn Besuch kommt, da die Tarte im Voraus zubereitet werden kann und bei Raumtemperatur geduldig auf ihren Verzehr wartet.

....

FÜR 6 PERSONEN

125 g helles Dinkelmehl

50 g Puderzucker aus Vollrohrzucker (lässt sich im Mixbehälter des Pürierstabs aus Vollrohrzucker selbst machen)

100 g Butter oder Kokosöl (aus dem Kühlschrank)

50 g Haferflocken

100 g Rosinen

50 g Haselnüsse oder Pecannüsse, gehackt

2 EL Ahornsirup

½ TL Zimt

100 g heller Rohrzucker

4 Bio- oder Freilandeier, verquirlt

ausgekratztes Mark von 1 Vanilleschote

250 ml Vollmilch oder Kokosmilch

4 EL Maisstärke

• Mehl, Puderzucker und Butter oder Kokosöl in einer Schüssel miteinander verreiben, bis die Mischung Semmelbröseln ähnelt (kann auch mithilfe der Küchenmaschine erledigt werden). 2 bis 3 Esslöffel eiskaltes Wasser zugießen und – von Hand oder unter Betätigung des Intervallschalters – verkneten, bis sich der Teig verbindet und zu einer Kugel formen lässt. In Frischhaltefolie wickeln und 30 Minuten kalt stellen.

• Inzwischen für das Granola-Topping die Haferflocken mit den Rosinen, den gehackten Nüssen, dem Ahornsirup und dem Zimt vermischen, auf einem Backblech ausbreiten und beiseitestellen. Den Backofen auf 190 °C (170 °C Umluft/Gas Stufe 5) vorheizen.

• Den Teig nach der Kühlzeit aus dem Kühlschrank nehmen und etwas weicher werden lassen. In eine runde Form bringen, dann in eine Tarteform mit Hebeboden von 20 cm Durchmesser legen. Behutsam in die Form drücken, sodass Boden und Rand der Form bedeckt sind, dabei gut andrücken. Nochmals 20 Minuten in den Kühlschrank stellen.

• Danach den Teigboden mehrmals mit einer Gabel einstechen. Den Teig mit Backpapier belegen und mit Backbohnen zum Blindbacken beschweren. Zusammen mit dem Granola-Topping-Blech für 15 Minuten in den Ofen schieben.

• Danach die Tarteform und das Granola aus dem Ofen nehmen. Die Backbohnen aus der Tarteform entfernen, die Tarteform zurück in den Ofen stellen. Das Granola beiseitestellen.

- Den Zucker mit den Eiern und der Vanille in eine große Schüssel geben. Die Milch mit der Maisstärke in einen Topf geben und mit einem Schneebesen aufschlagen. Bei mittlerer Temperatur zum Kochen bringen, dabei ständig aufschlagen. Die Mischung dickt ziemlich schnell ein.

- Sobald die Milch-Maisstärke-Mischung eingedickt ist, den Topf vom Herd nehmen und die Mischung unter ständigem Schlagen langsam in die Schüssel zum Zucker und den Eiern gießen.

- Die Mischung in die Tarteform füllen, 35 Minuten im Ofen backen, mit dem Granola-Topping bestreuen und nochmals 5 Minuten backen, bis sich die Oberfläche der Tarte appetitlich goldbraun gefärbt hat.

- Im Sommer mit einer Kugel Eiscreme und ein paar Beeren und im Herbst oder Winter mit pochierten Äpfeln oder Birnen servieren.

SÜSSE SACHEN

Ausschließlich raffinierten weißen Zucker zu essen ist ein bisschen wie jeden Tag Weißbrot zu essen. Man würde den intensiven Geschmack von Sauerteigbrot, die malzige Fülle von Roggenbrot und die buttrig knusprigen Schichten eines warmen Croissants vermissen. Natürliche Süßungsmittel ebenso wie Mehle, Gewürze, Salze und Fette kommen in den unterschiedlichsten Farben, Aromen und Formen vor. Diese Süßungsmittel zählen zwar immer noch offiziell zu den Zuckern, werden jedoch vom Körper langsamer aufgenommen und bringen neben ihrer Süße noch reichlich Nährstoffe als Bonus mit.

Durch die Verwendung einer ganzen Auswahl an natürlichen Süßungsmitteln beim Kochen erschließen sich neue Möglichkeiten. Durch die Kombination von natürlichen Zuckern mit Vollkorn- und Nussmehlen wird ein Stück Kuchen zu etwas Befriedigenderem, das ein differenzierteres und individuelleres Aroma besitzt und dem näherkommt, was ich gern essen möchte.

AGAVENDICKSAFT

Der leichte Agavendicksaft mit dem reinen Aroma ist ein neutrales Süßungsmittel, das aus dem Saft der Agavenpflanze hergestellt wird, die ebenfalls zur Herstellung von Tequila verwendet wird. Es gibt dunkle und helle Varianten. Meistens nehme ich die helle Sorte, die dunkle eignet sich jedoch gut zum Backen von dunklerem Backwerk und enthält zudem noch mehr Nährstoffe. Ich mag Agavendicksaft sowohl in Cocktails und Dressings als auch in warmen Getränken. Es ist eine besonders gute vegane Alternative zu Honig und in jedem Supermarkt erhältlich.

HONIG

Ich liebe Honig, und ein Glas hält bei uns allenfalls ein paar Tage. Ich mag ihn im Tee, zum Backen, auf Toast, in Joghurt gerührt – jede Möglichkeit, ihn in meinen Tag zu integrieren, ist mir willkommen. Was ich am meisten an ihm liebe, ist die Tatsache, dass jeder Honig einen individuellen Charakter besitzt, der die Pflanzen und Blüten widerspiegelt, die in der Umgebung der Bienen zu finden waren. Ich habe immer ein paar Sorten daheim: einen festen Honig für meinen Toast und für Glasuren, einen milden flüssigen Honig für Tee und Dressings und einen dunkleren dickeren Honig zum Käse. Halten Sie nach rohem Honig Ausschau, er enthält die meisten Nährstoffe, da er nicht erhitzt wurde, und schmeckt unglaublich. Als Regel kann man sagen: Je dunkler der Honig, desto mehr Antioxidanzien enthält er. Honig bitte nicht in kochendes Wasser rühren. Ich verwende Honig gern in Kuchen und Glasuren (siehe Honig-Butter-Glasur auf Seite 291), in Dressings und Marinaden und auf Toast gestrichen – für mich das beste und einfachste Frühstück überhaupt.

AHORNSIRUP

Bernsteinfarbener Nektar. Ich liebe Ahornsirup, er schmeckt nach Kindheitsausflügen zu amerikanischen Diners, wo bergeweise Pancakes mit Ahornsirup serviert wurden. Ahornsirup enthält viele Nährstoffe und Mineralien wie Zink. Er wird durch Einkochen von Zuckerahornsaft hergestellt. Halten Sie Ausschau nach reinem Ahornsirup, da es sich oft um eine Mischung handelt, die nur sehr wenig Ahornsaft enthält. Ahornsirup wird in verschiedenen Güteklassen angeboten, wobei Geschmack und Färbung davon abhängen, zu welchem Zeitpunkt der Saft gesammelt wurde. In Europa kommt Ahornsirup gewöhnlich mit Buchstaben gekennzeichnet in den Handel, die Aromaintensität, Farbe und Qualität angeben (von der besten Qualitätsstufe A – hell, mild aromatisch – bis D – sehr dunkel, intensiv karamellig). Ich verwende Ahornsirup gern in Kuchen, Dressings, Gebäck und zum Süßen von Früchtekompott. Er harmoniert besonders gut mit Äpfeln, Birnen und Beeren.

UNRAFFINIERTER ODER NATÜRLICHER ZUCKER

Unraffinierter Zucker ist Zucker, der so wenig wie möglich verarbeitet wurde und bei dem möglichst viel von seinen Nährstoffen und seinem natürlichen Charakter bewahrt bleibt. Es handelt sich natürlich immer noch um Zucker, jedoch in seiner ursprünglichsten und am wenigsten bearbeiteten Art. Meine bevorzugten Zuckersorten sind Muscovado und Demerara, außerdem verwende ich ab und zu gerne den extrafeinen goldenen Vollrohrzucker. Natürlicher brauner Zucker erhält seine Farbe durch die natürliche Farbe des Zuckerrohrs, während es sich bei anderem braunem Zucker lediglich um raffinierten weißen Zucker handelt, der mit minderwertiger Melasse versetzt wurde. Brauner Zucker kann beim Backen in den meisten Fällen anstelle von weißem Zucker verwendet werden, wobei der kräftigere Geschmack der dunklen Melasse nicht überall passt (probieren Sie die Muscovado-Choc-Chip-Cookies auf Seite 298).

SCHWARZE MELASSE

Dieses Zeug ist nicht von dieser Welt: dick und schwarz wie Teer. Ein robustes sirupartiges Süßungsmittel. Es wird durch stufenweises Einkochen von Zuckerrohr hergestellt, wodurch zahlreiche Nährstoffe erhalten bleiben. Melasse besitzt einen besonders hohen Anteil an Kalzium und Eisen, beides Nährstoffe, an die Vegetarier sonst nur schwer herankommen. Machen Sie sich auf die Suche nach schwarzer Melasse (auch: End- oder Restmelasse), die aus der letzten Erhitzungsstufe stammt und die meisten Nährstoffe enthält. Sie eignet sich gut zum Backen reichhaltiger feuchter Kuchen und harmoniert mit winterlichen Früchten und Ingwer (probieren Sie den Apfel-Melasse-Kuchen auf Seite 291).

KOKOSBLÜTENZUCKER

Kokosblütenzucker besitzt einen runden karamelligen Geschmack und eine milde Süße. Er wird aus dem Saft der Kokospalme gewonnen, der erst eingekocht und dann getrocknet wird. Er weist einen deutlich geringeren Fruktoseanteil auf als handelsüblicher Zucker und besitzt daher einen niedrigeren glykämischen Index. Da es sich um ein trockenes Süßungsmittel handelt, kann er grammweise verwendet werden wie Zucker und in den meisten Rezepten entsprechend eingesetzt werden.

Erdbeer-Holunderblüten-Sorbet

Ich bereite dieses Sorbet zu, wenn die Erdbeersaison ihren Höhepunkt erreicht hat, da das Sorbet dann dieses besondere bubblegumartige Aroma besitzt, das es nur bekommt, wenn superreife Erdbeeren von intensiver Süße verwendet werden. Es mag Ihnen vielleicht zu viel des Guten erscheinen, dafür eine ganze Zitrone im Mixer zu pürieren, es verleiht dem Sorbet jedoch diese erstaunliche Frische, die so typisch für ein Sorbet ist.

Im Herbst mache ich auch eine Variante mit Zwetschgen, wobei ich die Zitrone dann durch eine Orange ersetze und den Holunderblütensirup durch Schlehengin oder Damaszenerpflaumensirup. Ebenfalls absolut köstlich. Falls vorhanden, ist eine Eismaschine hier ganz nützlich – es geht aber auch mit einer Plastikschüssel, einem robusten Schneebesen und etwas Geduld.

Mein Rezept für Holunderblütensirup finden Sie auf Seite 329.

....

- Die Zitrone in den Mixbehälter der Küchenmaschine geben und fein pürieren. Die Erdbeeren hinzufügen und zu einer tiefroten saftigen Masse pürieren, dann den Sirup untermischen.

- Falls Sie eine Eismaschine besitzen, die Mischung hineingießen und die Maschine rühren lassen, bis sie gefroren ist. In einen tiefkühlergeeigneten Behälter füllen und einfrieren. Etwa 15 Minuten vor dem Servieren aus dem Tiefkühler nehmen, damit das Sorbet leicht antauen kann.

- Falls Sie keine Eismaschine besitzen, die Mischung in einen großen tiefkühlgeeigneten Behälter füllen und für 1½ Stunden in den Tiefkühler stellen. Danach herausnehmen und mit einem Schneebesen durchrühren, damit sich keine größeren Eiskristalle bilden. Alle 30 Minuten wiederholen, bis das Sorbet fast gefroren ist.

- Am besten innerhalb weniger Wochen aufessen.

FÜR EINE ORDENTLICHE MENGE

1 unbehandelte Zitrone, in Stücke geschnitten, Kerne entfernt
1 kg süße reife Erdbeeren, entkelcht
300 ml Holunderblütensirup

Kokoseiscreme mit gerösteten Bananen

Ich war immer neidisch auf die Dinnerpartys meiner Eltern gewesen. Alles erschien mir so opulent und erwachsen. Ich half damals beim Kochen mit und zog mich mit meiner Schwester schüchtern ins obere Stockwerk zurück, sobald die ersten Gäste eintrafen. Wir liebten das Gelächter und das Tanzen nach dem Dessert, Motownmusik vermischt mit allerhand Gequietsche und Gekicher. Was mich an den Dinnerpartys besonders beeindruckte, war das Dessert. Zitronenmousse, Eiscreme mit karamellisierten Brotstückchen, Bananenkuchen und selbst gemachte Eiscreme – das Beste und Magischste, was ich je gegessen hatte!

Hierbei handelt es sich um eine Mogel-Eiscreme, die ganz leicht ohne Eismaschine hergestellt werden kann. Und ohne Zucker, ohne Milchprodukte, ohne komplizierte Grundmasse. Die Basis bilden geröstete Bananen, die mit cremiger Kokosmilch kombiniert werden. Sie benötigen für das Rezept eine Küchenmaschine oder einen Pürierstab. Ich bereite die Eiscreme am Vorabend zu und nehme sie vor dem Servieren rechtzeitig aus dem Tiefkühler, damit sie etwas weicher wird.

....

- Den Backofen auf 180 °C (160 °C Umluft/Gas Stufe 6) vorheizen.

- Die Bananen in 1 bis 2 cm dicke Scheiben schneiden und auf einem Backblech mit dem Honig vermischen. 30 bis 40 Minuten im Ofen rösten, bis sie gebräunt und durchgegart sind, währenddessen einmal durchrühren. Danach die Bananen samt Sirup vom Blech schaben und in einen Mixer oder den Mixbehälter der Küchenmaschine füllen. Kokosmilch, Vanille, Zitronensaft und Salz hinzufügen und glatt pürieren.

- Die Mischung im Kühlschrank kühlen, bis sie durch und durch kalt ist, dann in der Eismaschine gefrieren lassen oder auf ein flaches Backblech gießen, in den Tiefkühler stellen und etwa alle 20 Minuten mit einem Spatel durchmischen, bis sie fast vollständig gefroren ist.

- Falls Sie eine lockerere, eher mousseartige Konsistenz bevorzugen, servieren Sie die Eiscreme sofort. Ansonsten zum Festwerden zwischen 30 Minuten und 1 Stunde in den Tiefkühler stellen.

- Solo servieren oder mit gerösteten Kokoschips oder gehackten Pistazien anrichten.

FÜR 500 ML

3 mittelgroße reife Bananen
etwas Honig
1 Dose Kokosmilch (400 ml)
1 TL Vanilleextrakt oder das ausgekratzte Mark von 1 Vanilleschote
Saft von ½ Zitrone
1 Prise Salz

Minze-Stracciatella-Joghurteis

Jeder, der mich kennt, kennt auch meine ganz spezielle Vorliebe für Stracciatella-Eiscreme mit Minze-Chocolate-Chips, die ich glücklicherweise mit John teile. Es könnte durchaus sein, dass ich es damit ein bisschen übertreibe.

Gleich nach Minze-Schokostückchen kommt bei mir *frozen yoghurt* (Joghurteis), eine Leidenschaft, die mir aus Kindertagen in Kalifornien erhalten geblieben ist, wo ein Becher Schoko-Joghurt-Eis immer am Beginn eines sonnigen Tages stand. Hier vereine ich beide Genüsse. Ich lege Ihnen sehr ans Herz, das Rezept einmal auszuprobieren – es ist einfach zuzubereiten und wirklich gesund (für eine Eiscreme) und außerdem richtig gut.

Ich verwende hier frische Minze, da ich ihre milde Süße so mag. Den klassischen Minzegeschmack erhält man durch Zugabe von ½ Teelöffel natürlichem Minzextrakt. Das Rezept gelingt auch mit Kokosnussjoghurt (der etwas teurer ist). Falls Sie keine Eismaschine besitzen, bereiten Sie das Eis nach der Anleitung auf Seite 280 zu.

FÜR EINE ORDENTLICHE MENGE

250 ml Vollmilch oder Kokosmilch

1 großes Bund Minze

250 ml Agavendicksaft

2 große Becher guter griechischer Naturjoghurt oder Kokosnussjoghurt (à 500 g)

50 g gute dunkle Schokolade, in kleine Stücke gehackt

• Zuerst die Milch in einen Topf gießen und den Großteil der Minzeblätter hinzufügen, einige Stängel beiseitelegen. Zum Kochen bringen, dann sofort den Herd ausschalten. Gut umrühren, den Agavendicksaft zugeben und mindestens 30 Minuten ziehen lassen.

• Nach etwa 30 Minuten sollte die Milch abgekühlt sein und das Aroma der Minze angenommen haben. Durch ein Sieb in einen Krug abseihen, die Minzeblätter wegwerfen, sie haben ihre Aufgabe erfüllt.

• Die Milch in eine große Schüssel gießen, den Joghurt unterrühren, dann die Schüssel abdecken und 30 Minuten im Kühlschrank ziehen lassen, damit sich die Aromen verbinden. Probieren, ob die Mischung süß genug ist, und bei Bedarf noch etwas Agavendicksaft zugeben – denken Sie daran, dass die Mischung in gefrorenem Zustand weniger süß schmecken wird.

• In die Eismaschine füllen und etwa 30 Minuten rühren lassen, bis die Masse gut durchgefroren ist. Die restlichen Minzeblätter sehr fein hacken und mit der gehackten Schokolade unterziehen. In einen tiefkühlergeeigneten Behälter füllen, verschließen und bis zum Verzehr 1 Stunde tiefkühlen. Falls das Eis sehr hart ist, 10 bis 15 Minuten vor dem Verzehr aus dem Tiefkühler nehmen.

Blutorangensorbet mit Schokostückchen

Ich gehe gerne spontan zum Abendessen aus. Immer wenn John und ich mal einen freien Abend haben, beginnen wir in Soho mit einer großen Schüssel Udon-Nudeln und einem Schluck Sake und enden stets bei *Gelupo*, einem kleinen Lädchen in der Archer Street, wo sie das beste Eis machen, das ich je probiert habe. Ein paar Minuten, bevor ich den Laden betrete, befinde ich mich immer in einem akuten Zustand von Entscheidungsnot. Wenn nicht viel los ist, probieren wir mehrere Sorten – Avocado-Rhabarber-Eiscreme, Mandel- oder Bergamotte-Granita.

Trotz solcher Testreihen entscheide ich mich immer wieder für dieselben Sorten: einen Becher mit purem pinkfarbenem Blutorangensorbet und, um noch eins draufzusetzen, etwas Bitterschokoladensorbet. Es ist jedesmal eine Offenbarung, wenn ich mit dem Löffel durch die nachtschwarze Schokolade zur eisig bubblegumsüßen Blutorange vordringe.

Mit diesem Rezept kann man sich das Erlebnis nach Hause holen. Das Sorbet hat sicher nicht die ausgefeilte Technik oder Raffinesse der *Gelupo*-Meister, aber es ist geschmacklich trotzdem etwas ganz Besonderes. Ich bereite es außerhalb der Blutorangensaison mit Clementinen oder normalen Orangen zu. Ich verwende dunkle Schokolade mit 70-prozentigem Kakaoanteil – bitte keine Schokolade mit höherem Kakaoanteil nehmen, sie wird im Tiefkühler steinhart.

....

- In einem großen Krug den Blutorangensaft mit dem Agavendicksaft vermischen.

- Die Eismaschine anschalten, die Blutorangensaftmischung hineingießen und rühren lassen, bis sich die Mischung in ein wunderbar geschmeidig-festes Sorbet verwandelt hat (meine Maschine braucht dafür 20 bis 30 Minuten). Falls Sie keine Eismaschine besitzen, folgen Sie der Anleitung auf Seite 280.

- Sobald es fertig ist, das Sorbet mit einem Spatel in einen tiefkühlergeeigneten Behälter umfüllen. Die gehackte Schokolade unterziehen und das Sorbet vor dem Servieren noch einige Minuten in den Tiefkühler stellen.

- Innerhalb weniger Wochen genießen, dann schmeckt das Sorbet am besten.

FÜR ETWA 1 LITER

1 l Blutorangensaft, was dem Saft von etwa 15 Blutorangen entspricht
200 ml heller Agavendicksaft
100 g gute dunkle Schokolade, gehackt

Kuchen, Brot und mehr

Nichts macht mich glücklicher als etwas feines Selbstgebacke-nes: ein mit dicker Glasur überzogener Kuchen, ein warmes Körnerbrot mit schöner Kruste, ein Stapel saftiger Karamell-brownies. Einer dieser frisch gebackenen Genüsse auf dem Tisch, dazu eine große Kanne Tee und Hände, die von allen Seiten zugreifen, und begeistertes Gemurmel – perfekt! Über selbst gebackenem Kuchen oder Brot lassen sich neue Freund-schaften schließen, durch sie zeigt man alten Freunden, dass man sie liebt, sie sind Mittelpunkt jeder großen Feier. Bei diesen Kuchen werden Sie keinen Zuckerschock bekommen, ich verwende Honig, Ahornsirup und braune Zuckersorten, dazu diverse besondere Mehle und Körner, die das Ganze leichter verdaulich machen.

Dicke Scheiben klebriger Bananenkuchen · doppelt schokola-diger Wolkenkuchen · Cupcakes mit Ahornsirupcreme · dunkler, saftiger Apfel-Melasse-Kuchen · süße Honigglasur · Eiscreme-Sandwiches · Salzkaramell-Brownies · Holunder-blüten-Pistazien-Kuchen · Dattel-Karamell-Würfel · Kokos-milch-Kuchenbrot · Brot frisch aus dem Ofen

Doppelt schokoladiger Wolkenkuchen

Alles, was man von einem Schokoladenkuchen erwartet: Er ist üppig, fluffig, mit rundem Geschmack, kernig saftigem Brownie-Äußerem, einem wolkenartig leichten schokoladigen Innenleben und einer traumhaften Schokoladenglasur als Krönung.

Aber Moment, er birgt auch ein Geheimnis. Der Kuchen verwöhnt nicht nur den Gaumen, sondern den ganzen Körper: keine Butter, kein raffinierter Zucker, kein Weißmehl, aber dennoch überirdisch gut. Ich warte immer ab, bis die Leute einige superschokoladige Bissen verspeist haben, um ihnen dann zu erzählen, dass sie damit auch noch etwas für ihre Gesundheit tun.

Es ist nicht so, dass ich nicht ab und zu ein ganz altmodisches Stück Kuchen esse. Aber ich liebe die Tatsache, dass man ein Stück Kuchen essen kann, das genauso nährstoff- wie genussreich ist. Eine Sache, die ich am Kochen – und ganz besonders am Backen – so mag, ist, dass es immer eine Möglichkeit gibt, einen Klassiker so zuzubereiten, dass er zu den ganz persönlichen Ernährungsvorstellungen passt. Und ich muss zugeben, dass ich nach dem ersten Bissen von diesem Kuchen wirklich stolz auf mich war.

Ich verwende Dinkelmehl, da mir sein kräftigeres Aroma besser gefällt und es außerdem besser verträglich ist als Weißmehl aus Weizen – falls Sie es jedoch nicht zur Hand haben, funktioniert handelsübliches Weizenmehl genauso. Und falls Sie kein Kokosöl finden, können Sie stattdessen geschmolzene Butter nehmen. Aber in diesem Fall bitte keine fettreduzierte Kokosmilch verwenden.

FÜR 1 GROSSEN ZWEISTÖCKIGEN KUCHEN

FÜR DEN TEIG
125 g Kokosöl
150 ml Ahornsirup
2 TL Vanilleextrakt
100 g Dinkelweißmehl
150 g gemahlene Mandeln
100 g gutes ungesüßtes Kakaopulver
2 TL Backpulver
1 kräftige Prise Salz
1 reife Banane
200 ml Milch (ich nehme Mandelmilch oder trinkfertige Kokosmilch, siehe Seite 43)

FÜR DIE FÜLLUNG
1 Dose nicht fettreduzierte Kokosmilch (400 ml)
3 EL fester Honig
3 EL Kakaopulver
1 EL Vanilleessenz

FÜR DIE GLASUR
60 ml Milch (ich nehme Mandelmilch oder trinkfertige Kokosmilch, siehe Seite 43)
100 g gute dunkle Schokolade, in kleine Stücke gehackt

ZUM GARNIEREN
einige Handvoll gemischte Beeren (ich nehme Blaubeeren und Brombeeren, aber Himbeeren, Erdbeeren und rote oder weiße Johannisbeeren sehen auch gut aus)

• Den Backofen auf 180 °C (160 °C Umluft/Gas Stufe 5) vorheizen. Eine Springform von 23 cm Durchmesser einfetten und mit Backpapier auskleiden. Die Kokosmilch in den Kühlschrank stellen.

• Das Kokosöl in einem kleinen Topf bei niedriger Temperatur schmelzen. Den Ahornsirup und den Vanilleextrakt hinzufügen und gründlich vermischen.

• Mehl, gemahlene Mandeln, Kakao, Backpulver und Salz in eine Schüssel geben und gut vermischen. Die Banane schälen, zerdrücken und zur Milch geben. In die trockenen Zutaten eine Mulde drücken, dann langsam die Kokosölmischung und die Bananenmilch zugießen. Sorgfältig verrühren.

• Die Masse in die vorbereitete Backform gießen und mit der Rückseite eines Löffels glatt streichen. Im Ofen 35 bis 40 Minuten backen, bis sich der Kuchen bei leichtem Druck fest anfühlt und ein eingestochenes Holzspießchen sauber wieder herauskommt. Keine Sorge, wenn die Oberfläche Risse bekommt – die verschwinden später unter der Schokoglasur.

• Den Kuchen aus dem Ofen nehmen und 10 Minuten in der Form abkühlen lassen. Dann vorsichtig auf ein Kuchengitter setzen und vollständig abkühlen lassen.

• Nach etwa 1 Stunde im Kühlschrank die Dose Kokosmilch vorsichtig öffnen und die dicke cremige Schicht, die sich oben abgesetzt hat, abschöpfen, den wässrigen Anteil anderweitig (z. B. in Smoothies) verwenden. Honig, Kakaopulver und Vanilleessenz hinzufügen, dann mit einem elektrischen Handrührer oder einem Schneebesen und etwas Muskelkraft schnell verrühren, um die Kokoscreme mit den anderen Zutaten zu verbinden und zu einem lockeren Schaum aufzuschlagen. Sofort in den Kühlschrank stellen und durchkühlen lassen.

• Für die Schokoglasur die Milch in einem kleinen Topf zum Simmern bringen, dann vom Herd nehmen. Die gehackte Schokolade in eine Schüssel füllen, mit der heißen Milch übergießen und rühren, bis sie geschmolzen ist und eine glänzende Masse entstanden ist.

• Den abgekühlten Kuchen vorsichtig mit einem Brotmesser waagrecht in zwei Teile schneiden. Den oberen Teil beiseitelegen. Den unteren Teil mit der Schoko-Kokos-Creme bestreichen, dann den oberen Teil wieder auflegen. Den Kuchen zurück auf das Kuchengitter und darunter einen Teller stellen.

• Den Kuchen mit der Glasur übergießen, sodass sie an den Rändern herunterläuft (und auf den Teller fließt). Mit den Beeren garnieren und nochmals 10 Minuten in den Kühlschrank stellen, damit die Schokoglasur fest wird.

Apfel-Melasse-Kuchen mit Honigglasur

Wenn die Äpfel von den Bäumen fallen, ist genau die richtige Jahreszeit gekommen, um sich etwas Schweres, Tröstliches, Süßes zu gönnen. Schwer im besten Sinne – dunkles Bronzebraun mit köstlichem Geschmack, von dem man nicht genug bekommt. Dieser Kuchen ist perfekt für diese Tage, die man am liebsten in einem großen Kuschelpullover und mit nie leer werdender Teetasse verbringen möchte.

Ich nehme Melasse und braunen Zucker zum Süßen. Schwarze Melasse ist ein tolles Zeug. Es handelt sich um ein Nebenprodukt, das bei der Zuckerherstellung anfällt und alle Nährstoffe des Zuckerrohrs enthält, die raffinierter weißer Zucker nicht mehr besitzt. Melasse enthält reichlich Eisen und Kalzium und ist daher besonders empfehlenswert bei einer vegetarischen Ernährungsweise. Ich kaufe es im Bioladen und sehe zu, dass ich die Bio- oder ungeschwefelte Version bekomme. Stattdessen können Sie auch schwarzen Zuckerrübensirup (Rübenkraut) verwenden.

Ich nehme für das Topping gern unraffinierten goldenen Puderzucker aus Vollrohrzucker mit seiner Karamellnote und dem hübschen Farbton. Er ist nicht so leicht zu bekommen, kann aber durch normalen Puderzucker ersetzt werden. Perfekter Genuss hat auch ein perfektes Topping verdient.

Dieser Kuchen ist ganz besonders saftig, daher kann hier auch problemlos glutenfreies Mehl anstelle des Dinkelmehls verwendet werden.

FÜR 10 BIS 12 PERSONEN

FÜR DEN KUCHEN

250 g helles Dinkelmehl

1 TL Zimt

1 Prise Piment

1 TL Backpulver

1 TL Natron

1 EL Melasse

150 g heller Rohrzucker oder 150 ml Ahornsirup

2 zimmerwarme große Bio- oder Freilandeier (oder siehe Anmerkungen zu Chiasamen auf Seite 46)

150 ml Olivenöl

3 Äpfel (ich nehme Cox)

1 daumengroßes Stück Ingwer, geschält und fein gerieben

FÜR DIE GLASUR

125 g zimmerwarme Butter

2 EL Honig

200 g Puderzucker aus Vollrohrzucker (lässt sich im Mixbehälter des Pürierstabs aus Vollrohrzucker selbst machen)

1 kleine Handvoll Mandeln, grob gehackt

• Den Backofen auf 200 °C (180 °C Umluft/Gas Stufe 6) vorheizen.

• Das Mehl mit dem Zimt, dem Piment, dem Backpulver und dem Natron in eine Schüssel sieben.

• In einer weiteren großen Schüssel die Melasse, den Zucker oder den Sirup mit den Eiern und dem Olivenöl aufschlagen, bis eine dunkle homogene Masse entstanden ist. Die Mehlmischung unterrühren, bis sich alle Zutaten zu einer ziemlich dicken Masse verbunden haben. Die Äpfel direkt in die Schüssel raspeln, den geriebenen Ingwer zugeben und sorgfältig untermischen.

• Eine Kastenform mit 450 g Inhalt mit Butter einfetten und mit Mehl ausstäuben, den Teig hineinfüllen und mit einem Löffelrücken glatt streichen.

- Im Ofen 45 bis 50 Minuten backen, bis ein eingestochenes Holzspieß-chen sauber wieder herauskommt. Während der Backzeit immer mal wieder einen Blick in den Ofen werfen. Falls Sie den Eindruck haben, dass die Oberfläche zu stark bräunt, den Kuchen locker mit Folie abdecken.

- Wenn sich die Oberfläche appetitlich braun gefärbt hat, den Kuchen aus dem Ofen nehmen, 10 Minuten in der Form abkühlen lassen und zum vollständigen Abkühlen auf ein Kuchengitter stürzen.

- Für das Topping die Butter mit dem Honig und dem Puderzucker in einer Schüssel locker aufschlagen. Ein elektrischer Handrührer ist hier hilfreich, dann aber auf niedrigster Stufe mit dem Rühren beginnen, damit Sie nicht in einer Puderzuckerwolke stehen. Falls nur ein Holzlöffel zur Verfügung steht, kein Problem – das Aufschlagen dauert dann nur etwas länger.

- Den Kuchen mit einer dicken Schicht Topping bedecken, das Topping mit den gehackten Mandeln bestreuen und den Kuchen mit einer Tasse Tee servieren.

MEHLE

Ich liebe Sauerteigbrot und ab und zu auch mal etwas Feines aus Weißmehl, wobei ich beim Kochen und Backen versuche, möglichst viel Abwechslung ins Spiel zu bringen. Daher stehen in meinem Vorratsschrank folgende Lieblingssorten.

DINKELMEHL

Ich liebe den nussigeren, harmonischeren Geschmack von Dinkelmehl – das Getreide meiner Wahl für Teige und auch sonst für fast alles, was gebacken wird. Es handelt sich dabei um eine alte Getreidesorte, die wieder Einzug in die Küchen gehalten hat. Ein nährstoffreicherer Verwandter des Weizens, der zudem mehr Eiweiß und weniger Gluten als Weizenmehl besitzt (aber immer noch so viel Gluten, dass er für Menschen mit Glutenunverträglichkeit nicht geeignet ist). Im Supermarkt erhältlich. Beim Backen helles Dinkelmehl verwenden.

HAFERMEHL

Ich mag die cremige Note sehr, die Hafermehl einem Backwerk verleiht, und auch seinen sättigenden Charakter. Hafermehl bewirkt, dass die Energie beim Verzehr eines Kuchenstücks etwas langsamer und gleichmäßiger freigesetzt wird. Ich mahle mein Mehl gewöhnlich selbst (siehe rechte Seite, es ist ganz einfach), da Hafer mehr Öl enthält als die meisten anderen Getreide und daher nicht lange frisch bleibt. Im Supermarkt kaufen oder selbst mahlen.

KASTANIENMEHL

Kastanienmehl hat ein zartes, nussiges Aroma mit leichtem Karamellton und ist in Italien als *farina dolce*, süßes Mehl, bekannt. Es wird aus getrockneten gemahlenen Maronen zubereitet. Es funktioniert gut in den meisten Kuchenteigen, ganz besonders in Kombination mit Schokolade – ersetzen Sie beim Schokokuchen auf Seite 288 doch mal die Hälfte des normalen Mehls durch Kastanienmehl. Kastanienmehl enthält kein Gluten. Es ist in Bioläden oder italienischen Feinkostgeschäften erhältlich.

KOKOSMEHL

Kokosmehl ist ein weiches pudriges Mehl aus getrockneter Kokosnuss. Es verleiht einem Backwerk eine feine Kokosnote, die ich sehr liebe. Es enthält viel Eiweiß und gesunde Fette. Kokosmehl ist glutenfrei. Es nimmt deutlich mehr Flüssigkeit auf als Getreidemehle und lässt sich daher nicht so einfach als Ersatz für diese verwenden. Stattdessen nach Rezepten Ausschau halten, in denen bereits Kokosmehl verwendet wird wie zum Beispiel in der Makronentarte auf Seite 274. In jedem guten Bioladen erhältlich.

BUCHWEIZENMEHL

Das kräftig nussige Aroma von Buchweizen trifft beim Backen genau meinen Geschmack. Bei Buchweizen handelt es sich gar nicht um Weizen, sondern um einen Verwandten von zwei meiner Lieblingen: Rhabarber und Sauerampfer. Er eignet sich hervorragend für Pancakes und Blinis. Ich mag ihn auch im Brot und tausche im Brotrezept auf Seite 318 gelegentlich $1/3$ des Dinkelmehls gegen Buchweizenmehl aus. Im Bioladen erhältlich.

ROGGENMEHL

Roggenmehl hat einen intensiven, fast malzigen Charakter. Ich verwende es gern in Schokoladenkuchen und Keksen, vor allem in den Brownies auf Seite 304. Für das Brotrezept auf Seite 318 mische ich oft ¼ Roggenmehl mit ¾ Dinkelmehl. Roggenmehl enthält einen hohen Anteil eines speziellen Ballaststoffs, der satt und zufrieden macht, was ich besonders praktisch finde, wenn ich mir einen weiteren Brownie verkneifen möchte. Roggenmehl wird in den meisten Supermärkten angeboten.

NUSSMEHLE

Beim Backen verwende ich häufig Nüsse. Mir gefällt, dass sie Kuchen saftig halten und dass sie gesunde Fette und Nährstoffe mitbringen, was es ermöglicht, den Einsatz von weniger gesunden Fetten wie Butter zu reduzieren. Ich kaufe nie gemahlene Nüsse, da sie weniger Aroma besitzen. Ich mahle Nüsse mithilfe meiner Küchenmaschine und auch erst dann, wenn ich sie zum Backen

brauche. Pistazien, Mandeln, Pecannüsse, Macadamianüsse, Haselnüsse, Walnüsse und Pinienkerne sind
allesamt zum Backen von Kuchen, Pancakes und Muffins
geeignet.

MEHL AUFBEWAHREN

Mehle nicht zu lange lagern, am besten in kleineren
Mengen kaufen – gerade genug für einen Monat oder
so – und gut verpackt an einem kühlen, trockenen Ort
aufbewahren. Besonders Vollkornmehle sollten verschlossen und gekühlt gelagert werden, wenn sie nicht
innerhalb weniger Wochen aufgebraucht werden, da
sie in der warmen Küche schnell ranzig werden.

MANCHMAL MAHLE ICH MEIN MEHL SELBST

Alles, was man dazu braucht, ist eine haushaltsübliche
Küchenmaschine und ein paar Minuten Zeit. Ich finde es
äußerst befriedigend, wenn ich etwas selbst produziere,
von dem ich gedacht hatte, ich müsse es kaufen. Mehl
lässt sich aus fast jedem Getreide, jeder Hülsenfrucht
oder Nuss herstellen. Für mich funktionieren und
schmecken folgende am besten: Haferflocken, Quinoaflocken, getrocknete Linsen, getrocknete Kichererbsen,
Naturreis und Nüsse aller Art.

Wenn Sie selbst Mehl herstellen möchten, geben Sie
etwa 400 g Getreide oder getrocknete Hülsenfrüchte in
den Mixbehälter der Küchenmaschine. Dabei ist es
wichtig, eine ausreichend große Menge zu verwenden,
sonst wirbelt das Getreide lediglich im Mixbehälter
herum. Von Nüssen lassen sich jedoch auch kleinere Mengen mahlen. Auf hoher Stufe zerkleinern, bis sich der
Inhalt am Rand sammelt und nicht wieder zurück in die
Mitte fällt. Das Mehl aus dem Behälter schütten und
durchsieben: mit einem mittelfeinen Sieb für etwas
grober strukturiertes Mehl oder mit einem feinen Sieb für
feines Mehl für leichte Kuchenteige und Saucen.

Warum ich Mehl selbst herstelle? Weil ich dann sicher
bin, dass es sich wirklich um Vollkornmehl handelt.
Für die meisten Industriemehle wird der Keim entfernt.

Im Keim sitzen aber die meisten Nährstoffe. Er wird vor
dem Mahlen entfernt, da er ölhaltig und das Mehl ohne
ihn länger haltbar ist. Die im Mehl enthaltenen Nährstoffe
gehen ebenfalls nach dem Mahlen schnell verloren, so
versorgt ganz frisch gemahlenes Mehl den Körper mit
dem Besten, was Getreide zu bieten hat.

Außerdem schmeckt es besser, genau wie frisch gemahlene Mandeln, und es duftet und fühlt sich besser an
als die Mehle, die es abgepackt zu kaufen gibt. Frisch
gemahlenes Mehl schmeckt wirklich um Klassen besser
als Mehl, das bereits einige Wochen im Regal steht.

Es ist ganz einfach, besondere Mehlsorten zu Hause
herzustellen. Interessante Mehle sind nicht immer einfach
aufzutreiben und können auch recht teuer sein, es kann
also durchaus Zeit und Geld sparen, Mehl mithilfe der
Küchenmaschine selbst zu mahlen.

Auch aus getrockneten Bohnen und Linsen lassen sich
ungewöhnliche Mehle herstellen, die für ein tolles
Geschmackserlebnis und für gesundes Eiweiß sorgen.

Kardamom-Karotten-Küchlein mit Ahorncreme

Ich kenne niemanden, der sie nicht mag. Sie sind allseits beliebt, bei Jung und Alt, Jungs und Mädels, Junk-Food-Fans und Gesundheitsaposteln. Fast schon ein Cupcake – wobei diese Butter-und-Zucker-lastigen Cupcakes absolut nicht mein Ding sind. Ich bevorzuge etwas mit mehr Charakter und differenzierterem Geschmack. Ich backe diese Küchlein, wenn ich etwas zu einer Party oder zum Tee mitbringen soll. Sie passen zu jeder Tageszeit, bleiben supersaftig und enthalten nur gute Sachen.

Die Küchlein werden nicht mit Zucker gesüßt, sondern mit Ahornsirup und Banane (was man nicht herausschmeckt). Sie lassen sich auch ohne Milchprodukte und glutenfrei zubereiten, ohne dass man dafür geschmackliche Kompromisse eingehen müsste. Für meine liebste Variante wird Kokosöl anstelle von Butter und Kichererbsenmehl verwendet, Sie können aber Butter und Weizen- oder Dinkelmehl nehmen. Soja-Frischkäse oder sehr dicker Naturjoghurt eignen sich ebenfalls für die Ahorncreme.

Gelegentlich ersetze ich die Karotten durch Butternusskürbis oder Pastinaken, auf diese Weise lässt sich übriges Wurzelgemüse gut verwerten.

FÜR 12 STÜCK

FÜR DEN TEIG
80 g Butter oder Kokosöl

4 EL Ahornsirup

ausgelöste Samen aus 4 Kardamomkapseln, im Mörser fein zerstoßen

1 TL Zimt

½ TL gemahlener Ingwer

150 g gemahlene Mandeln

100 g helles Dinkel- oder Kichererbsenmehl

50 g Kürbiskerne

2 TL Backpulver

2 mittelgroße Karotten, geraspelt

1 Banane, geschält und zerdrückt

3 Bio- oder Freilandeier, verquirlt (oder siehe Anmerkungen zu Chiasamen auf Seite 46)

FÜR DIE AHORNCREME
200 g Frischkäse

4 EL Ahornsirup

1 Prise Zimt

1 Prise gemahlener Ingwer

ZUM GARNIEREN
abgeriebene Schale von 1 unbehandelten Limette

Pistazien, gehackt (nach Belieben)

- Den Backofen auf 200 °C (180 °C Umluft/Gas Stufe 6) vorheizen. In die zwölf Vertiefungen eines Muffinblechs Papierförmchen stellen, das Blech beiseitestellen.

- Butter oder Kokosöl und Ahornsirup mit den Gewürzen in einen Topf geben und bei niedriger Temperatur schmelzen. Abkühlen lassen.

- Die gemahlenen Mandeln mit Mehl, Kürbiskernen und Backpulver in eine Schüssel füllen. Karotten, Banane und Eier hinzufügen, dann die abgekühlte Ahornmischung zugießen und gut verrühren. Teig in die Papierförmchen füllen. 25 Minuten im Ofen backen, bis sich die Oberfläche golden gefärbt hat und ein eingestochenes Holzspießchen sauber wieder herauskommt.

- Während die Küchlein backen, die Creme zubereiten. Den Frischkäse mit Ahornsirup und Gewürzen in einer Schüssel locker aufschlagen. Ich mache das mit einem elektrischen Handrührer, aber mit einem Holzlöffel geht es auch. Die abgekühlten Küchlein dick mit der Ahorncreme bestreichen und mit frisch geriebener Limettenschale und nach Belieben Pistazien garnieren.

Muscovado-Choc-Chip-Cookies
(und Eiscreme-Sandwiches)

Als Kind behauptete ich steif und fest, dass ich später mal ein Zimmer in meinem Haus haben würde, das mit Marshmallows gefüllt ist – darauf hoffe ich übrigens immer noch. Ich denke, es gehörte einfach zu den Kindheitsfreuden im San Francisco der Post-Hippie-Ära, eine gewisse Faszination für abgedrehte amerikanische Süßigkeiten zu hegen, sei es die Marsriegel-Regenbogen-Eistorte, die ich zu meinem vierten Geburtstag bekam, die Pop-Tarts, die ich auf jeder Einkaufstour mit den Augen verschlang, oder natürlich das begehrte Eiscreme-Sandwich.

Diese Cookies sind ein bisschen besser als die, mit denen ich aufgewachsen bin: Sie sind aus braunem Zucker und Vollkornmehl, zudem wird ein Großteil der Butter durch Erdnussbutter ersetzt (ich backe sogar eine Version mit 200 g Erdnussbutter und ganz ohne Butter). Füllen Sie sie mit einer guten Vanilleeiscreme, mit Joghurteis oder, noch besser, mit meiner Lieblingseiscreme Booja-Booja (boojabooja.de), einer milchfreien Eiscreme aus Cashewkernen. Ganz nach Geschmack dunkle oder Vollmilchschokolade verwenden (ich nehme dunkle mit 70 Prozent Kakaoanteil).

Ich verwende eine Mischung aus hellem und dunklem Muscovadozucker, aber eine Sorte tut es auch. Nur heller Muscovadozucker ergibt einen geradlinigen Choc-Chip-Cookie, nur dunkler verleiht den Cookies einen üppigeren, malzigeren Charakter.

FÜR ETWA 24 COOKIES

100 g Haferflocken
100 g Vollkorn- oder Dinkelmehl
½ TL Backpulver
100 g Schokolade, grob gehackt
100 g zimmerwarme Butter
100 g cremige Erdnuss- oder Mandelbutter (siehe Rezept auf Seite 340)
150 g heller Muscovadozucker
150 g dunkler Muscovadozucker
1 TL Vanilleextrakt
2 Bio- oder Freilandeier, verquirlt

• Den Backofen auf 200 °C (180 °C Umluft/Gas Stufe 6) vorheizen und zwei Backbleche mit Backpapier belegen.

• Zuerst die Haferflocken im Mixbehälter der Küchenmaschine zu einem feinen Pulver zerkleinern. In eine Schüssel geben, mit dem Mehl, dem Backpulver und der gehackten Schokolade vermischen.

• Die Butter mit der Erdnuss- oder Mandelbutter, den beiden Zuckersorten und dem Vanilleextrakt in eine zweite Schüssel füllen und cremig aufschlagen. Dazu nehme ich den elektrischen Handrührer oder die Küchenmaschine, aber ein starker Arm und ein Holzlöffel tun's auch.

• Die Eier unter die Zucker-Butter-Mischung rühren, dann die trockenen Zutaten hinzufügen und sorgfältig mit einem Holzlöffel unterrühren, bis sich alle Zutaten verbunden haben – der Teig ist ziemlich fest.

- Mit einem Teelöffel den Teig in kleinen Häufchen auf die vorbereiteten Backbleche setzen, dabei einen etwa 3 cm großen Abstand lassen (ich bekomme 6 bis 8 Cookies auf ein 30 × 20 cm großes Backblech). 8 bis 10 Minuten backen, bis sie auseinandergelaufen und an den Rändern leicht golden gebacken sind.

- Heiß vom Backblech genießen oder abkühlen lassen und mithilfe der Lieblingseiscreme in Eiscreme-Sandwiches verwandeln. Die Eiscreme muss dazu etwas weicher sein, damit sie sich aufstreichen lässt – dann die Sandwiches 5 Minuten in den Tiefkühler legen. Wenn Sie sie im Tiefkühler lagern möchten, vorher in Backpapier einwickeln, dann sind sie ein paar Wochen haltbar.

- Anmerkung: Falls Sie nicht alle Cookies auf einmal backen möchten, den Teig zu einer Rolle formen, in Backpapier wickeln und einfrieren. Zum Backen in 1 cm dicke Scheiben schneiden, und schon sind schnelle Cookies zur Hand (sie benötigen nur ein paar Minuten länger im Ofen).

Bananen-Saaten-Kuchen mit Zitronen-Sesam-Guss

Es gab mal eine Woche im Januar, in der ich ständig über Bananenkuchen stolperte. Von einem befreundeten Bäcker bekam ich einen in Packpapier und Kordel verpackten Bananenkuchen per Post geschickt, dann wurde ich per E-Mail nach dem ultimativen Bananenkuchenrezept gefragt, und als ich eine Freundin besuchte, hatte sie gerade einen wunderbar duftenden Bananenkuchen im Backofen. Alle Zeichen standen auf Bananenkuchen, es blieb mir also gar nichts anderes übrig, als mich auf die Suche nach dem ultimativen Bananenkuchenrezept zu machen.

Und hier präsentiere ich das Ergebnis. Mit seinem hohen Anteil an Saaten ist es eine Kombination aller guten Sachen aus den bereits ausprobierten Rezepten. Vertrauen Sie mir bei der großzügigen Saatenmenge – sie ist es, die den Kuchen so besonders macht. Ich verwende immer dieselbe Mischung – 50 g gelber Leinsamen, 50 g Mohnsamen und 50 g schwarze Sesamsamen –, aber alle kleinkörnigen Saaten sind hier geeignet.

Bananenkuchen ist eine tolle Sache: Es ist wenig Zucker nötig, um etwas zu backen, das derart üppig schmeckt. Ich mag es, wenn die Bananen nur grob zerdrückt werden und noch Stücke im Kuchen vorhanden sind, Sie können sie aber auch nach Belieben vollständig pürieren. Der Kuchen bleibt dank der Bananen sehr saftig, also keine Sorge, wenn er beim Anschneiden ziemlich weich erscheint – das macht ihn so köstlich. In diesem Fall kann auch gut glutenfreies Mehl eingesetzt werden.

Die Saaten in diesem Rezept enthalten eine lange Liste von Vitaminen und Mineralien, was dem Kuchen einen erstaunlichen gesundheitlichen Zusatznutzen beschert. Die kleinen Leinsamen gelten als beste pflanzliche Quelle für Omega-3-Fettsäuren, was gut für Gehirn, Gelenke und Immunsystem ist, zudem wirken sie ausgleichend auf den Hormonhaushalt und enthalten viele Ballaststoffe. Sie dürfen also nicht nur mit Genuss Ihren Kuchen essen, sondern auch im vollen Bewusstsein, dass Sie Ihrem Körper damit wirklich etwas Gutes tun. Wer hat nochmal gesagt, dass man nicht alles haben kann?

FÜR 1 KASTENKUCHEN

FÜR DEN KUCHEN
125 g Weizenmehl
125 g Vollkorn- oder Dinkelmehl
125 g heller Rohrzucker
150 g kleinkörnige Saaten
1 kräftige Prise Meersalz
1 TL Backpulver
3 mittelreife Bananen, geschält
abgeriebene Schale und Saft von
1 unbehandelten Zitrone
2 EL Olivenöl
2 EL Naturjoghurt oder ungesüßter
Sojajoghurt oder Kokosnussjoghurt
2 Bio- oder Freilandeier, verquirlt
(oder siehe Anmerkungen zu
Chiasamen auf Seite 46)

FÜR DEN ZITRONEN-SESAM-GUSS
1 EL Tahini
3 EL Puderzucker aus Vollrohrzucker
(auch leicht mit dem Mixbehälter
des Pürierstabs aus Vollrohrzucker
selbst herzustellen) oder fester
Honig
Saft von 1 Zitrone

• Den Backofen auf 200 °C (180 °C Umluft/Gas Stufe 6) vorheizen. Eine antihaftbeschichtete Kastenform mit 450 g Inhalt mit Butter einfetten und mit Mehl ausstäuben (falls Sie eine Backform ohne Antihaftbeschichtung haben, diese auch noch mit Backpapier auskleiden).

• Alle trockenen Zutaten – Mehle, Zucker, Saaten, Salz und Backpulver – in eine Rührschüssel füllen und gründlich vermischen.

• In einer zweiten Schüssel die Bananen mit einer Gabel zerdrücken (ich mag es, wenn noch Stücke bleiben), dann den Zitronensaft und die Zitronenschale, das Olivenöl, den Joghurt und die Eier hinzufügen und gut vermischen.

• Die feuchten Zutaten zu den trockenen Zutaten geben und verrühren, jedoch nur so lange, bis sich alles gerade eben verbunden hat. In die Kastenform füllen und 40 bis 45 Minuten backen, bis ein eingestochenes Holzspießchen sauber wieder herauskommt.

• Während der Kuchen im Ofen backt, den Zitronenguss zubereiten. Dafür Tahini und Puderzucker in einer Schüssel glatt rühren, den Zitronensaft zugießen und gut verrühren.

• Den Kuchen aus dem Ofen nehmen und in der Form so weit abkühlen lassen, dass er auf ein Kuchengitter gesetzt werden kann. Den Kuchen noch warm mit einem Spieß einstechen, einen großen Teller unter das Kuchengitter stellen und den Kuchen mit dem Guss beträufeln. Den Guss einziehen lassen.

• In dicke Scheiben geschnitten zu einer Tasse Kaffee schmeckt der Kuchen schon solo köstlich, ab und zu bestreiche ich die Scheiben auch noch dick mit Mandel- oder Erdnussbutter.

Rohe Brownies

Diese Brownies schmecken verboten gut, eigentlich viel zu gut, um sie essen zu dürfen: saftige karamellige Würfel, dicht gepackt mit himmlisch intensiver Schokolade. Aber bei genauerem Hinsehen wird Ihnen auffallen, dass einfach alles daran gut ist. Sie sind mit einem Hauch Meersalz aromatisiert und dem tief karamelligen Geschmack von Medjool-Datteln. Müsste ich eine Lunchbox für die einsame Insel packen: Diese Brownies wären definitiv dabei!

Ein zusätzlicher Bonus: Sie sind komplett roh (jedenfalls, wenn Sie rohen Honig und rohen Kakao verwenden). Ich höre Sie schon fragen: Was ist eigentlich so toll an rohem Essen? Als roh werden Nahrungsmittel bezeichnet, die nicht über 42 °C erhitzt wurden. Die meisten naturbelassenen Nahrungsmittel enthalten alles, was wir brauchen, um sie zu verdauen. Erhitzen wir sie, zerstören wir damit einige ihrer natürlichen Verdauungsenzyme, was sie schwerer verdaulich macht, weshalb wir nach dem Essen oft so lethargisch werden. Da rohe Nahrungsmittel noch »lebendig« sind, halten sie den Energiepegel auf hohem Niveau. Ich halte es daher für eine gute Idee, ein bisschen was Rohes in meinen kulinarischen Alltag einzubauen. Und mal ehrlich: Kann man einen Tag besser beginnen als mit einem Brownie?

FÜR ETWA 20 MINI-BROWNIES

100 g ungehäutete Mandeln
250 g Datteln der Sorte Medjool, entsteint (etwa 12 Stück)
2 EL fester Honig (nach Möglichkeit roher Honig)
75 g Kakaopulver (das rohe ist das beste) plus mehr zum Bestäuben
½ TL Salz
50 g Pecannüsse, gehackt

• Die Mandeln im Mixbehälter der Küchenmaschine zu einem groben Pulver zerkleinern. Datteln, Honig, Kakao und Salz zugeben und nochmals etwa 1 Minute pürieren, bis sich alles zu einer teigartigen Kugel verbindet. In eine Schüssel umfüllen, die Pecannüsse hinzufügen und alles zu einem Teig verkneten.

• Eine quadratische Backform von 20 cm Seitenlänge mit Backpapier auskleiden, den Teig hineingeben und mit den Fingerspitzen zu einer gleichmäßig dicken Lage in die Form drücken. Mit Frischhaltefolie abdecken und vor dem Anschneiden 15 Minuten in den Kühlschrank stellen. Ich schneide daraus etwa 20 kleine Würfel, da sie ziemlich üppig sind. Schneiden Sie sie in größere Stücke, wenn sie als Dessert serviert werden. Mit Kakaopulver bestäuben. Sie sind bis zu 1 Woche haltbar. Wenn es heiß ist, am besten im Kühlschrank lagern.

Salzkaramell-Brownies

Wenn Sie mir auch nur eine Person zeigen können, die diese Brownies nicht liebt, bringe ich Ihnen höchstpersönlich ein Blech vorbei. Kräftig schokoladig mit klebrig schmelzendem Salzkaramell. Ich bereite dafür einen supereinfachen und schnellen Karamell zu, der fix abkühlt, dann gehackt und am Ende auf der ungebackenen Browniemischung verteilt wird. Der Karamell schmilzt beim Backen und sinkt in den Teig, wo er kleine Pfützen weichen, warmen, herrlichen Karamells in der perfekt gebackenen Teigkruste bildet. Klingt nicht nur köstlich – schmeckt auch so! Als ich diese Brownies das erste Mal gebacken habe, musste ich am selben Nachmittag gleich noch eine Portion machen, da sie so schnell weg waren (aber nicht alle von mir). Jeder hat ein Laster. Das ist meins.

Ich habe mich bemüht, die Brownies etwas leichter zu machen, indem ich Roggenmehl (siehe Anmerkung auf Seite 294) verwende und Kokosöl als Alternative zu Butter vorschlage, das für ein leichtes Kokosaroma sorgt, das ich gern mag. Ich verwende unraffinierten Zucker, entweder hellen Muscovadozucker, der den Brownies eine dichte, supersaftige Konsistenz verleiht, oder Kokosblütenzucker (siehe Seite 279), der sich ebenfalls gut eignet, jedoch nicht für den Karamell. Aber machen wir uns nichts vor: Die Brownies sind eine süße Sünde.

FÜR 12 BROWNIES VON ORDENTLICHER GRÖSSE

FÜR DEN SALZKARAMELL
50 g Butter oder Kokosöl plus etwas mehr zum Einfetten

100 g extrafeiner Vollrohrzucker

1 kräftige Prise Meersalzflocken (etwa ¼ TL)

3 EL Milch (ich nehme Kokos- oder Mandelmilch)

FÜR DIE BROWNIES
150 g dunkle Schokolade (70 Prozent Kakaoanteil)

150 g Butter oder Kokosöl

250 g extrafeiner Vollrohrzucker oder heller Muscovadozucker

3 Bio- oder Freilandeier

1 TL natürlicher Vanilleextrakt oder das ausgekratzte Mark von 1 Vanilleschote

100 g Roggenmehl, helles Dinkelmehl oder Weizenmehl

• Zuerst für den Karamell ein flaches Backblech mit einem Stück Backpapier belegen und dieses mit Öl bestreichen. Den Zucker in eine Pfanne geben und bei mittlerer Temperatur erhitzen. Heiß werden und schmelzen lassen, bis sich fast alle Zuckerkörnchen aufgelöst haben, dabei den Zucker nicht aus den Augen lassen. Dann die Pfanne schnell vom Herd ziehen, die Butter oder das Kokosöl hinzufügen und etwa 1 Minute aufschlagen. Das Salz und die Milch zugeben und erneut aufschlagen. Für 2 bis 3 Minuten zurück auf den Herd stellen und kräftig schlagen, bis die Mischung dunkler und dicker geworden ist und sich alle Zuckerklümpchen aufgelöst haben. Auf das eingefettete Papier gießen und zum Aushärten 30 Minuten in den Tiefkühler stellen.

• Den Backofen auf 180 °C (160 °C Umluft/Gas Stufe 4) vorheizen und eine kleine Brownieform (meine ist 20 × 20 cm groß, aber alles in ähnlicher Größe ist in Ordnung) mit Butter einfetten und mit Backpapier auskleiden.

• Während der Karamell aushärtet, den Brownieteig zubereiten. Dazu eine hitzefeste Schüssel auf einen Topf mit sanft köchelndem Wasser setzen (die Schüssel darf das Wasser nicht berühren). Die Schokolade und die Butter oder das Kokosöl hinzufügen und schmelzen lassen, gelegentlich umrühren. Die Schüssel vom Herd nehmen und den Zucker unterrühren, dann die Eier einzeln nacheinander unterschlagen und zum Schluss die Vanille und das Mehl.

• Sobald er hart geworden ist, den Karamell aus dem Tiefkühler nehmen. Ein Drittel davon in kleine Stücke hacken und unter den Brownieteig mischen. Den Rest in 1 Zentimeter große Stücke hacken.

• Den Brownieteig in die vorbereitete Form füllen und die großen Salz-karamellstücke darauf verteilen. 25 Minuten backen, bis der Teig gerade eben durch ist – bis sich an der Oberfläche eine Kruste gebildet hat und der Karamell zu tiefen bernsteinfarbenen Pfützen zerflossen ist. Vor dem Anschneiden mindestens 20 Minuten abkühlen lassen. Ich weiß, das ist schwer, aber der Karamell ist vorher noch sehr heiß.

• Die Brownies sind 4 Tage in einer luftdichten Dose haltbar. Ich wette, dass sie höchstens einen Nachmittag halten.

Lady-Grey-Feigenröllchen

Lady Grey ist mein Lieblingstee, ich trinke jeden Tag eine Tasse. Die schicke Schwester des Earl besitzt seinen blumigen Charakter plus eine leicht zitronige Note. Earl Grey oder Ihr Lieblingstee funktionieren hier ebenfalls.

Feigenröllchen habe ich schon als Kind geliebt: Während all meine gleichaltrigen Freunde zu rosafarbenen Waffeln und Jammie Dodgers (Konfitüregefüllte Doppelkekse) griffen, entschied ich mich für die ziemlich erwachsenen Feigenröllchen.

Wie wir alle wissen, sind Feigen gesund – mir war allerdings nicht klar, wie gesund. Sie sind eine ausgezeichnete Kalziumquelle, was vor allem für diejenigen eine gute Nachricht ist, die den Milchproduktanteil in ihrer Ernährung reduzieren möchten. Zudem besitzen sie einen hohen Ballaststoffanteil, der bei der Regulierung des Blutzuckerspiegels und der Senkung des Cholesterinspiegels hilft. In der chinesischen Medizin werden Feigen aufgrund ihrer entgiftenden Wirkung geschätzt. Halten Sie nach ungeschwefelten Feigen Ausschau.

....

FÜR 14 STÜCK

125 g Haferflocken

50 g brauner Zucker oder Kokosblütenzucker (siehe Seite 279)

½ TL Backpulver

1 Prise Meersalz

1 TL Zimt

1 EL Ahornsirup

1 Bio- oder Freilandei (oder siehe Anmerkungen zu Chiasamen auf Seite 46)

70 g Butter oder Kokosöl

150 ml extrastarker Lady-Grey-Tee (ich verwende 4 Beutel)

200 g getrocknete Feigen, Stiele entfernt, grob gehackt

ausgekratztes Mark von 1 Vanilleschote plus Schote

abgeriebene Schale und Saft von ½ unbehandelten Orange

abgeriebene Schale und Saft von ½ unbehandelten Zitrone

- Die Haferflocken in den Mixbehälter der Küchenmaschine geben und zu einem groben Mehl zerkleinern. Zucker, Backpulver, Salz und Zimt hinzufügen und gut vermischen. Ahornsirup, Ei und Butter oder Kokosöl zugeben. Unter Betätigung des Intervallschalters vermischen, bis sich der Teig zu einer Kugel zusammenballt, dann in Backpapier einwickeln und in den Kühlschrank legen.

- Einen Tee aufbrühen und mindestens 20 Minuten ziehen lassen. Die Teebeutel wegwerfen und den Tee mit den gehackten Feigen, dem Vanillemark und der -schote, den Zitrusschalen und -säften in einen Topf geben. Bei niedriger Temperatur simmern lassen, bis die Feigen weich sind und die Flüssigkeit vollständig eingekocht ist. Die Vanilleschote entfernen und alles andere im Mixbehälter der Küchenmaschine zu Feigenmus pürieren.

- Den Backofen auf 200 °C (180 °C Umluft/Gas Stufe 6) vorheizen.

- Den Teig zwischen zwei Bögen Backpapier zu einem langen Rechteck ausrollen (es sollte etwa 30 × 15 cm groß sein). Das Feigenmus mittig darauf verteilen, dann die Seiten so nach innen einschlagen, dass die Füllung eingeschlossen ist. In 14 kleine Röllchen schneiden, auf ein Backblech setzen und 15 bis 20 Minuten knusprig goldbraun backen. Mit einer großen Tasse Lady-Grey-Tee genießen.

Pistazienkuchen mit Holunderblütensirup

Ich wohne in Hackney, wo es gelegentlich etwas rauer zugeht, aber ich mag das. Einmal im Jahr öffnen sich in den Parks und auf dem Marschland in ganz Hackney die Holunderblüten, und niemand scheint davon Notiz zu nehmen. Ich schnappe mir dann meine blaue Trittleiter und pflücke so viele Blütenstände wie möglich.

Ich mache daraus Blütensirup, und zwar in großen Mengen (mein Rezept finden Sie auf Seite 329) – und ich backe damit auch diesen Kuchen. Anstelle von Mehl verwende ich Pistazien und Polenta, was dem Teig eine dichte, baklavaartige Konsistenz verleiht. Um die Pistazien fein zu zerkleinern, ist unbedingt eine Küchenmaschine erforderlich. Falls Sie keine besitzen, nehmen Sie stattdessen gemahlene Mandeln.

Eine Freundin scherzte sogar, sie werde ihr Erstgeborenes nach diesem Kuchen benennen. Ein größeres Lob gibt es wohl nicht!

FÜR 1 HOHEN KUCHEN VON 20 CM DURCHMESSER

FÜR DEN KUCHEN
125 g zimmerwarme Butter
125 g griechischer Naturjoghurt
250 g unraffinierter heller Rohrzucker oder Kokosblütenzucker (siehe S. 279)
250 g Pistazienkerne
200 g Polenta
1 TL Backpulver
abgeriebene Schale und Saft von 1 unbehandelten Zitrone
3 Bio- oder Freilandeier
150 ml Holunderblütensirup

FÜR DIE HOLUNDERBLÜTEN-GLASUR
100 g dicker griechischer Sahnejoghurt oder Frischkäse
4 EL Puderzucker aus Vollrohrzucker (auch leicht mit dem Mixbehälter des Pürierstabs aus Vollrohrzucker selbst herzustellen) oder fester Honig
1 EL Holunderblütensirup
1 Handvoll Pistazienkerne, grob gehackt

• Den Backofen auf 200 °C (180 °C Umluft/Gas Stufe 6) vorheizen. Den Boden einer Springform von 20 cm Durchmesser einfetten und mit Backpapier auslegen.

• Butter, Joghurt und Zucker in eine Schüssel geben und schaumig aufschlagen.

• Als Nächstes die Pistazienkerne im Mixbehälter der Küchenmaschine zu feinem Mehl verarbeiten – jedoch nicht zu lange, sonst gibt's Pistazienbutter. Das Pistazienmehl mit Polenta, Backpulver, Zitronenschale und Zitronensaft zur Buttermischung geben und gründlich vermischen. Die Eier einzeln zugeben und nacheinander unterrühren.

• Den Teig in die Backform füllen und 45 bis 50 Minuten backen, bis ein in die Kuchenmitte eingestochenes Holzspießchen sauber wieder herauskommt. Aus dem Ofen nehmen und in der Form etwas abkühlen lassen. Mit dem Spieß einige Löcher in den warmen Kuchen stechen, dann langsam den Holunderblütensirup darüberträufeln, damit er einziehen kann. Den Kuchen in der Form lassen, bis er so weit abgekühlt ist, dass er auf ein Kuchengitter gesetzt werden kann.

• Für die Glasur den Joghurt mit Puderzucker oder Honig und Holunderblütensirup glatt rühren. Den abgekühlten Kuchen damit bestreichen und mit den Pistazien bestreuen.

Blondies mit Butterscotch-Schoko-Stückchen

Diese Blondies lassen sich irgendwo zwischen Chocolate-Chip-Cookie und Brownie einordnen – ein dichter karamelliger Brownie mit zart schmelzender Schokolade. Sie sind in weniger als 5 Minuten im Ofen und in etwa 30 Sekunden verspeist.

Falls Sie welche bekommen, macht sich Butterscotch-Schokolade hier gut. Sie enthält jedoch etwas mehr Zucker. Wenn Sie es weniger süß mögen, verwenden Sie einfach dunkle Schokolade mit 70 Prozent Kakaoanteil.

Ich bereite oft eine Version ohne Milchprodukte zu und nehme dafür Soja- oder Kokosnussjoghurt und Kokosöl – ich mag die Leichtigkeit, die man ohne Milchprodukte erhält. Normaler Naturjoghurt kann auch verwendet werden.

FÜR 12 STÜCK

100 g zimmerwarmes Kokosöl oder Butter

100 g heller Rohrzucker

ausgekratztes Mark von 1 Vanilleschote

100 g Soja-, Natur- oder Kokosnussjoghurt

2 EL Honig oder Agavendicksaft

250 g Weizenmehl

2 TL Backpulver

1 kräftige Prise Meersalz

90 ml Milch (Kuh-, Kokos-, Mandel- oder Sojamilch)

150 g dunkle Schokolade oder Butterscotch-Schokolade, grob gehackt

• Den Backofen auf 190 °C (170 °C Umluft/Gas Stufe 5) vorheizen. Eine quadratische Brownieform einfetten, mit Backpapier auskleiden und beiseitestellen.

• Butter oder Kokosöl und Zucker in einer großen Schüssel mit einem elektrischen Handrührer oder mit dem Schneebesen sorgfältig verrühren. Vanillemark und Joghurt hinzufügen und gut verrühren, bis sich alle Zutaten verbunden haben. Honig oder Agavendicksaft zugeben und ebenfalls unterschlagen.

• Mehl, Backpulver und Salz in eine Rührschüssel geben und gut vermischen.

• Die trockenen Zutaten zu den feuchten Zutaten geben und sorgfältig vermischen, bis sich alles gut verbunden hat. Die Milch nach und nach zugießen, dann die Schokostückchen unterziehen.

• Den Teig in die Brownieform füllen und mit einem Löffel oder Spatel glatt streichen. 35 bis 40 Minuten backen, bis die Oberfläche fest und gebräunt ist.

• Vollständig abkühlen lassen, dann in kleine Würfel schneiden. Durch den Joghurt bleiben die Brownies mindestens 1 Woche saftig und frisch.

Müsliriegel-Anzac-Cookies

Ich mag Kokosmakronen. Und kernige Cookies mit Haferflocken und Rosinen. Und australische Anzac-Kekse. Mit diesen Cookies kann ich alles auf einmal haben. Manche würden das gierig nenne. Ich nenne es clever.

Die Cookies sind saftig-kernig im besten Sinne und im null Komma nichts zusammengerührt. Sie enthalten nicht viel Zucker und sind daher ein ziemlich gesunder Snack. Und wenn Sie möchten, können Sie den braunen Zucker noch gegen Kokosblütenzucker austauschen, was die Cookies noch einen Tick gesünder macht.

Ich backe nach Lust und Laune große oder kleine Cookies – ich habe hier für beide Varianten Backzeit und Anleitung notiert. Falls kein Kokosöl zur Hand ist, können Sie auch geschmolzene Butter verwenden.

FÜR ETWA 14 GROSSE ODER 24 KLEINE COOKIES

125 g helles Dinkelmehl oder Kokosmehl

50 g Haferflocken

50 g ungesüßte Kokoschips oder -raspeln

100 g Rosinen

75 g unraffinierter brauner Rohrzucker

¼ TL Natron

125 g Kokosöl

3 EL Ahornsirup

- Den Backofen auf 200 °C (180 °C Umluft/Gas Stufe 6) vorheizen und zwei Backbleche mit Backpapier auslegen.

- Alle trockenen Zutaten in eine Schüssel abwiegen: Mehl, Haferflocken, Kokosnuss, Rosinen, Zucker und Natron.

- Das Kokosöl in einem kleinen Topf schmelzen, kurz abkühlen lassen, dann zum Ahornsirup geben. Die warme Mischung zu den trockenen Zutaten gießen und gut vermischen. Der Teig ist etwas krümelig, wird jedoch glatt, wenn Sie ihn zusammendrücken.

- Mit einem Löffel und den Händen den Teig zu Kugeln formen. Für größere Kekse einen gehäuften Esslöffel Teig, für kleinere Kekse einen gehäuften Teelöffel Teig nehmen. Auf den vorbereiteten Blechen verteilen, auf ausreichend Abstand achten, da der Teig auseinanderläuft.

- Die großen Cookies 12 Minuten, die kleineren 8 bis 10 Minuten backen, bis sie sich leicht golden gefärbt und eine gleichmäßige Farbe angenommen haben. Etwa 5 Minuten auf dem Blech abkühlen lassen, dann auf einem Kuchengitter komplett abkühlen lassen.

Kardamomkuchen mit Zitronensirup

Keine Frage, mit Sirup getränkter Zitronenkuchen gehört zu meinen Favoriten. Ich liebe seinen Zitronenkick. Hier stelle ich Ihnen meine Variante vor. Halb Teestunde bei Oma, halb Minztee im Souk.

Ich verwende gemahlene Mandeln, durch die der Kuchen schön saftig bleibt und die nährstofftechnisch mehr zu bieten haben als normales Mehl. Anstatt den Kuchen mit einem schweren Teig aus Butter und Zucker zuzubereiten, nehme ich Joghurt statt der Butter, was außerdem den Vorteil hat, dass der Kuchen nicht trocken und auch etwas leichter wird. Anstelle von Zitronen können auch Limetten verwendet werden – dann für jede Zitrone einfach eineinhalb Limetten nehmen.

Honig ist ein natürliches Süßungsmittel. Ich mag die Aromavarianten, die durch die unterschiedlichen Honigsorten ins Spiel gebracht werden, und die Art und Weise, wie man die Blüten schmecken kann, von denen die Bienen den Pollen gesammelt haben. Es handelt sich dabei immer noch um Zucker, jedoch ohne die industrielle Bearbeitung, der raffinierter Zucker unterzogen wurde. Ich finde, Orangenblütenhonig harmoniert hier gut. Im Sommer rühre ich immer einen Teelöffel lokalen Honig aus Hackney in mein morgendliches Glas heißes Wasser – der Verzehr einer kleinen Portion regional gesammelten Honigs soll bei Allergien wie Heuschnupfen helfen.

FÜR 1 HOHEN KUCHEN VON 20 CM DURCHMESSER

FÜR DEN KUCHEN
3 Bio- oder Freilandeier (oder siehe Anmerkungen zu Chiasamen auf Seite 46)

100 g griechischer Naturjoghurt oder Kokosnussjoghurt

150 g flüssiger Honig

150 ml mildes Olivenöl plus etwas mehr zum Einfetten

2 unbehandelte Zitronen

200 g gemahlene Mandeln

200 g helles Dinkelmehl

1 TL Backpulver

1 EL Mohnsamen

ausgelöste Samen aus 4 Kardamomkapseln, im Mörser fein zerstoßen

FÜR DEN SIRUP
1 unbehandelte Zitrone

100 g Honig

ausgelöste Samen aus 8 Kardamomkapseln, im Mörser fein zerstoßen

....

- Den Backofen auf 180 °C (160 °C Umluft/Gas Stufe 4) vorheizen.

- Die Eier in eine Rührschüssel geben und aufschlagen, bis sich ihr Volumen leicht vergrößert hat. Joghurt, Honig und Olivenöl unterheben, dann die Schale beider Zitronen hineinreiben.

- Alle trockenen Zutaten in eine zweite Schüssel füllen und gut vermischen. Die trockenen Zutaten behutsam mit der Joghurtmischung verrühren.

- Eine 20 cm große Springform mit Olivenöl einfetten, den Boden mit Backpapier auslegen. Den Teig hineingießen und die Oberfläche mit einem Löffel glatt streichen. 30 Minuten im Ofen backen, bis sich die Oberfläche goldgelb gefärbt hat. Die Stäbchenprobe machen – kommt ein eingestochenes Holzspießchen sauber wieder aus dem Kuchen, ist er fertig.

• Inzwischen den Sirup zum Beträufeln zubereiten. Dazu von der Zitrone die Schale mit einem Sparschäler in Streifen abschälen. Den Saft auspressen und in einen Topf geben, die Schale und den Honig hinzufügen. Die gemahlenen Kardamomsamen zugeben. Bei mittlerer Temperatur erhitzen und 15 bis 20 Minuten simmern lassen, bis der Sirup leicht eingedickt und die Schale kandiert ist. Wenn die Schalenstreifen glänzen und glasig geworden sind und sich an den Rändern etwas wellen, sind sie fertig.

• Den Kuchen aus dem Ofen nehmen und abkühlen lassen, bis er problemlos aus der Form gehoben werden kann. Auf ein Kuchengitter stellen, darunter einen großen Teller platzieren, um den Sirup aufzufangen. Den noch warmen Kuchen ganz oft mit einem Spieß einstechen, dann langsam mit dem warmen Sirup übergießen und darauf achten, dass der Kuchen bis zum Rand getränkt wird. Mit den kandierten Schalenstreifen garnieren.

• Manchmal serviere ich den Kuchen mit einem Löffel Joghurt.

Sodabrot mit schwarzem Pfeffer und Karotten

Meine Freundin Serinde rührt das Brot einfach mal schnell nach der Arbeit zusammen – sie ist einer der aktivsten Menschen, die ich kenne, und ich bin überzeugt, das ist es auch, was ihr viel Kraft gibt. Karotten im Brot war nicht gerade das, was mich auf den ersten Blick ansprach, aber es funktioniert tatsächlich.

Kürbiskerne und Karotten stehen das ganze Jahr über zur Verfügung. Im Frühling erwärme ich den Joghurt und das Wasser mit einer Handvoll Bärlauch, püriere die Mischung und verwende diese. Im Herbst nehme ich einige geraspelte Rote Beten und Kümmel. Sodabrot ist ein guter Einstieg in die Welt des Brotbackens, und dieses Rezept eignet sich bestens für Anfänger oder zum Backen mit Kindern.

FÜR 1 GROSSEN LAIB

175 g Brotmehl (Type 550)
175 g Vollkornmehl oder Dinkelmehl
50 g Kürbiskerne
1 TL Meersalz
1 TL Natron
einige Umdrehungen schwarzer Pfeffer aus der Mühle
200 g Naturjoghurt nach Wahl
2 Karotten, geschält und geraspelt
Olivenöl

• Den Backofen auf 220 °C (200 °C Umluft/Gas Stufe 7) vorheizen.

• Beide Mehle, Kürbiskerne, Salz, Natron und Pfeffer in eine große Rührschüssel geben und gut vermischen. In einem Krug den Joghurt mit 200 ml kaltem Wasser verrühren.

• Die Karotten zu den trockenen Zutaten geben, nach und nach den Joghurt zugießen. Alles mit einer Gabel sorgfältig vermischen, dann von Hand zu einer Teigkugel formen.

• Ein schweres Backblech mit Olivenöl einfetten – oder, noch besser: einen Pizzastein verwenden, falls vorhanden. Die Teigkugel auf das Blech oder den Stein legen und mit etwas Mehl bestäuben.

• Die Oberfläche mehrmals mit einem Messer einritzen. Den Teig 40 Minuten im heißen Ofen backen, bis sich das Brot golden gefärbt hat und schön aufgegangen ist.

• Aus dem Ofen nehmen und auf die Unterseite klopfen. Klingt es hohl, ist das Brot durchgebacken. Auf einem Kuchengitter abkühlen lassen. Schmeckt köstlich noch warm mit Butter oder Kokosöl bestrichen.

Kokos-Vanille-Kuchenbrot

Der Star in diesem Kuchen ist eine meiner Lieblingszutaten, die Kokosnuss. Im Grunde kann der gesamte Kuchen aus Kokosprodukten zubereitet werden, falls Sie sie bekommen – falls nicht, habe ich Alternativen angegeben. Das ist halb Brot, halb Kuchen und schmeckt getoastet auch noch nach ein paar Tagen.

Kokosmilch, Kokosblütenzucker und Kokosöl machen diesen Kuchen aus, unterstützt durch die Süße der Vanille und abgerundet mit Mandeln. Ich mache dieses Kuchenbrot gerne sonntags und toaste mir dann die ganze Woche über Scheiben davon zum Frühstück. Es schmeckt sehr gut mit Mandelbutter bestrichen und etwas Limettensaft oder mit Limetten- oder Zitronenmarmelade.

Viele Menschen sträuben sich gegen Kokosöl und -milch, weil sie denken, diese enthielten einen hohen Anteil ungesunder Fette. Sie enthalten tatsächlich etwas Fett, unser Körper ist jedoch in der Lage, dieses Fett sehr viel leichter aufzuspalten als Fett von anderen pflanzlichen und tierischen Quellen. Unser Körper braucht etwas Fett, und Kokosnüsse und die aus ihnen gewonnene Milch zählen zu den besten Arten, wie man es ihm zuführen kann.

FÜR 1 GROSSEN LAIB

2 Bio- oder Freilandeier (oder siehe Anmerkungen zu Chiasamen auf Seite 46)

200 ml Milch nach Belieben (ich verwende Kokosmilch, siehe Anmerkungen auf Seite 43)

ausgekratztes Mark von 1 Vanilleschote

150 g helles Dinkelmehl

200 g Kokosblütenzucker (siehe Seite 279) oder heller Rohrzucker

½ TL Backpulver

50 g Kokosraspel

50 g gemahlene Mandeln

50 g Kokosöl oder Butter, geschmolzen und abgekühlt

- Den Backofen auf 180 °C (160 °C Umluft/Gas Stufe 5) vorheizen. Eine Kastenform von 450 g Inhalt (22 × 8 cm groß) mit Butter einfetten. Ein Stück Backpapier so in die Form legen, dass es den Boden und die langen Seiten der Form bedeckt, die kurzen Seiten bleiben frei, was in Ordnung ist, da das Papier lediglich zum Herausheben des Kuchenbrots dient.

- Die Eier mit der Milch und dem Vanillemark in einem Krug verrühren.

- Mehl, Zucker, Backpulver, Kokosraspel und gemahlene Mandeln in eine Schüssel geben und eine Mulde hineindrücken. Die Eiermischung nach und nach hineingießen, dann das geschmolzene Kokosöl oder die Butter zugeben und alles glatt rühren.

- Den Teig in die Kastenform gießen und etwa 50 Minuten backen, bis ein mittig eingestochenes Holzspießchen sauber wieder herauskommt. Einige Minuten in der Form abkühlen lassen, dann auf einem Kuchengitter vollständig abkühlen lassen.

Saatenbrot

Ein selbst gebackenes Brot aus dem Ofen zu holen ist ein ganz besonderer Moment. Ich habe dieses Rezept aufgenommen, weil es ein unglaublich gutes Brot ist, aber noch aus einem anderen Grund: Wenn Sie ähnlich ticken wie ich, brauchen Sie an manchen Tagen einfach etwas, um sich selbst zu verwöhnen.

Das ist mein Brotrezept für alle Fälle. Halb Weißmehl, halb Vollkornmehl, mit reichlich Saaten, äußerst beglückend und sehr, sehr einfach zuzubereiten. In den Jahren der Zusammenarbeit mit meinem Freund Tom Herbert habe ich viel über Brot gelernt. Was Tom nicht über Brot weiß, muss man nicht wissen. Ein bisschen von seinem Wissen hat glücklicherweise auf mich abgefärbt.

Denken Sie an die goldene Brotback-Regel: Keine Angst vor feuchtem Teig. Wie mein Freund Tom sagen würde: *The wetter the better* (je feuchter, desto besser). Einfach immer weiter kneten und Hände und Arbeitsfläche so wenig wie möglich bemehlen. Seien Sie zuversichtlich, es wird klappen.

FÜR 1 LAIB BROT

1 Päckchen Trockenhefe (7 g)
1 EL Honig oder Agavendicksaft
200 g weißes Brotmehl (Type 550)
200 g Vollkornweizenmehl
50 g Haferflocken
25 g Leinsamen
25 g Mohnsamen
1 TL Meersalz

• 350 g lauwarmes Wasser abwiegen (beim Hineinfassen sollte es sich nicht zu heiß anfühlen). Generell finde ich abwiegen genauer als mit dem Messbecher abmessen. Nun die Hefe und den Honig oder den Agavendicksaft mit dem Wasser verrühren.

• Als Nächstes die Mehle, die Haferflocken, die Saaten und das Salz in eine große Rührschüssel geben, dann das Wasser mit einer Gabel unterrühren, bis eine Art breiige Masse entstanden ist. Die Schüssel mit einem sauberen Geschirrtuch abdecken und einige Minuten ruhen lassen, damit die Hefe ihre Arbeit aufnehmen kann.

• Nach einigen Minuten den Teig aus der Schüssel nehmen und auf die saubere Arbeitsfläche geben. Der Teig ist nass und matschig, und das soll auch so sein – ein kleines bisschen Mehl darf während des Knetens immer mal wieder zugegeben werden, aber nicht zu viel.

- So lange kneten, bis der Teig geschmeidig wird, dann zurück in die Schüssel legen und für 1 bis 1,5 Stunden zum Gehen an einen warmen Ort (beispielsweise in die Nähe der Heizung) stellen (ich stelle die Teigschüssel neben den auf sehr niedrige Temperatur eingestellten Ofen). Danach sollte der Teig sein Volumen verdoppelt haben. Die dafür benötigte Dauer hängt von der Feuchtigkeit und der verwendeten Mehlsorte ab.

- Den Teig aus der Schüssel nehmen, 30 Sekunden kneten, dann zu einem flachen Oval formen und auf ein mit Öl eingefettetes Backblech setzen. Erneut mit dem Geschirrtuch abdecken und nochmals etwa 40 Minuten gehen lassen. Den Backofen auf 240 °C (220 °C Umluft/Gas Stufe 9) vorheizen.

- Nach 40 Minuten die Oberfläche mit einem Messer einschneiden und mit etwas Vollkornmehl bestäuben. Ein zweites tiefes Backblech zur Hälfte mit kochendem Wasser füllen und auf dem Boden des Backofens platzieren. Dadurch kann sich während des Backens Dampf bilden, der dazu beiträgt, dass das Brot eine tolle Kruste und Konsistenz bekommt.

- Das Brot 30 bis 35 Minuten im Ofen backen, bis es sich ringsum appetitlich goldbraun gefärbt hat. Zum Überprüfen, ob das Brot durchgebacken ist, das Brot anheben und auf die Unterseite klopfen. Wenn es hohl klingt wie eine Trommel, ist es fertig. Zum Abkühlen auf ein Kuchengitter setzen, damit auch die Unterseite knusprig bleibt.

Yorkshire Puddings mit Mohn und Sesam

Das muss man uns Briten lassen: Sonntags etwas Gutes auf den Tisch zu zaubern hat bei uns lange Tradition. Das Herzstück meines Sonntagsessens war und wird auch immer sein: der Yorkshire Pudding. Ich stamme aus einer wirklich großen Familie, mein Vater ist das neunte von 12 Kindern, ich habe 30 Cousinen und Cousins, einen Bruder und eine Schwester. Sonntagsessen bei meiner Großmutter waren also eine größere Sache. Das Abendessen wurde in Schichten eingenommen, und da wir die Kleinsten waren, bekamen wir zuerst etwas zu essen, was mich immer sehr glücklich machte, denn so bekam ich auf jeden Fall einen von Mamas Yorkshires ab (die – wie ich bis heute finde – die besten sind, die ich jemals gegessen habe).

Im zarten Alter von sechs Jahren begann also diese Besessenheit. Ich habe jedes einzelne Yorkshire-Pudding-Rezept ausprobiert, das mir vor die Nase gekommen ist. Ich habe mich sogar über den großen Teich gewagt und mich in der Welt der *popovers* umgesehen (übrigens ein großartiger Name). *Popovers* sind die amerikanischen Yorkshires, die aus Eiweiß gemacht werden, das unendlich lange aufgeschlagen wird und dadurch ein leichteres und irgendwie knusprigeres Ergebnis erzielt. Ich mag meine Yorkshires jedoch lieber innen etwas weicher – knusprig leichtes Äußeres, teigig kerniges Inneres. Ich habe ein paar geröstete Saaten ergänzt, was für mehr Struktur und Geschmack sorgt und aus einer Beilage ein Hauptgericht werden lässt.

Rapsöl funktioniert hier gut, ein herrliches Öl, dessen lebhaftes Safrangelb die Außenseite der Yorkshires färbt. Ein Sonntagstraum.

Es gibt fünf Yorkshire-Pudding-Gebote zu beachten. Keine Angst vor hohen Temperaturen: den Backofen auf höchster Stufe vorheizen, Hitze ist hier unser Freund. Den Teig mindestens 15 Minuten quellen lassen. Ganz wichtig. Das Öl im Ofen so stark erhitzen, dass es raucht. Das Blech beim Teigeinfüllen auf dem Herd erhitzen. Die Backofentür nicht öffnen, bevor die Backzeit abgelaufen ist, sonst fallen die Yorkshires zusammen.

FÜR 12 HOHE YORKSHIRE PUDDINGS

200 g weißes Weizenmehl

2 EL Mohnsamen, geröstet

2 EL Sesamsamen, geröstet

1 TL Meersalz

einige Umdrehungen schwarzer Pfeffer aus der Mühle

250 ml Milch, mit Wasser auf 300 ml aufgefüllt

4 Bio- oder Freilandeier

12 TL Rapsöl oder Erdnussöl

• Den Backofen auf allerhöchster Stufe vorheizen. Das Mehl mit den gerösteten Saaten, Salz und Pfeffer in einer Schüssel vermischen. Die Milch-Wasser-Mischung in einen Krug gießen.

• Die Eier aufschlagen und in die Schüssel mit dem Mehl geben, eine kleine Menge Milchmischung zugießen und kräftig aufschlagen, bis fast keine Klümpchen mehr zu sehen sind.

- Nach und nach die restliche Milchmischung unterschlagen, bis ein geschmeidiger Teig von der Konsistenz von dickflüssiger Sahne entstanden ist. Den Teig mindestens 15 Minuten ruhen lassen.

- Danach den Teig in einen Krug füllen. In jede der 12 Vertiefungen eines Muffinblechs etwa 1 Teelöffel Öl geben und in den Ofen stellen, bis das Öl zu rauchen beginnt.

- Zwei Kochstellen auf dem Herd auf mittlere Temperatur einstellen und den Krug mit dem Teig bereitstellen. Schnell, aber sehr vorsichtig das heiße Muffinblech aus dem Ofen nehmen, die Ofentür schließen. Das Muffin- blech auf den Herd stellen und den Teig schnell, aber vorsichtig in die Vertiefungen füllen, sodass ein etwa 2 cm hoher Rand frei bleibt.

- Das Blech zurück in den Ofen stellen, die Ofentür schließen und die Küchenuhr auf 12 Minuten stellen. Keinesfalls die Tür vor Ablauf der 12 Minuten öffnen – glauben Sie mir: Sie werden zusammenfallen. Den Fortschritt durch das Fenster in der Ofentür nach 12 Minuten prüfen: Sind sie aufgegangen wie kleine Türme und haben sich appetitlich gold- braun gefärbt, können Sie sie herausnehmen. Falls nicht, bleiben sie noch ein paar Minuten im Ofen, dabei aber nicht aus den Augen lassen.

- Ich esse sie gern als einfache Mahlzeit mit einem Löffel Meerrettich und gerösteter Roter Bete – für ein großes Sonntagsessen mit allem Drum und Dran können Sie sich auf Seite 232 Anregungen holen.

Ein paar Ideen, wie man aus den Yorkshires ein Hauptgericht machen kann (backen Sie aus dem Teig einen einzigen großen Yorkshire Pudding und achten Sie darauf, dass alle gegarten Extras, die Sie zugeben, heiß sind, sonst gehen die Yorkshires nicht richtig auf)

- einen Esslöffel Meerrettich und in Stücke geschnittene gekochte Rote Bete zum Teig geben
- kleine Kürbisstücke und ein paar Salbeiblätter zum Teig geben
- 100 g krümelig-trockenen Hartkäse aus Kuhmilch (z. B. Lancashire), etwas rote Zwiebel und wenig gehackten Rosmarin zum Teig geben

Und was gibt's zu trinken?

Hier finden Sie Getränke, auf die es sich das Glas zu erheben lohnt. Wie oft macht man sich um die Getränke kaum Gedanken, sie werden flaschenweise gekauft und enthalten oft deutlich mehr Zucker als Fantasie. Für mich eröffnen Getränke jede Menge Möglichkeiten, Farbe, Geschmack und Temperament ins Spiel zu bringen. Auch wenn es nur darum geht, einen Krug Leitungswasser mit ein paar Scheiben Zitrone, Limette und Salatgurke zu aromatisieren oder das Fruchtfleisch einer eisgekühlten Wassermelone mit etwas Honig und Limette zu pürieren und mit Sprudelwasser in eine hausgemachte *agua fresca* zu verwandeln. Den Nachmittagskaffee mit anregendem Kardamom zu veredeln oder einen so feinen Kakao zu zaubern, dass Leib und Seele strahlen – Getränke verdienen ein wenig mehr Aufmerksamkeit und Liebe. Hier stelle ich Ihnen meine Rezepte für heiße, kalte, gesunde, alkoholische Getränke und sommerliche Limonaden vor.

Honig-Lavendel-Limonade · Erdbeersorbet-Refresher · Brombeer-Limetten-Limo · Holunderblütensirup · Supernova-Holundersekt · Sommer-Rosé-Fizz · Bellini-Sirup · Blutorangen-Margaritas

Limonaden für einen endlosen Sommer

Wir alle wünschen uns einen Sommer, der nie aufhören möge. Diese Limonaden bereite ich den ganzen Sommer über bis in den Herbst hinein zu, um die Jahreszeit so weit wie möglich auszudehnen.

Ich habe immer eine Flasche davon im Kühlschrank. Wenn ich in L.A. bin, gehe ich gern in eine Limonadenbar, die mindestens zehn verschiedene Sorten Limonaden im Angebot hat. Dort fühle ich mich wie ein Kind im Bonbonladen.

Limonade selbst zu machen ist so einfach. Und durch die Verwendung von Agavendicksaft wird es noch einfacher, da kein Zuckersirup gekocht werden muss. Falls Sie keinen Agavendicksaft bekommen, kochen Sie 125 g Zucker mit 125 ml heißem Wasser so lange, bis sich der Zucker aufgelöst hat. Nur für die Limonade dann etwas weniger Wasser hinzufügen.

Wenn ich eine Party gebe, mache ich gern ein paar verschiedene Sorten und stelle die in Glasflaschen abgefüllten bonbonfarbenen Limonaden dekorativ zur Selbstbedienung auf. Sie sind auch eine gute Basis für Cocktails – einfach mit ein bisschen Alkohol, Früchten und einigen Minze- oder Basilikumstängeln kombinieren.

....

- 1 Zitrone in Scheiben schneiden und mit dem ausgepressten Saft der anderen 5 Zitronen (etwa 200 ml) in einen großen Topf geben. Den Agavendicksaft und 100 ml Wasser zugießen und zum Kochen bringen. Gründlich vermischen, dann den Herd ausschalten und vollständig abkühlen lassen. Mit 1 Liter stillem oder kohlensäurehaltigem Wasser aufgießen.

- Eiswürfel und Zitronenscheiben auf Gläser verteilen und mit der Limonade übergießen.

Wassermelone
Anstelle des Liters eiskalten Wassers 500 g püriertes Wassermelonenfruchtfleisch und 500 ml kaltes Wasser hinzufügen.

Zitronengras-Chili
2 Stängel Zitronengras und 1 roten Chili zum heißen Zitronen-Agaven-Sirup geben und ziehen lassen, bis der Sirup abgekühlt ist. Zitronengras und Chili entfernen. Mit eiskaltem Wasser aufgießen.

FÜR JE ETWA 1,5 LITER

6 unbehandelte Zitronen
125 ml Agavendicksaft
1 l eiskaltes Wasser
(still oder mit Kohlensäure)

BROMBEER-LIMETTE

Anstelle von Zitronen unbehandelte Limetten verwenden – vermutlich benötigen Sie für dieselbe Menge Saft ein paar mehr Limetten. Anstelle des Liters eiskalten Wassers 250 g Brombeeren mit 750 ml Wasser pürieren und zugeben.

BLAUBEER-MINZE

Anstelle des Liters eiskalten Wassers 250 g Blaubeeren mit einigen Minzestängeln und 750 ml Wasser pürieren und zugeben.

HONIG-LAVENDEL

Anstelle des Agavendicksafts Honig verwenden. Einige Lavendelblütenstände im heißen Zitronen-Agaven-Sirup ziehen lassen und abseihen, bevor der Liter eiskaltes Wasser zugegossen wird.

GOJI-INGWER

4 Esslöffel getrocknete Gojibeeren 1 Stunde in Wasser einweichen. Dann die Beeren mit 100 ml Wasser und einem fein geriebenen daumengroßen Stück frischem Ingwer pürieren und zusammen mit 1 Liter eiskaltem Wasser zum Limonadensirup geben.

ROIBUSCH-EISTEE

2 Beutel Roibuschtee zum heißen Zitronen-Agaven-Sirup geben und ziehen lassen, während der Sirup abkühlt. Dann die Teebeutel entfernen und den Sirup mit 1 Liter eiskaltem Wasser aufgießen.

Holunderblütensirup

Wer auch immer diese fedrigen kleinen Blüten zum ersten Mal in ein heißes Zuckerwasserbad getaucht hat, hatte einen wirklich genialen Einfall.

Setzen Sie am besten gleich eine große Portion an, dann reicht der Sirup für ein ganzes Jahr. Auch eine gute Idee: halb Holunderblütensirup, halb Wasser in Eiswürfelbehältern einfrieren und in Gin Tonic plumpsen lassen. Falls Sie welche übrig haben, können Sie sogar ein paar der kleinen Blüten mit ins Glas geben, was sehr hübsch aussieht.

FÜR ETWA 2 LITER

50 Holunderblütenstände
1,5 kg extrafeiner Vollrohrzucker
2 unbehandelte Zitronen

- Die Holunderblütenstände leicht schütteln, um eventuell vorhandene kleine Krabbeltiere loszuwerden.

- Den Zucker mit 1,5 Litern kochendem Wasser in einen großen Topf geben und zum Kochen bringen. Einige Minuten simmern lassen, bis sich der Zucker vollständig aufgelöst hat, dann vom Herd nehmen.

- Die Zitronen in Viertel schneiden und mit den Holunderblüten in eine große sterilisierte Schüssel oder einen Eimer legen. Mit dem warmen Sirup übergießen, mit einem sauberen Geschirrtuch abdecken und 24 Stunden an einem kühlen, dunklen Ort ziehen lassen.

- Am nächsten Tag den Sirup durch ein Sieb abseihen, das mit einem Musselintuch ausgelegt wurde. In sterilisierte Flaschen (siehe Seite 338) abfüllen, mit den Deckeln dicht verschließen und an einem kühlen Ort lagern, bis Sie Lust auf ein Tröpfchen bekommen.

- An einem kühlen Ort ist der Sirup etwa 1 Jahr haltbar.

Weißer-Pfirsich-Sirup

Machen Sie sich Freunde und machen Sie – naja, fast ... – das ganze Jahr über Bellinis.

Ich verwende weißfleischige Pfirsiche, wenn ich sie bekomme, ich mag einfach ihren blassen Pfirsichton, aber gelbe Pfirsiche sind auch gut geeignet, solange sie reif und süß sind.

....

FÜR ETWA 1 LITER

1 kg weiße Pfirsiche, halbiert und entsteint
250 g extrafeiner Vollrohrzucker
Saft von 1 Zitrone
ausgekratztes Mark von 2 Vanilleschoten

• Die entsteinten Pfirsiche ungeschält in den Mixer geben und portionsweise pürieren, bis alle zu Püree verarbeitet sind.

• Das Püree mit dem Zucker, dem Zitronensaft und der Vanille in einen Topf geben und zum Simmern bringen. 20 Minuten bei niedriger Temperatur leise köcheln lassen, bis ein dickflüssiger Sirup entstanden ist, dann in sterilisierte Flaschen oder Gläser füllen (siehe Seite 338), die Deckel aufschrauben und den Sirup bis zu 1 Monat an einem trockenen Ort aufbewahren, bis zum nächsten vergnüglichen Schluck.

Erdbeerbrause-Refresher

Meine Variante eines Erfrischungsgetränks: Salz, natürliche Süße und Zitrone erfüllen alle Bedürfnisse, die mein Körper nach einem Work-out im Fitnessstudio oder nach dem Surfen im walisischen Meer hat.

Salz und Honig übernehmen den Job des Rehydrierens, Zitrone und Erdbeeren verbinden alles zu einem Getränk mit brauseartigem Geschmack.

Im Winter bereite ich den Refresher ohne Erdbeeren zu, dann fehlt die Brausekomponente, aber es schmeckt immer noch sehr gut – außerdem braucht man dann keinen Mixer, nur einen großen Krug.

....

FÜR 2 GLÄSER (FÜR EINEN KRUG MENGE VERDOPPELN)

2 gehäufte Esslöffel bester Honig
Saft von 2–3 Zitronen
1 kräftige Prise Meersalz
1 Handvoll reife Erdbeeren

• Zuerst im Wasserkocher etwas Wasser zum Kochen bringen. Den Mixaufsatz des Mixers mit Honig, Zitronensaft, Salz und 50 ml kochendem Wasser füllen und alles 30 Sekunden vorsichtig pürieren – der Inhalt ist sehr heiß.

• Die Erdbeeren hinzufügen und pürieren, dann 500 ml eiskaltes Wasser zugießen und erneut pürieren.

• Mit Eiswürfeln servieren und genießen.

Supernova-Holundersekt

Die natürliche Hefe in Holunderblüten wird innerhalb weniger Wochen blubbern und sprudeln, wenn man sie in Ruhe ihre Arbeit tun lässt. Selbst angesetzter Sekt mit Holundernote zum Preis von einem Paket Zucker und einigen Zitronen. Was will man mehr?

Der Hefegehalt in den Holunderblüten hängt davon ab, zu welchem Zeitpunkt der kurzen Saison sie gepflückt wurden und ob die Sonne schien. Um dem Ganzen etwas auf die Sprünge zu helfen, gebe ich eine Prise Trockenhefe dazu.

Robuste Glasflaschen mit Bügelverschluss oder dicke Plastikflaschen von guter Qualität sind ein Muss – durch die Bläschenbildung wird CO_2 – Kohlenstoffdioxid, im Volksmund Kohlensäure – freigesetzt, daher sind stabile Flaschen nötig, damit die Korken nicht frühzeitig aus den Flaschen knallen. Wie man Flaschen sterilisiert, können Sie auf Seite 338 nachlesen.

FÜR ETWA 8 LITER

50 Holunderblütenstände
6 unbehandelte Zitronen
1,1 kg extrafeiner Vollrohrzucker
2 EL Weißweinessig
1 Prise Trockenhefe

AUSSERDEM

1 großer, sehr sauberer Eimer oder eine entsprechende Schüssel zum Fermentieren

1 großes Stück Musselin oder 1 sauberes dünnes Geschirrtuch

sterilisierte Flaschen für 8 Liter Holundersekt

• Die Holunderblütenstände leicht schütteln, um eventuell vorhandene Insekten loszuwerden, dann in den Eimer legen. Mit einem Sparschäler die Schale der Zitronen in Streifen abschälen und mit dem Zitronensaft ebenfalls in den Eimer geben. Zucker und Essig hinzufügen. 4 Liter heißes Wasser zugießen, umrühren, bis der Zucker aufgelöst ist, dann mit 4 Litern kaltem Wasser auffüllen.

• Die Mischung mit einem Tuch abdecken und 24 Stunden an einem warmen Ort fermentieren lassen. Nach 24 Stunden prüfen, ob der Fermentationsprozess begonnen hat. Dann haben sich auf der Oberfläche einige Bläschen gebildet – falls dies nicht der Fall sein sollte, eine winzige Prise Trockenhefe zugeben. Weitere 48 Stunden mit einem Tuch abgedeckt fermentieren lassen.

• Danach die Mischung durch ein mit Musselintuch ausgelegtes Sieb in einen sauberen Krug abseihen. Dann in die sterilisierten Flaschen abfüllen und fest verschließen, damit keines der spritzigen kleinen Bläschen entweichen kann. Vor dem ersten Probieren mindestens 2 Wochen an einem kühlen Ort ruhen lassen. Am besten, Sie gedulden sich mindestens 1 Monat, damit sich das Aroma gut entwickeln kann. Der Sekt sollte so bis zu einem Jahr haltbar sein. Gekühlt in hohen Gläsern servieren.

Rosado de verano

Viele Sommer lang habe ich dieses herrlich sommerliche Getränk auf Barcelonas Grünstreifen genossen. Die Spanier nennen diese superentspannte Art des Auf-der-Straße-Genießens *botellón*: Jeder bringt eine Flasche, Gläser und Eis mit – ganz einfach!

Das Getränk wird auch oft mit Rotwein zubereitet, was ebenso gut geht, und mit gekaufter Limonade. Sogar mit Cola vermischt, habe ich es schon bekommen. Diese Variante in Altrosé ist meine Version des perfekten Sommerdrinks. Auf Seite 325 finden Sie ein Foto dazu.

FÜR 1,5 LITER

1 Flasche guter Rosé (aber nicht zu nobel), gekühlt

750 ml kohlensäurehaltiges Mineralwasser

150 ml Agavendicksaft

1 unbehandelte Zitrone, in Scheiben geschnitten

1 unbehandelte Limette, in Scheiben geschnitten

• Alle Zutaten mit reichlich Eis in einen Krug geben und gründlich umrühren. Anschließend draußen in der Sonne oder an einem lauen Sommerabend genießen.

Blutorangen-Agaven-Margaritas

Dieser Drink hat das Zeug zum absoluten Lieblingsgetränk. Kräftig pink, limettenspritzig und mit einem süßen Agavenkick. Ich mag Eiswürfel im Glas, Sie können jedoch auch eine gefrorene Slushy-Version machen, indem Sie den Drink mit einer Handvoll Eis im Mixer pürieren.

Außerhalb der Blutorangensaison eignen sich auch normale Orangen. Der Drink ist toll für Partys, da er im Voraus zubereitet und bei Bedarf mit Eis in Gläser eingeschenkt werden kann – einfach das Rezept verdoppeln oder verdreifachen. Fluoreszierende Cocktailschirmchen machen sich hier übrigens sehr gut...

FÜR 4 PERSONEN

500 ml Blutorangensaft (von etwa 5 Blutorangen)

Saft von 2 Limetten

2 EL Agavendicksaft

100 ml Triple Sec oder Cointreau

150 ml guter Tequila

1 unbehandelte Limette, in Scheiben geschnitten

• Den Blutorangen- und Limettensaft in einen Krug gießen, dann den Agavendicksaft und den Alkohol hinzufügen und vermischen.

• Vier Gläser mit reichlich Eis füllen, dann die Margaritas darübergießen. Mit Limettenscheiben garnieren.

Heißer Nachmittagskakao

Dieser Kakao hat mich durch einen der kältesten Winter gebracht, an die ich mich erinnern kann. Er beruhigt, belebt und gibt Kraft – all das in einer Tasse.

Er strotzt förmlich vor Köstlichkeit, enthält so viel Gutes, stillt den Appetit nach Süßem und bringt die Energie zurück, wenn die Vier-Uhr-Müdigkeit zuschlägt.

FÜR 2 PERSONEN

500 ml Milch nach Wahl
(ich nehme Mandelmilch)
1 EL getrocknete Kamillenblüten
oder 1 Beutel Kamillentee
2 EL Kakaopulver (roher Kakao ist
der beste)
1 TL Maca-Pulver (nach Belieben;
siehe Seite 29)
Meersalz
1 kräftige Prise Zimt
2 EL Honig

• Die Milch mit den Kamillenblüten oder dem Teebeutel in einen Topf geben und sanft erwärmen (falls Nussmilch verwendet wird, nur sehr behutsam erhitzen). Wenn sie erwärmt ist, den Herd ausschalten und einige Minuten ziehen lassen.

• Die Blüten oder den Teebeutel entfernen, Kakao, Maca (falls verwendet), Meersalz und Zimt unterschlagen.

• Mit Honig süßen, dann in Tassen füllen und genießen.

Türkischer Kaffee mit Kardamom und Honig

Ich liebe Kardamom, und ich liebe Kaffee – dies ist also der Himmel für mich. Ein Kaffee für den Nachmittag, zu dem unbedingt ein Stück Kuchen gehört – ich kann hier besonders den Pistazienkuchen mit Holunderblüten-sirup von Seite 309 empfehlen.

Dies ist meine Mogelversion. Echter türkischer Kaffee wird in einer kleinen Kanne namens *ibrik* gekocht, und der Kaffee wird so fein gemahlen, dass er sich am Tassenboden absetzt. Ich verwende für die Zubereitung eine Cafetière.

FÜR 2 PERSONEN

2 gehäufte EL guter gemahlener
Kaffee
6 Kardamomkapseln, zerstoßen
Honig oder unraffinierter brauner
Zucker zum Süßen

• Den Kaffee mit den Kardamomkapseln in eine Cafetière geben und mit 400 ml kochendem Wasser übergießen. 3 Minuten ziehen lassen, dann ein paarmal umrühren, die Presse herunterdrücken und den Kaffee in Tassen gießen. Mit Honig oder braunem Zucker nach Bedarf süßen.

• In kleinen Tassen servieren, am besten mit einem Stück Pistazienkuchen mit Holunderblütensirup.

Konfitüre, Chutney, Brühe und andere nützliche Dinge

Genuss lässt sich in Gläser und Flaschen abfüllen. Besonders in solche mit handgeschriebenen Etiketten. Die meisten Köstlichkeiten in diesem Kapitel kaufe ich auch gern im Geschäft. Aber an manchen Tagen, wenn ich ein bisschen Zeit habe oder wenn es regnet und ich keine Lust zum Rausgehen habe, fülle ich gern meine Vorräte auf. Es ist so ein beglückendes Gefühl, wenn man an einem grauen Januartag die im Sommer im Glas konservierten rosig gefärbten Aprikosen als Konfitüre auf einen warmen Buttertoast streicht. Bei diesen Rezepten ist ein wenig Aufmerksamkeit und Geduld gefragt, aber der Anblick von im Regal aufgereihten Gläsern kirschroter Erdbeerkonfitüre entschädigt zehnfach für die ganze »harte Arbeit«.

Tiefrote Erdbeer-Rhabarber-Konfitüre · sommerliche Rosenblätter · leicht gelierte Aprikosenkonfitüre mit Vanille · rauchige Chilisauce · selbst gemachte Mandelbutter · würziges Nektarinen-Chutney · Sauce aus geröstetem aromatischem Wurzelgemüse · Gemüsebrühe pur & einfach

Konfitüre »Der Sommer kommt«

Ich liebe die ersten untrüglichen Zeichen, dass wärmere Tage im Anmarsch sind, wenn endlich Erdbeeren angeboten werden und man merkt, dass es nun tatsächlich Sommer wird. Diese kräftig rosafarbene Konfitüre ist wirklich wunderschön. Sie taucht bei mir gewöhnlich beim Frühstück auf gebuttertem Sauerteigbrot auf, ist jedoch genauso glücklich in Naturjoghurt oder als i-Tüpfelchen auf Milchreis.

Ich bereite die Konfitüre zu, wenn es Rhabarber gibt und die ersten Frühsommererdbeeren zu reifen beginnen. Im Spätsommer koche ich sie ebenfalls gern, dann mit den letzten Erdbeeren der Saison und mit Pflaumen anstelle von Rhabarber. Verglichen mit den üblichen Zuckermengen, die sonst zum Konfitürekochen verwendet werden, nehme ich hier eine winzige Menge Zucker, daher ist auch die Konsistenz weniger fest als bei den oft stark gelierten Konfitüren – genau so, wie ich es mag. Die rote Farbe und die Frische der Früchte bleiben auf diese Weise gut erhalten. Mögen Sie lieber eine festere Konfitüre, erhöhen Sie die Zuckermenge etwas und kochen die Konfitüre ein bisschen länger.

Für diese Konfitüre sollten Sie die Rosenblütenblätter in einem Garten pflücken, von dem Sie sicher sein können, dass dort keine Pestizide gespritzt werden. Die meisten Floristen werden Ihnen auch einen Tipp geben können, wo Sie ungespritzte Rosen kaufen können.

Eine Anmerkung zum Sterilisieren von Gläsern: Statt sie in kochendem Wasser zu sterilisieren, erhitzen Sie sie einfach im Backofen, während Sie in der Küche werkeln. Dazu den Ofen auf 140 °C (120 °C Umluft/Gas Stufe 1) vorheizen. Die Gläser sollten mindestens 10 Minuten im Ofen erhitzt werden, können jedoch auch länger drinnen bleiben. Wenn dann Konfitüre oder Chutney fertig und noch heiß sind, können sie gleich in die heißen Gläser abgefüllt werden – dabei unbedingt Topflappen verwenden! Dieser Prozess reicht völlig aus, damit die Gläser nun sicher verschlossen werden können, lästiges Kochen und Spülen entfällt. Das heißeste Programm Ihrer Spülmaschine erfüllt übrigens denselben Zweck. Wichtig ist so oder so, dass Sie die Gläser befüllen, solange sie noch heiß sind.

FÜR ETWA 2 LITER (ETWA 5 GLÄSER À 400 G)

6 ungespritzte rote Rosen oder 1 Handvoll für den Verzehr geeignete getrocknete Rosenblütenblätter

1 kg Erdbeeren, entkelcht und geviertelt

1 kg Rhabarber, geputzt und in 2 cm lange Stücke geschnitten

300 g extrafeiner Vollrohrzucker

1 unbehandelte Zitrone, geviertelt

Saft von 2 Zitronen

4 EL Rosenwasser

• Die Blütenblätter sanft abzupfen und sorgfältig unter fließendem kaltem Wasser abspülen (was bei getrockneten Blütenblättern überflüssig ist). Beiseitelegen. Einen kleinen Teller in den Tiefkühler stellen (damit wird später der Gelierzustand der Konfitüre getestet).

- Die Erdbeeren mit dem Rhabarber, dem Zucker, den Zitronenvierteln und dem Zitronensaft in einen großen Topf füllen, bei niedriger Temperatur erhitzen und darauf achten, dass sich der Zucker langsam auflöst. Sobald er sich komplett aufgelöst hat, die Temperatur erhöhen und alles zum Kochen bringen, dann 30 Minuten simmern lassen, dabei den an die Oberfläche steigenden Schaum abschöpfen und entfernen.

- Nach 30 Minuten einen kleinen Löffel Konfitüre zum Geliertest auf den kleinen Teller aus dem Tiefkühler geben. Wenn sie sich mit dem Finger zu Falten zusammenschieben lässt, ist die Konfitüre fertig. Falls nicht, nochmals einige Minuten kochen lassen, dann erneut prüfen, gegebenenfalls wiederholen. Denken Sie daran, den kleinen Teller inzwischen zurück in den Tiefkühler zu stellen.

- Wenn die Konfitüre nach Wunsch geliert ist, den Herd ausschalten und die Rosenblütenblätter und das Rosenwasser unterrühren.

- Die Konfitüre leicht abkühlen lassen und noch warm in sterilisierte Gläser füllen. Unverzüglich die Deckel aufschrauben. Die Gläser zum Abkühlen beiseitestellen, dann mit einem Etikett versehen und an einem kühlen Ort lagern, bis Sie die Lust auf Sonne aus dem Glas überfällt.

Rotbäckchen-Aprikosenkonfitüre

Das ist die beste Konfitüre, die ich je gekocht habe. Konservierter Sommer. Öffnen Sie ein Glas an einem kalten Januartag – Sie werden allen ein Lächeln schenken und den tröstlichen Gedanken an den Sommer. Es ist eine Konfitüre nach französischer Art, weniger fest als unsere traditionelle Konfitüre – irgendwo zwischen Konfitüre und Kompott, mit weicherer Konsistenz und weniger Zucker, wodurch die Frische der Früchte stärker betont wird.

Ich verwende ein paar Aprikosenkerne, die kleinen mandelförmigen Samen im Inneren der Steine. Vor dem Abfüllen unter die fertige Konfitüre gerührt, sorgen sie für ein intensiveres Aprikosenerlebnis und eine fast mandelartige Note, die ich liebe.

FÜR 4 BIS 5 GLÄSER

1,5 kg reife rotbackige Aprikosen, gewaschen, halbiert und entsteint (eine Handvoll Steine aufbewahren)
500 g extrafeiner Vollrohrzucker
Saft von 2 Zitronen
1 Vanilleschote

• Die Aprikosenhälften mit dem Zucker in den größten Topf füllen und den Zitronensaft zugeben. Die Vanilleschote längs aufschlitzen, das Mark herausschaben, Schote und Mark hinzufügen. Alles gut umrühren und 2 Stunden ziehen lassen.

• Wenn Sie die Aprikosenkerne zugeben möchten, wickeln Sie die Steine in ein Geschirrtuch und schlagen mit einem Rollholz kräftig darauf, um sie aufzubrechen. Die kleinen Kerne herauspicken. Die Steine wegwerfen, die Kerne in eine Schüssel legen. Mit kochendem Wasser bedecken und 1 Minute ruhen lassen, dann abgießen. Von den braunen Häutchen befreien und zu den Früchten geben.

• Nachdem die Aprikosen 2 Stunden durchgezogen sind, der Zucker sich aufgelöst hat und die Früchte weich geworden sind, den Topf bei niedriger Temperatur auf den Herd stellen und zum Simmern bringen. 25 Minuten simmern lassen, dabei ständig umrühren, damit die Konfitüre nicht am Topfboden ansetzt. Ab und zu den an die Oberfläche steigenden Schaum abschöpfen.

• Nach 25 Minuten sollte die Konfitüre ausreichend eingedickt sein, beim Abkühlen dickt sie nochmals ein. Für eine Gelierprobe nach der Anleitung auf den Seiten 338/339 vorgehen. Wenn sie abgekühlt, aber noch warm ist, die Konfitüre in sterilisierte Gläser abfüllen und sofort verschließen. An einem kühlen Ort ist die Konfitüre 1 Jahr lang haltbar.

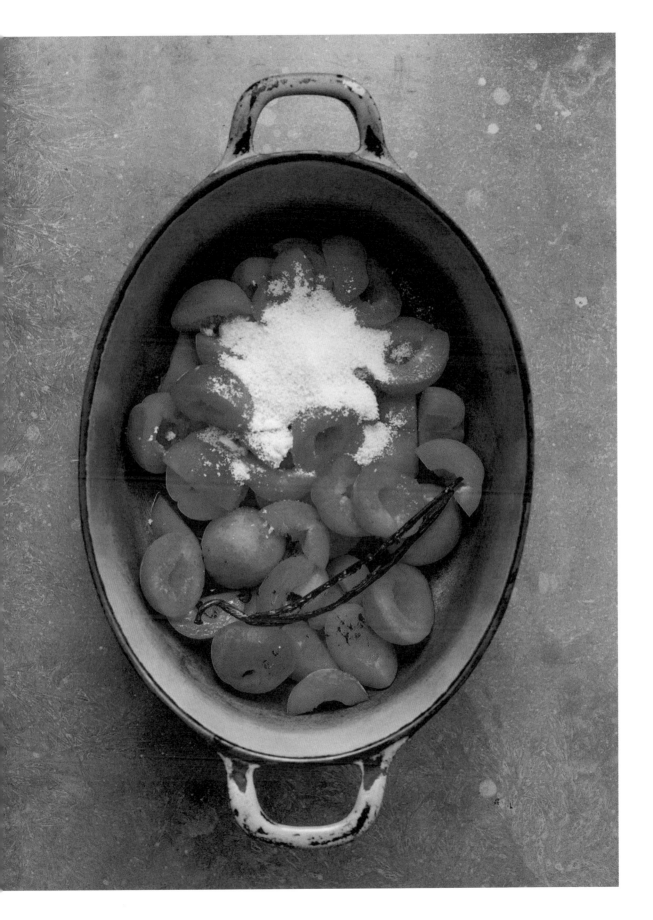

Würziges Nektarinen-Lorbeer-Chutney

Dies ist für mich, was für viele andere mein Mango-Chutney ist. Ich koche es im Spätsommer, wenn reife Nektarinen die Auslagen füllen. Pfirsiche eignen sich ebenfalls gut.

Ich genieße das Chutney gern zu gereiftem Käse (Cheddar passt besonders gut) oder großzügig zu Reis und Dal auf den Teller gelöffelt.

FÜR 1,5 LITER (ETWA 4 GLÄSER À 400 G)

2 kg Nektarinen, gewaschen und entsteint

1 EL Fenchelsamen

1 EL Koriandersamen

Olivenöl

2 rote Chilis, Samen entfernt, in dünne Ringe geschnitten

600 g extrafeiner Vollrohrzucker

4 Lorbeerblätter

150 ml Weißweinessig

- Die Nektarinen in kleine Stücke (etwa von der Größe einer dicken Bohne) schneiden. Im Mörser die Fenchelsamen und die Koriandersamen grob zerstoßen.

- Etwas Olivenöl in einem großen Topf erhitzen. Die zerkleinerten Chilis und die zerstoßenen Gewürze zugeben und 1 Minute unter Rühren erhitzen. Die klein geschnittenen Nektarinen, den Zucker, die Lorbeerblätter und den Essig hinzufügen und bei niedriger Temperatur sanft köcheln lassen.

- 20 bis 30 Minuten garen, bis ein kräftig rot-orangefarbenes, siruppartiges Chutney entstanden ist. Vergessen Sie nicht, dass es beim Abkühlen noch etwas fester wird.

- In sterilisierte Gläser abfüllen (siehe Seite 338) und im Kühlschrank oder an einem kühlen Ort einige Wochen aufbewahren, bis Sie eine Portion Sonne und Gewürze brauchen.

NÜSSE

Nüsse tauchen in meiner Küche fast überall auf. Ob auf einem Toast, den ich mit Mandelbutter bestreiche, mit Bananenscheiben belege und mit etwas Zimt bestreue oder als geröstete Pistazien, die ich mit Kräutern zu Pesto verarbeitete (siehe Seite 180), mit dem ich Röstgemüse beträufle, seien es gemahlene Mandeln im Kuchenteig oder fein pürierte Mandeln für Mandel-Vanille-Milch (siehe Seite 345) – Nüsse spielen eine große Rolle.

Sie enthalten gesunde Fette, die unser Körper braucht und die gut fürs Herz sind. Sie sind reich an Vitamin E, Mineralien und Ballaststoffen. Walnüsse enthalten sogar Omega-3-Fettsäuren.

Ich kaufe ungesalzene Nüsse und lagere sie in Gläsern im Kühlschrank. Ich bemühe mich, sie in eingeweichtem und rohem Zustand zu essen, da ich so das Maximum an Nährstoffen erhalte. Wenn ich sie jedoch geröstet verwenden möchte, röste ich sie immer nur in kleinen Portionen, da geröstete Nüsse schneller schlecht werden. Brauchen Sie Nüsse innerhalb weniger Monate auf. Frisch schmecken sie einfach am besten.

NÜSSE EINWEICHEN

Wieso Nüsse einweichen? Nüsse sind im Grunde Samen, die nicht gekeimt sind. Und eingeweichte Nüsse sind eigentlich nichts anderes als keimende Samen, die demnächst zu einer Pflanze heranwachsen. Nicht eingeweichte Nüsse enthalten Enzymhemmstoffe, die verhindern, dass sie zu Pflanzen heranwachsen. Das macht sie jedoch auch schwerer verdaulich. Sobald wir sie in Wasser einweichen, beginnen die Nüsse zu keimen, die natürlichen Enzyme nehmen ihre Arbeit auf, und der Gehalt aller anderen Nährstoffe schnellt in die Höhe. Falls Sie es nicht schaffen, die Nüsse über Nacht einzuweichen, dann weichen Sie sie eben nur ein paar Minuten ein. Ich weiche vor dem Schlafengehen eine Handvoll Nüsse ein, dann kann ich sie am nächsten Tag knabbern oder zum Kochen verwenden.

NUSSBUTTER

Ich bin ein großer Fan von Nussbutter. Ich esse sie morgens auf Toast, streiche sie auf Pancakes und rühre sie unter Dressings und Saucen.

ROHE NUSSBUTTER SELBST MACHEN

•

Etwa 200 g Nüsse (Pistazien, Cashewkerne, Mandeln, Haselnüsse, Macadamianüsse) im Mixbehälter der Küchenmaschine 1 bis 2 Minuten zu einem groben Pulver zerkleinern. Alles, was sich am Rand abgesetzt hat, abschaben und erneut pürieren, bis eine relativ glatte Paste entstanden ist. In ein Glas füllen und bis zu 2 Wochen im Kühlschrank aufbewahren. Sollte die Nussbutter etwas trocken sein, mit ein paar Esslöffeln Erdnuss- oder Rapsöl geschmeidig rühren. Eine geröstete Nussbutter mit einem intensiveren Aroma erhalten Sie, wenn Sie die Nüsse 4 bis 5 Minuten bei 200 °C (180 °C Umluft/Gas Stufe 6) im Ofen rösten, bis sie gerade eben Farbe anzunehmen beginnen. Abkühlen lassen, dann nach obigem Rezept verarbeiten.

Sie können auch mit etwas Honig, Agavendicksaft oder Ahornsirup süßen oder für ein komplexeres Aroma eine Prise Meersalz, Zimt oder Vanille zugeben. Wenn Sie ein paar Esslöffel hochwertiges Kakaopulver und etwas Honig unterrühren, erhalten Sie eine Art gesundes Nutella.

NUSSBUTTER AUF TOAST

•

Toast mit Mandelbutter, Ahornsirup, einer Prise Zimt und etwas Meersalz genießen.

•

Toast zuerst mit etwas Kokosöl, dann mit Erdnussbutter bestreichen, mit etwas Honig beträufeln und mit Kokosraspeln bestreuen.

•

Toast mit Pecannussbutter bestreichen, mit Bananenscheiben belegen, mit Honig beträufeln und mit einer Prise Meersalz bestreuen.

•

Haselnussbutter mit wenig rohem Kakaopulver vermischen und als gesundes Nutella auf Toast streichen.

•

Toast mit Macadamianussbutter bestreichen, mit Avocadoscheiben belegen, mit Honig beträufeln und mit etwas Meersalz bestreuen.

NUSSMILCH

Sie benötigen:
1 Tasse Nüsse, 1 Liter Wasser
und ein Musselintuch.
Oh … und einen Mixer.

↓

CASHEWKERNE · PARANÜSSE · MANDELN ·
PISTAZIEN · WALNÜSSE · HASELNÜSSE ·
MACADAMIANÜSSE · SONNENBLUMENKERNE ·
KÜRBISKERNE · SESAMSAMEN · HANFSAMEN

→

1

Nüsse über Nacht oder mindestens 8 Stunden in kaltem
Wasser einweichen.

2

Die Nüsse abgießen, abspülen und mit 1 Liter Wasser
in den Mixer geben.

3

Zu einer dünnflüssigen trüben Mischung pürieren
(Vorsicht Spritzgefahr!).

4

Das Musselintuch über die Öffnung eines Krugs spannen
und die Milch durch das Tuch gießen, am Ende den
letzten Tropfen Flüssigkeit aus dem Nusspüree pressen.

5

Die Milch in eine Flasche abfüllen und im Kühlschrank
aufbewahren, wo sie 3 bis 4 Tage haltbar ist.

6

Zufrieden zurücklehnen mit dem guten Gefühl, selbst
Milch hergestellt zu haben.

Superschnelle selbst gemachte Chilisauce

Diese Salsa kann auf alles Mögliche und Unmögliche geträufelt werden – ihr Chili-Melasse-Gemüse-Aroma trifft auf jeden Fall ins Schwarze.
Ich peppe damit meine Frühstückseier oder eine Tomatensuppe auf oder kröne die Schwarze-Bohnen-Tacos auf Seite 174 damit.

Es ist DIE Sauce für alle Fälle, sie ist sehr frei der *Salsa Lizano*, einer feurigen Würzsauce, nachempfunden, die neben Salz und Pfeffer auf jedem Esstisch in Mittelamerika zu finden ist.

FÜR ETWA 250 ML

Olivenöl
1 kleine Zwiebel, geschält und fein gehackt
½ Karotte, geschält und klein gehackt
250 g gute Gemüsebrühe
1 EL gemahlener Kreuzkümmel
3 EL brauner Zucker
1 EL Apfelessig
1 TL Meersalz
1 EL Chipotle-Paste oder Menge nach Belieben
Saft von ½ Zitrone

• Etwas Olivenöl in einer Pfanne erhitzen, die Zwiebel und die Karotte 5 Minuten darin anbraten, bis sie weich sind. Die Brühe und alle anderen Zutaten außer dem Zitronensaft hinzufügen. 5 Minuten nicht zu stark köcheln lassen, bis die Sauce leicht eingedickt ist.

• Kurz abkühlen lassen, dann in den Mixer füllen und fein pürieren. Den Zitronensaft zugeben, probieren, mit Salz und Pfeffer würzen und bei Bedarf mit etwas mehr Zitronensaft, Chili oder Salz harmonisch abschmecken.

• Die Sauce ist einige Wochen im Kühlschrank haltbar. Wird sie in eine sterilisierte Flasche oder ein sterilisiertes Glas abgefüllt, ist sie noch viel länger haltbar.

Sauce aus aromatischem Röstgemüse

Eine richtige »Braten«sauce, auf die man stolz sein kann. Die Süße des Röstgemüses erhält durch den Cidre eine frische Note. Sie passt zu Backofengemüse, Yorkshire Puddings, Würstchen und Kartoffelpüree und zu Pies. Ich bereite die Sauce jedes Jahr für Weihnachten und zu all meinen Sonntagsessen zu. Sie kann gut am Vortag gekocht werden, Reste können problemlos eingefroren werden.

FÜR ETWA 400 ML

2 Stangen Lauch, gewaschen und grob zerkleinert

2 Stangen Staudensellerie, gewaschen und grob gehackt

2 Karotten, gewaschen und grob gehackt

2 Knoblauchzehen mit Schale

2 Zweige Rosmarin

2 Zweige Thymian

2 Lorbeerblätter

Meersalz und frisch gemahlener schwarzer Pfeffer

Olivenöl

2 EL Weizenmehl

500 ml trockener Cidre

200 ml Gemüsebrühe

- Den Backofen auf 220 °C (200 °C Umluft/Gas Stufe 7) vorheizen.

- Das Gemüse in einem großen Bräter verteilen und mit den Kräutern bestreuen. Mit Salz und Pfeffer würzen, mit etwas Olivenöl beträufeln. 45 Minuten im Backofen rösten, bis das Gemüse süß, weich und golden gefärbt ist. Aus dem Ofen nehmen und kurz abkühlen lassen.

- Mit einem Kartoffelstampfer das Gemüse im Bräter zerdrücken, dann den Bräter bei mittlerer Temperatur auf den Herd stellen. Das Mehl zugeben und einige Minuten sorgfältig unterrühren, bis es gut durchgegart ist.

- Den Cidre und die Brühe zugießen, zum Simmern bringen, dann 10 Minuten unter gelegentlichem Rühren köcheln lassen, sodass sich alles, was am Boden angesetzt hat, mit der Flüssigkeit verbindet.

- Nach 10 Minuten vom Herd nehmen. Die Sauce durch ein Sieb in einen Krug abseihen, dabei das Gemüse und die Kräuter mithilfe eines Löffels kräftig ausdrücken, um an das letzte Tröpfchen Aroma heranzukommen. Bis zur Verwendung im Kühlschrank aufbewahren. Zum Aufwärmen mit etwas heißem Wasser oder Gemüsebrühe verdünnen.

Gemüsebrühe für Faule

Ich gestehe, dass ich öfter zu Instantbrühe oder einem guten Bio-Gemüsebrühwürfel greife, als selbst eine Brühe zu kochen.

Jedenfalls war das so, bevor mir diese Idee kam. Ich finde es schon fast peinlich, das hier als Rezept zu bezeichnen, so simpel ist es – Gemüseschnippeln und Wasserkochen ist das Anspruchsvollste, was man dafür tun muss.

Sie benötigen zwei Einmachgläser von je einem Liter Inhalt, die in den Kühlschrank passen. Sie brauchen sich nicht an die angegebenen Gemüsemengen zu halten – das Gute an einer Brühe ist, dass man diverse Abschnitte und anderweitig übrig gebliebenes Gemüse, das noch im Kühlschrank herumliegt, verwenden kann. Halten Sie sich lediglich an das vorgegebene Verhältnis und füllen Sie die Einmachgläser zur Hälfte mit dem Gemüse.

FÜR 2 LITER

2 Karotten, gewaschen und grob gehackt
1 rote Zwiebel, in Spalten geschnitten
1 Stange Lauch, gewaschen und in Scheiben geschnitten
2 Stangen Staudensellerie, gewaschen und grob gehackt
2 Lorbeerblätter, zusammengedrückt
1 kleines Bund Thymian
1 TL Meersalz
einige schwarze Pfefferkörner

• Den Wasserkocher mit Wasser füllen und zum Kochen bringen. Das zerkleinerte Gemüse und die anderen Zutaten gleichmäßig auf die zwei 1-Liter-Gläser verteilen. Die Gläser mit dem frisch aufgekochten Wasser auffüllen, dabei einige Zentimeter frei lassen. In jedem Glas sollten sich nun etwa 750 ml befinden. Mit den Deckeln verschließen und an einem sicheren Platz abkühlen lassen.

• Nach dem Abkühlen entweder sofort abseihen, dann erhalten Sie eine leichte Gemüsebrühe. Wenn Sie eine kräftige Brühe möchten, stellen Sie die Gläser 12 Stunden in den Kühlschrank und seihen Sie sie erst dann ab.

• Nach dem Abseihen die Brühe zurück in die Gläser füllen und im Kühlschrank aufbewahren, wo sie bis zu 1 Woche haltbar ist.

Selbst gemachte Instant-Gemüsebrühe

Das ist eins dieser Rezepte, bei denen man sich fragt, warum man nicht schon viel früher drauf gekommen ist. Dieses selbst gemachte Instantpulver ist weniger salzig und schmeckt deutlich mehr nach Gemüse als das gekaufte Zeug.

Die Basis für dieses Rezept habe ich von meiner genialen Freundin Heidi Swanson von 101cookbooks.com »ausgeliehen«. Ein wirklich nützliches Rezept für Veganer und Menschen, die kein Gluten zu sich nehmen, da es nicht ganz einfach ist, Brühwürfel und Instant-Pulver zu finden, die keine Milchprodukte und kein Gluten enthalten.

FÜR ETWA 500 G

2 Stangen Lauch, gewaschen und grob gehackt

4 Karotten, sorgfältig abgeschrubbt und gehackt

4 Stangen Staudensellerie, gewaschen und grob gehackt

1 Fenchelknolle, gewaschen und grob gehackt

3 Knoblauchzehen, geschält

1 kleines Bund Petersilie

1 Handvoll helle Sellerieblätter aus dem Staudensellerieherz

20 g feines Meersalz

• Das Gemüse und den Knoblauch im Mixbehälter der Küchenmaschine zu kleinen Würfeln zerkleinern. Die Petersilie und die Sellerieblätter zugeben und einige Male den Intervallschalter betätigen. Nun das Salz hinzufügen und den Intervallschalter betätigen, bis sich alles in eine feine Paste verwandelt hat (die ziemlich feucht ist).

• In einen tiefkühlgeeigneten Behälter mit Deckel füllen und bis zur Weiterverwendung im Tiefkühler aufbewahren. Durch das Salz bleibt die Paste auch in gefrorenem Zustand relativ pulvrig, sodass man das Instant-pulver problemlos löffelweise entnehmen kann. Für 1 Liter Wasser verwende ich 1 Tee- oder Esslöffel, je nachdem, wofür ich die Brühe benötige.

REZEPTREGISTER

*Die folgenden Rezepte sind vegan oder
glutenfrei oder benötigen dafür nur eine
kleine Änderung. Auf Seite 17 finden Sie
Informationen zu speziellen veganen oder
glutenfreien Zutaten.*

VEGANE REZEPTE

GLUTENFREIE REZEPTE

DANKSAGUNG

Dieses Buch zu schreiben war für mich die große Freude meines Lebens und eine Achterbahn der Gefühle. Dieses Buch gehört vielen Menschen.

Zuerst einmal John, meinem lieben und sanften walisischen Partner. Du hast dein Leben angehalten, um mir bei diesem Buch zu helfen. Deine Freundlichkeit, Selbstlosigkeit, Engelsgeduld und dein Glaube an mich machen mich glücklich. Ich bin so froh, dass wir zusammen sind. Dieses Buch ist für dich.

Schon ganz früh war mir bewusst, dass ich großes Glück habe, Teil meiner Familie, der Jones-Familie, zu sein. Roger und Geraldine sind die besten Eltern, die es gibt. Eure immerwährende Unterstützung und Liebe begleiten mich überallhin. Laura, meine Schwester – seit wir kleine Mädchen waren bis jetzt, kann ich mich mit allem an dich wenden. Sowohl bei diesem Buch als auch in meinem Leben hast du immer meine Hand gehalten. Gemeinsam schaffen wir alles. Du bist meine Heldin. Und Owen, mein Bruder – du findest immer einen Weg für das, was du für richtig hältst, mit Mut und Loyalität. Du bleibst dir treu bei allem, was du tust. Ich arbeite daran, so mutig, so klug und so lustig zu werden wie du.

Louise Haines, ich fühle mich geehrt, dass du an mich und meine Art zu kochen glaubst und meinem Buch und mir die Möglichkeit gegeben hast, uns zu entwickeln – bei dir und Fourth Estate veröffentlichen zu dürfen ist ein Traum. Georgia Mason, eine absolut brilliante, geduldige, freundliche und taktvolle Lektorin, du warst quasi mein Resonanzboden und hast dieses Buch auf deine göttliche und perfekt formulierte Art zum Leben erweckt – dafür bin ich sehr dankbar. Morwenna Loughman, ebenfalls vielen Dank. Michelle Kane, was für ein Schatz! Annie Lee, danke fürs Durchsieben meiner Wörter, ich fühle mich in deinen Händen sehr gut aufgehoben.

Brian Ferry für die wunderschönen Fotos, die unglaubliche Liebe zum Detail und die verdammt harte Arbeit an den dunklen Januartagen. Ich habe deine Arbeit schon lange aus der Ferne bewundert. Für mich ist ein Traum in Erfüllung gegangen, dass du die Fotos für mein Buch gemacht hast. Sandra Zellmer für die unglaubliche Gestaltung, die Geduld und die perfekt organisierte und entspannte Arbeitsweise, du bist wunderbar.

Danke auch an meine Literaturagentin Felicity Blunt als meine Vertraute, meinen Rückhalt. Einige liebe Freunde haben bei der Entstehung dieses Buchs eine große Rolle gespielt. Ceri Tallett, deine Hilfe bei meinen Worten hat dieses Buch so viel besser gemacht. Danke für deine unerschöpfliche Freundlichkeit und deinen Glauben an mich. Liz McMullan und dein hervorragendes Gehirn, ich weiß, dass du mir immer zur Seite stehst, was ich jederzeit auch für dich tue, *grazie mille*. Emily Ezekiel, deine nicht nachlassende Unterstützung, wahnsinnig gute Küche, Freundschaft und Ehrlichkeit haben mich so beflügelt, dass ich all das ohne dich nie geschafft hätte, und das war längst noch nicht alles, Süße. Jess Lea Wilson, Anglesey's Beste, danke für alles.

Danke den zahllosen Köchen, die mich auf meinem Weg inspiriert haben. Jamie Oliver, der den Ball ins Rollen gebracht hat, der so oft so gut war, dass alle anderen an der Startlinie zurückbleiben. Ginny Rolfe, die mich förderte, und Georgina Hayden, die mich lautstark ermunterte, Steve Pooley und Asher Wyborn für die Anfangszeit und überhaupt die ganze J.O.-Familie. Tom und Henry Herbert für kulinarische Abenteuer. Sophie Dahl für ihre zuverlässige Unterstützung. Heidi Swanson für immerwährende Inspiration und Freundlichkeit. Und all die Köche, die ich noch nie getroffen habe, deren Blogs, Bücher und Fotos meinen Alltag bereichern.

Danke den netten Menschen, die mir beim Testen der Rezepte geholfen haben und denen ich ewig dankbar sein werde: Emily Taylor, Pip Spence, Christina Mackenzie, Stella Lahaine, Sian Tallett, Olenka Lawrenson, Hannah Cameron MacKenna, Ken Gavin, Nick und Anna Probert-Boyd.

Danke an Jo bei *Brickett Davda* für die unglaublich schönen Teller. Allen bei *David Mellor*, dass ich einige ihrer wunderschön gefertigten Stücke verwenden durfte. *Labour and Wait* für eine ganze Auswahl an herrlichen Dingen inklusive einer ganz besonders bezaubernden Kaffeekanne. *The Conran Shop* für seine freundlichen Leihgaben. *Holly's House* für seine hübsche Ausstattung. *Nukuku* für seine Großzügigkeit. Und *The Lacquer Chest* – genauer: Gretchen, Agnes, Ewan und Merle –, dass ich mich in ihren mit Schönheit gefüllten Geschäftsräumen umschauen und in einem so besonderen Ort versinken durfte.

Danke auch meinen Obst- und Gemüsehändlern in Stoke Newington, die mir unzählige Kisten voller Gemüse zum Auto geschleppt haben, an *Leila's Shop* für das ausgezeichnete Obst und Gemüse und dafür, dass wir einige Aufnahmen in diesem wunderschönen Laden machen durften.

Vielen Dank an Matt »Muscles« Russell, weil er so ein liebenswerter Mensch ist. Und an Jules Matt fürs Ausleihen seiner Kamera, Andy Ford für sein aufmerksames Auge und Jon P. dafür, dass er mit Schürze so gut aussieht, an Alex Grimes für ihre Geschichten und das großartige Essen, an Serinde und Rhod für ihr Sodabrot. Und Danke auch an so viele andere Verwandte und Freunde, die mich all die Jahre begleitet haben. Wenn ich alle namentlich nennen wollte, würden wir nicht fertig werden. An meine Freunde Lizzie Prior, Priya und Bayju Thakar, Mersedeh Safa, Charlotte Coleman und JMC, Lucy White, Zoe Allen, die Dales – Roger, Sian, Phil, Liz und Scott, Holly O., Jon Abbey und die Holdens und, last but not least: meine Ersatzschwester Crystal Malachias – du bist die Allerbeste.

Mit der Queen der vegetarischen Küche durchs Gemüsejahr.

Saisonal,
vegetarisch,
raffiniert!

Von den ersten Frühlingstagen über lange Sommerabende bis zu den kältesten Wintertagen – in »The Modern Cook's Year« zeigt Anna Jones, wie man das Beste aus saisonalem Obst und Gemüse herausholt. Das in sechs Jahreszeiten unterteilte, stylishe Kochbuch enthält über 250 köstliche vegetarische und vegane Rezepte, außergewöhnliche Geschmackskombinationen und viele hilfreiche Tipps für nachhaltigen Genuss.

mosaik
www.mosaik-verlag.de

480 Seiten

978-3-442-39346-6
Auch als E-Book erhältlich

Raffinierte Rezepte für Genießer mit wenig Zeit.

Die Queen der veganen und vegetarischen Küche!

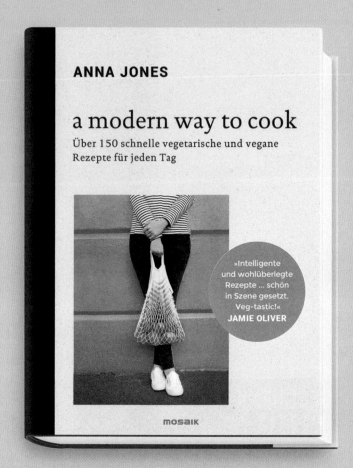

GESCHENK-TIPP

Anna Jones, der Shootingstar der vegetarischen Küche, stellt 150 schnelle Rezepte vor, die im Handumdrehen zubereitet sind und einfach köstlich schmecken. Ihre raffinierten Gerichte für jeden Tag sind in nur 15, 20, 30 oder 40 Minuten auf dem Tisch.

mosaik
www.mosaik-verlag.de

352 Seiten

978-3-442-39312-1
Auch als E-Book erhältlich